NF

ファスト&スロー

あなたの意思はどのように決まるか?

〔上〕

ダニエル・カーネマン
村井章子訳

HAYAKAWA NONFICTION

早川書房

7392

THINKING, FAST AND SLOW

by

Daniel Kahneman

Translated by
Akiko Murai
Published 2014 in Japan by
HAYAKAWA PUBLISHING, INC.
This book is published in Japan by
direct arrangement with
BROCKMAN, INC.

エイモス・トヴェルスキーを偲んで

目次

第2部　ヒューリスティクスとバイアス

下巻　目次

ファスト&スロー〔上〕

あなたの意思はどのように決まるか？

序論

本を書く人なら誰でも、読者が自分の本から得た知識をどんな場面で活用するのか、頭の中に思い描いているのではないだろうか。

私の場合には、それは、オフィスでの井戸端会議である。意見を交換し噂話に盛り上がる、あれだ。読者が誰かの判断や選択を批評したり、会社の新しい方針や同僚の投資の品定めをしたりするときに、もっと正確で内容のある言葉を使ってほしいと私は考えている。なぜ井戸端会議に狙いを定めたのかといえば、他人の失敗を突き止めてあれこれ言うほうが、自分の失敗を認めるよりずっと簡単でずっと楽しいからだ。自分の信念や願望を疑ってみるのは、ものごとがうまくいっているときでも難しい。しかも、それを最も必要とするときに一段と難しくなる。だが、ちゃんと事情に通じた第三者の意見が聞こえてくれば、いろいろと得るものが多いことだろう。

また私たちはたいていの場合、自分の判断を友人や同僚がどう評価するか、何となく予想がつくものである。となれば、予想されたその評価の質や内容が問題になってくる。さらに、根拠のある噂話での評価は、真剣に反省するきっかけにもなる。今年は会社でも家でも判断ミスを減らそう、といった新年の誓いを立てている人もいるかもしれないが、そうした誓いなどよりずっと強力な動機になるだろう。

医者はよい診断を下すために、大量の病気ラベルを頭の中にしまっておかなければならない。ラベルは一つひとつ、病名と症状、前例と考えられる原因、起こりうる経過と予後、治癒または症状緩和のために可能な治療法と関連づけられている。医学を学ぶことの一部は、医学の言葉を学ぶことだ。同じように、判断と選択についての理解が深まるほど、日常用語では間に合わない語彙がどっさり必要になる。事情通の噂話からは、人間が犯すエラーの顕著なパターンが見つかると期待できる。エラーの中でも特定の状況で繰り返し起きる系統的なエラーはバイアスと呼ばれ、予測が可能だ。たとえば自信たっぷりの美男子が講演会の壇上に上がったら、聴衆は彼の意見に本来以上に賛同すると予想がつく。このバイアスには「ハロー効果（Halo effect）」という診断名がついているので、予測することも、認識し理解することも容易になっている。

いま何を考えているのかと訊ねられたら、あなたはたぶんすらすら答えられるだろう。自分の頭の中で起きていることぐらいわかっているとほとんどの人が信じているし、ある考えから次の考えが浮かぶという具合に、順序立てて思考が進むと思っている。だが頭はいつもそういうふうに働くわけではないし、それが標準的であるとも言えない。

印象や考えのほとんどは、どこから出てきたのかわからないままに、意識経験の中に浮かび上がってくるものである。たとえば、目の前の机の上にデスクライトがあるという認識はどこから出てきたのか。電話に出た瞬間に妻（または夫）が怒っていることをなぜ察知できたのか。運転中、路上の障害物をはっきり認める前にどうやって回避できたのか――あなたは説明できないだろう。印象や直感、そして多くの決定を生み出す知的作業は、頭の中でひっそりと進められている。

本書で論じることの大半は、直感のバイアスと関係がある。とはいえ、医学書が病気に注意を払うからといって健康を否定するわけではないのと同じように、エラーを取り上げるからといって人間の知性を過小評価するつもりは毛頭ない。私たちの大半は、たいていは健康で、判断や行動もほとんどの場合はまずまず適切である。日常生活を送るうえで、ふだんはとくに迷わず印象や感覚に従い、自分の直感的な判断や好みがだいたいは正しかったと自信を持っている。だが、いつも正しいわけではない。私たちは、まちがっていながら自信たっぷりのことがよくある。そんなとき、客観的な第三者なら当人よりまちがいを発見しやすい。

井戸端会議に私が期待することをまとめておこう。まずは他人について、そして最終的には自分自身について、判断や選択のエラーを突き止め理解する能力を高めることである。そのために、本書ではより正確で適切な語彙を紹介していく。そして少なくともいくつかのケースでは、エラーの適切な診断によって、不適切な判断や選択が引き起こしがちなダメージを防ぐ治療法を提案できると考えている。

本書のルーツ

本書では、判断と意思決定に関して私が現在持っている知識を披瀝する。これらの知識は、ここ数十年ほどの心理学的発見を通じて形成されたものだ。だが、そもそものルーツは一九六九年の幸運な出会いに遡る。

この年、私は同僚に、セミナーでゲストスピーカーとして何かしゃべってくれと頼んだ。当時私はエルサレム・ヘブライ大学の心理学部で教えていたのだが、教授陣の中で意思決定に関する若手有望株と目されていたのがエイモス・トヴェルスキーだった。エイモスを知る人の多くは、これまでに会った中でいちばん優秀な頭脳の持ち主だと断言する。それほど頭がよく、しかも話好きで、カリスマ性も備わっている人物だった。大量のジョークを頭の中にしまい込んでいて、それを当意即妙に使いこなすすばらしい能力にも恵まれていた。だからエイモスがいたら、退屈するなんてことはない。当時エイモスは三二歳、私は三五歳だった。

エイモスはセミナーで、自分が手がけている研究プログラムについて話してくれた。ミシガン大学で進めているもので、「人間の直感はうまく統計を扱えるか」という問題に答を出すことが目的である。人間が直感的に文法を理解できることは、すでにわかっていた。なにしろ、文法が存在することすら知らない四歳の子供が、何の苦労もなく母語の文法に従って話せるのだから。では人間は、統計の基本原則についても、同じような直感を持ち合わせているだろうか。エイモスによれば、従来は条件付きのイエスと考えられてきたという。私たちはセミナーでこの点を検討し、条件付きのノーのほうが正しいという結論に達した。エイモスと私はこの討論に大いに満足し、直感的な統計処理の問題はおもしろいテーマだし、一緒に研究したらきっと楽しいだろうと考えた。私たちはさっそくその金曜日に、エルサレムのボヘミアンや学者のたまり場であるカフェ・ライモンで、一緒に昼食をとった。そして、高度な専門知識を持つ研究者の統計的直感をどう調査するか、計画を立てた。私たちはすでにセミナーで、自分たちの直感があまり上等ではないという結論に達していた。何年も統計を教え、使ってもきたというのに、少ない標本数で得られた統計的結果の信頼性について、正しい直感を養うことができなかったからである。私たちの主観的な判断にはバイアスがかかっていた。不適切なデータに基づく調査結果を鵜呑みにしがちだっただけでなく、自身の研究で集める標本数が少なすぎる傾向もあった。[*1] 他の研究者も同じ問題を抱えているかを調べることが共同研究の目的である。

私たちは、研究で扱う統計問題の現実的なシナリオを用意するなど調査の準備をし、エイモスが数理心理学会の参加者から回答を集めてきた。回答者の中には、統計の教科書の執筆者も数名含まれている。予想通り、専門の研究者も私たちとさほど変わらない反応をしていた。つまり、標本サイズが小さいにもかかわらず、現実の世界を忠実に再現していると過大評価しがちだったのである。彼らは、(架空の)大学院生が集めるべき標本の数についても、ひどくお粗末なアドバイスをした。たとえ統計の専門家であっても、直感ではうまく統計処理はできないということである。

これらの発見について論文を書くうちに、私たちはウマが合うとお互いに感じた。エイモスはいつだって愉快で、彼といると私も愉快になる。だから私たちはまじめな研究をしながら、延々と楽しい時間を過ごすことができた。こうした喜びがあるおかげで、私たちはいつになく忍耐強くなった。まったく退屈を感じないときは、完璧をめざして努力するのもじつに容易になる。そして、おそらく何より重要なのは、私たちがどちらもお得意の武器を使わなかったことだろう。私たちはどちらも批判や議論が大好きだが（エイモスのほうがとくにそうだが）、共同研究をしていた数年間というもの、相手の発言を頭から否定するようなことは、二人とも一度もしなかった。いやむしろ、自分の漠然としたアイデアをエイモスがクリアにしてくれることを、私は大いに楽しんだ。

エイモスは私よりも論理的に思考し、方向感覚が正しく、理論形成に長けている。私はより直感的だ。もともと知覚心理学を学んでいたので、この学問領域から多くのアイデアを拝借した。私たちはお互いに容易に理解できる程度には似ていたが、お互いに相手を驚かせる程度にはちがっていた。私たちは平日の多くの時間を共にする日課を決め、よく散歩をしながら議論を戦わせた。その後の一四年間、共同研究は私たちの生活そのものであり、どちらにとっても生涯最高の一時期となった。

研究のやり方もすぐに決まり、それを何年も続けた。主に対話を通じて進める方法である。質問を考えついたら直感的に答を出し、二人でその答を検討する。一つひとつの質問は、言ってみれば小さな実験であり、一日でいくつもの小実験をこなすことができた。自作の統計学的な質問に対して本気で正しい答を探すことは、目的ではない。ぱっと思いついた直感的な答を突き止めて分析することが目的で、きっとまちがいだろうと思っても、直感で答えることが大事だった。どんな直感であれ、二人がそろって抱いた直感は他の多くの人も抱くだろう、したがって判断への影響を分析しやすいはずだ、と私たちは考えた。この考えが正しかったことは、のちに実際の実験で確かめられた。

二人がよく知っている子供たちの将来の職業を予想したときまで意見がぴたりと一致したのには大笑いしたものだ。たった三歳の子供について、将来は弁護士になるとか、まぬけな大学教授になるとか、親切だがちょっとおせっかいなカウンセラーになる、といった具合に予想したことを思い出す。もちろんこんな予想はばかげているが、なかなかにもっともらしくもある。私たちの直感をたどってみると、予想した職業のステレオタイプにその子たちがいくらか似ている、という理由も判明した。こうした愉快な議論が、人が予想をするときには類似性が手がかりになるのではないか、という考えを発展させるのに役立った。その後に十数回におよぶ実験を繰り返して理論をテストし、細部を煮詰めていった。たとえば次のような実験は、その一例である。

次の質問に答えるにあたっては、スティーブという人物が代表標本から無作為に選ばれたと考えてほしい。

近所の人がスティーブのことを次のように描写しました。「スティーブはとても内気で引っ込み思案だ。いつも頼りにはなるが、基本的に他人には関心がなく、現実の世界にも興味がないらしい。もの静かでやさしく、秩序や整理整頓を好み、こまかいことにこだわる」。さてスティーブは図書館司書でしょうか、それとも農家の人でしょうか？

スティーブの性格が司書のステレオタイプとぴたりと一致することは、誰もがすぐに思いつく。だがこの質問に答えるためには、同じぐらい重要な意味を持つ統計的事実があるのだが、こちらはまずまちがいなく無視される。あなたは、アメリカでは男性の司書一人に対して農業従事者は二〇人以上いるという事実を思い出しただろうか。農家の人がこれだけたくさんいれば、「もの静かでやさしい」男は、図書館で座っているよりもトラクターを運転している可能性のほうが高い。ところが実験の参加者はこうした統計的事実を無視し、ステレオタイプとの類似性だけを問題にした。彼らは難しい判断を下すにあたり、似たものを探して単純化ヒューリスティック（おおざっぱに言えば「近道の解決法」）を使ったのだと考えられる。このようにヒューリスティックに頼ると、答には予測可能なバイアス（系統的エラー）がかかることになる。

別の実験では、エルサレム・ヘブライ大学の教授陣の離婚率を取り上げた。離婚率を推定するときは、知り合いの中で離婚した教授や離婚の噂を聞いた教授を記憶の中で探すことになる。そして、たやすく思い浮かぶかどうかで、「離婚した教授」というカテゴリーのサイズを判断してしまう。このように、思い出しやすさ、入手しやすさに判断が影響されることを、私たちは「利用可能性ヒューリスティック」と呼ぶ。ある実験では、参加者に標準的な英語の文章に関する次のような質問に答えてもらった。

Kという文字を思い浮かべてください。

Kは、単語の先頭にくるときと三番目にくるときでは、どちらが多いでしょうか?[*2]

スクラブル(単語並べゲーム)をやったことのある人なら誰でも知っているように、ある特定の文字で始まる単語を思い浮かべるほうが、その文字が三番目にくる単語を探すよりははるかに容易である。これは、アルファベットのどの文字についても言えることだ。したがって被験者は、K、L、N、R、Vのように三番目にくる頻度のほうが高い文字についても、単語の先頭にくる頻度を過大評価すると予想できる。そしてその通り、ヒューリスティックに頼った被験者が下した判断には、予測可能なバイアスがかかっていた。

最近になって私は、医者や弁護士よりも政治家のほうに不倫が多いという長年の思い込みは、まちがっていたのではないかと思いはじめた。しかも私は、この「事実」について、権力を握ると性欲が高まるとか、妾宅を持ちたくなるといったもっともらしい説明までつけていた。だが実際には、政治家の浮気は医者や弁護士の浮気より報道されやすい、ということにすぎない。私の直感的な思い込みは、マスコミのニュースの選択と私自身の利用可能性ヒユーリスティックが原因だった。

エイモスと私は数年にわたって、発生確率の推定、将来の予測、仮説の検証、頻度の予想といったさまざまな作業で見られる直感的思考のバイアスを研究した。そして五年目に、主な成果を「不確実な状況下での判断――ヒューリスティクスとバイアス（Judgment Under Uncertainty: Heuristics and Biases)」というタイトルの論文にまとめ、サイエンス誌に発表した。改めて言うまでもなく、幅広い分野の研究者に読まれている学術誌である。論文では、直感的思考がとる単純化された「近道」すなわちヒューリスティクスと、二〇種類ほどのバイアスについて解説した。これらのバイアスはヒューリスティクスがもたらすのであるが、また同時に、人々の判断におけるヒューリスティクスの役割を示してもいる。

科学史家がよく指摘するとおり、どんな時代にも、それぞれの分野の研究者は自分の研究課題に関する基本的な前提を共有しているものである。社会科学も例外ではない。この分野の研究者は、人間の行動を論じる際に前提となる人間観を共有しており、それに対して疑義が提出されることはまずない。社会科学者の間で一九七〇年代に広く受け入れられていた人間観には、二つの特徴がある。第一は、人間はおおむね合理的であり、その考えはまずまず理に適っていること。第二は、人間が合理性から逸脱した行動をとる場合には、だいたいは恐怖、愛情、憎悪といった感情で説明がつくことである。私たちの論文は、これらを直接扱ったわけではないものの、結局は両方の前提に異議を唱えたことになった。私たちは、ごくふつうの人間の思考には系統的なエラーが入り込みやすいことを示す証拠を挙げ、そうしたエラーを追跡調査して、それらが感情の影響ではなく人間の認知装置の設計に起因することを示した。

この論文は予想以上に多くの関心を集め、社会科学の分野ではいまなお非常によく引用される論文の一つとなっている（二〇一〇年には三〇〇本以上の学術論文で引用された）。他の分野の研究者も興味を持ち、ヒューリスティクスとバイアスという概念は、医療診断、司法判断、情報解析、哲学、金融、統計、軍事戦略など多様な分野で建設的に活用されている。

たとえば政策の研究者によれば、一般市民にとっては明らかなある種の問題がそれ以外の人に無視される現象は、利用可能性ヒューリスティックで説明できるという。人間は記憶から容易に呼び出せる問題を相対的に重要だと評価する傾向があるが、この呼び出しやすさは、メディアに取り上げられるかどうかで決まってしまうことが多い。ひんぱんに報道される事柄は、他のことが消え失せたあとまで記憶に残る。その一方で、メディアが報道しようと考えるのは、一般市民が現在興味を持っているだろうと彼らが判断した事柄である。

独裁主義が独立系メディアに圧力をかけるのは、偶然ではない。世間の関心は何か劇的な出来事や有名人のゴシップに敏感に反応し、報道が火に油を注ぐことになりやすいからだ。たとえばマイケル・ジャクソンが死んでから数週間というもの、他の話題を取り上げる番組を見つけるのはほとんど不可能だった。これに対して、重要だがドラマ性に乏しく興奮させる要素に欠ける事柄、たとえば教育水準の低下だとか高齢者に対する医療資源の過剰投資といったことは、ほとんど報道されない（これを書いている私自身、「ほとんど報道されない」事柄の選択が利用可能性に影響されている。私が例に選んだ事柄は、ときどきは報道されているのだ。同じぐらい重要だがもっと利用可能性の低い事柄は、そもそも私の頭には思い浮かばない)。

当時私たちは完全には気づいていなかったが、心理学以外の分野でも「ヒューリスティクスとバイアス」が広く関心の対象になったのは、私たちの研究にたまたま備わっていたある特徴のおかげだった。それは、論文の中に必ず、自分たち自身や被験者に投げかけた質問の全文を掲げていたことである。これらの質問は、読み手にとっては体験型デモンストレーションとして機能し、自分の考えがどれほど認知的バイアスに冒されているかを気づかせる役割を果たした。「図書館司書のスティーブ」問題を読んだとき、読者もきっとそういう経験をされたことと思う。この質問は、確率を考えるべきときに類似性が出しゃばってきて、重要な統計的事実がやすやすと無視されてしまうように設計されている。

デモンストレーションの活用は、さまざまな分野の専門家(とくに哲学者と経済学者)に、自分たちの勘違いに気づく稀有な機会を提供したと言えるだろう。自分たちでさえまちがえるのだと気づいたからこそ、「人間は合理的で論理的である」とする当時広く共有されていた教条的な前提に、疑いを抱くようになったのである。こうしたわけで、方法の選択はきわめて重要な意味を持っていた。もし私たちが従来型の実験の結果だけを報告していたら、あの論文はそこまで注目されなかっただろうし、記憶にも残らなかっただろう。また懐疑的な読者は「自分はちがう」と考え、あのような判断エラーは大学生(心理学実験の標準的な被験者）にありがちな勘違いだと片付けたかもしれない。もちろん私たちは、哲学者や経済学者に影響を与えようとして、標準的な実験手法を避けたわけではない。私たちが体験型のデモンストレーションを選んだのは、そのほうが楽しいからである。私たちは、方法の選択でも、そのほかのことでも、じつに幸運だった。本書で繰り返し指摘するように、サクセストーリーでは幸運が大きな役割を果たす。何かがちょっとちがっただけで、偉大な成果が凡庸な結果に終わってしまうものだ。私たちの論文の成功も例外ではない。

もっとも、論文に対する評価は好意的なものばかりではなかった。中でも、バイアスをことさらに取り上げるのは、人間の思考に対して不当に否定的だと批判された。[*3] また科学ではいつものことだが、他の研究者からより精緻な修正や妥当性の高い説明が提案された。[*4] だが全体としてみれば、人間は系統的なエラーを犯しやすいという考えは、おおむね受け入れられている。判断に関する私たちの研究は、取り組んできた私たち自身が想像もしなかったほど大きな影響を社会科学に与えたと言っていいだろう。

判断に関する研究を終えてすぐ、私たちは不確実な状況下での意思決定に研究対象を切り替えた。単純なギャンブルで人間はどのように意思決定をするのかを研究し、理論化することが目的である。たとえば、表が出たら一三〇ドルもらえるが、裏が出たら一〇〇ドル払うというコイン投げに誘われたら、あなたは乗るだろうか。

こうした簡単な選択問題は、意思決定に関するより普遍的な問題（確実な結果と不確実な結果にどのように重みづけをするか、など）を研究するために昔から使われてきたものである。私たちのやり方も同じだった。私たちは何日もかけてたくさんの選択問題を作り、直感的な選択が論理的な選択に一致するかどうかを確かめた。そしてここでもまた、判断の場合と同じく、私たちの意思決定には系統的なバイアスが働くことがわかったのである。判断に関する論文をサイエンス誌に発表してから五年後、今度は選択の理論に関する論文「プロスペクト理論――リスクのある状況下での意思決定の分析（Prospect Theory: An Analysis of Decision Under Risk）」を発表した。この論文は、ある意味では前の論文以上に大きな影響をもたらし、行動経済学を支える基盤の一つとなっている。

地理的に離ればなれになってしまって共同研究を続けることが難しくなるまで、エイモスと私は思考を共有するというとてつもない幸運を心ゆくまで楽しんだ。二人の思考は一人ずつの思考よりもすぐれていたし、その相互作用は研究を楽しくすると同時に、一層生産的にした。判断と意思決定に関する私たちの共同研究が評価されて、二〇〇二年に私はノーベル経済学賞を受賞したが[*5]、それは当然ながらエイモスも一緒に受けるべきものだった――一九九六年に五九歳で亡くなっていなければ。

本書の目的

本書は、エイモスと私が行った以前の共同研究を解説することが目的ではない。そちらは、これまでに多くの研究者がやってくれている。本書で私がめざすのは、認知心理学と社会心理学の新たな発展を踏まえて、脳の働きが今日どのように捉えられているかを紹介することである。この分野におけるとくに重要な進歩の一つとして、直感的思考の驚嘆すべき点とともに、その欠陥が明らかになってきたことが挙げられる。

エイモスと私は、専門的スキルに裏付けられた精度の高い直感は取り上げず、判断のヒューリスティクスは「きわめて有用だがときに重大な系統的エラーにつながる」というおおざっぱな理解にとどまっていた。私たちが集中的に取り組んでいたのは、バイアスである。バイアスはそれ自体がおもしろかったし、判断のヒューリスティクスに関するデータ集めもできた。不確実な状況で直感的に下される判断がすべて、私たちの研究したヒューリスティクスで説明できるかどうかを考えたことはないが、いまとなっては、答はノーであることがわかっている。とくに専門家の正確な直感は、ヒューリスティクスではなく、長年にわたる訓練と実践の成果として説明できることが多い。[*6] いまでは私たちは、直感的な判断や選択には専門的なスキルから導かれるものとヒューリスティクスに基づくものがあるという、バランスのとれた全体像を描き出せるようになった。

たとえば心理学者のゲーリー・クラインは、消防士の例を挙げている。[*7] ある消防士のチームが火事の家に駆けつけ、火元とおぼしき台所で消火作業を始めた。ところが放水を始めてすぐ、隊長は自分でもなぜかわからないままに「早く逃げるんだ」と叫んでいた。そして、全員が退去した直後に床が焼け落ちたのである。隊長が気づいたのは、火勢がさほど強くないのに耳がひどく熱く感じる、ということだけだった。この二つの印象が合わさって、隊長曰く「危険の第六感」が働いたのだという。何がおかしいのかはわからなかったが、何かがおかしいことだけは確かだった。あとになって、火元は台所ではなく、消防士たちが立っていた床の真下の地下室であったことが判明した。

専門家の直感を物語るこうした例は、枚挙にいとまがない。たとえばチェスの名人は、素人の勝負を通りすがりに横目で見ただけで、「白はあと三手で詰む」と立ち止まりもせずに言い当てることができる。腕利きの医者は、患者を一目見ただけで難しい診断を下すことができる。専門家の直感は魔法のように見えるが、けっしてそうではない。私たち自身も、毎日何度も専門家ばりの直感を巧みに働かせている。たとえばたいていの人が、電話に出て第一声を聞いた瞬間に相手が怒っていることを完璧に察知するし、部屋に入った瞬間にいままで自分が噂の種になっていたことに気づく。また、隣のレーンを走る車の運転者が危険であることをかすかな兆候から読み取って、すばやく対処している。私たちが毎日発揮している直感的能力は、経験豊富な消防士や医者の驚くべき直感に優るとも劣らないのだ。ただ、ありふれているというだけである。

心理学では、魔法のように見える直感も魔法とは見なさない。この点に関する最高の名言は、おそらくあの偉大なハーバート・サイモンによるものだろう。*8 サイモンはチェスの名手を調査し、彼らが盤上の駒を素人とはちがう目で見られるようになるのは数千時間におよぶ鍛錬の賜物であることを示した。サイモンは次のように書いたが、この一文からも、専門家の直感を神秘化する傾向にむかっ腹を立てていたことがうかがえる。

「状況が手がかりを与える。この手がかりをもとに、専門家は記憶に蓄積されていた情報を呼び出す。そして情報が答を与えてくれるのだ。直観とは、認識以上でもなければ以下でもない」[*9]

二歳の子供が犬を見て「わんわんだ」と言っても、私たちは驚かない。ものを認識し名前をつけることにかけて子供が信じられないような学習能力を発揮することをよく知っているからだ。サイモンが言いたかったのは、専門家の信じられないような直感も、根は同じだということである。初めて遭遇する局面の中に慣れ親しんだ要素を見つけ、それに対して適切な行動を起こすことを学んだとき、いざというとき役に立つ直感が育まれる。すぐれた直感的判断は、まさに「わんわん」と同じように、すっと浮かんでくるのである。

ただ残念なことに、プロの直感がいつも本物の専門知識から導き出されるとは限らない。だいぶ前のことだが、大手証券会社を訪ねたところ、たったいま数千万ドルでフォード株を買ったところだと投資責任者が話していた。どうやって決断したのかと質問すると、モーターショーへ行って感銘を受けたからだと言う。「クルマをつくるってことをあれだけ知り尽くしている会社はない」のだそうだ。彼が自分の直感を信じていること、決断を下した自分にも決断そのものにも満足しきっていることは明白だった。エコノミストなら必ず問題にすること、すなわち「フォード株はいま現在割安なのか」という点を彼がまったく検討していないことに私は仰天した。彼が耳を傾けたのは自分の直感の声だけだった。この投資責任者はクルマが好きであり、フォードが好きであり、フォード株を保有することが好きなのであざるを得ない。銘柄選びに関する私の知識から判断する限り、彼は自分の仕事がわかっていないと言わざるを得ない。

エイモスと私が研究したヒューリスティクスは、この投資責任者がフォード株に投資するに至ったプロセスを解明する役には立たないが、いまではたくさんのヒューリスティクスが発見されており、それを使えば彼の行動も説明がつく。この方面での近年の重要な進歩は、直感的な判断や選択の分析において、感情の果たす役割が重視されるようになってきたことである。先ほどの投資責任者の決定は、いまでは感情ヒューリスティックの典型例とみなすことができる。[*10] 感情ヒューリスティックとは、熟考や論理的思考をほとんど行わずに、好きか嫌いかだけに基づいて判断や決断を下すことである。

何か問題に直面したとき、たとえばチェスで次の一手をどうするかとか、どの株を買うかといったことを決めるとき、直感的思考というマシンは自分にできる最善のことをする。しかるべき専門知識を持ち合わせているなら、状況を認識したうえで頭に浮かぶ直感的な解決策はおおむね正しいだろう。複雑な局面を目にしたチェスの名人に起きるのは、まさにこれである。彼が思いつく選択肢は、どれも十分な根拠がある。だが問題が難しすぎて、スキルを総動員してもよい解決が思い浮かばないときにも、直感は働く。そしてすぐに答を出してくるが、しかしそれは、もともとの問題に対する答ではない。あの投資責任者が直面した問題、すなわち「私はフォード株を買うべきか」は難しい。だが、もとの問題と関係はあるがより簡単な質問「私はフォードのクルマが好きか」になら、すぐに答は出せる。そしてこの答が選択を決めた。これが、近道探しをする直感的なヒューリスティクスの本質である。困難な問題に直面したとき、私たちはしばしばより簡単な問題に答えてすます。しかも問題を置き換えたことに、たいていは気づいていない。[*11]

直感的解決の探索は自動的に行われるが、ときに失敗し、専門的スキルによる解決も、ヒューリスティックな解決も、一切浮かんでこないことがある。そういうときはたいてい、私たちはより時間をかけて頭を使う熟慮熟考へとスイッチを切り替える。これが「遅い思考」である。一方「速い思考」には、専門知識およびヒューリスティックによるさまざまな直感的思考のほか、知覚と記憶という完全に自動的な知的活動が含まれる。机の上にデスクライトがあることを教えてくれるのは知覚、ロシアの首都名を思い出させてくれるのは記憶である。

速い思考と遅い思考のちがいは、過去二五年にわたって多くの心理学者が研究してきた。私はこれをシステム1とシステム2という二つの主体になぞらえて説明する（その理由は第1章でくわしく述べる）。速い思考を行うのがシステム1、遅い思考がシステム2である。そして直感的思考と熟慮熟考の特徴を、あなたの中にいる二人の人物の特徴や傾向のように扱うつもりだ。最近の研究成果によれば、経験から学んだことよりも直感的なシステム1のほうが影響力は強い。つまり多くの選択や判断の背後にあるのは、システム1だということである。そこで本書では、システム1の仕組みおよびシステム1と2の相互作用を論じることに大半のページを割く。

本書の構成

本書は五部に分かれている。

第1部では、判断と選択を二つのシステムで説明するアプローチについて、その基本的な要素を取り上げ、システム1の自動的な働きとシステム2の制御された働きのちがいをくわしく述べるとともに、システム1の核となる連想記憶が、その時々に起きていることをどんなふうに解釈しているのかを説明する。ここでは、直感的思考を支える多くが無意識的な自動プロセスの複雑さとゆたかさに満ちていることを感じてほしい。また、判断のヒューリスティクスとシステム1の自動プロセスとの関係もおおまかに示す。併せて、これらについて考えたり話題にしたりするときの用語も紹介する。

第2部では、判断のヒューリスティクスに関する最新の研究を紹介するとともに、「統計的に考えることがきわめて難しいのはなぜか」という重大な謎を論じる。私たちは連想によって考えることは簡単にできるし、比喩で考えたり、因果関係で考えたりすることもできる。だが統計的思考では多くのことを同時に扱わなければならず、システム1はそのような設計にはなっていない。

第3部では、統計的思考が困難であることに関連して、人間の思考の奇妙な弱点について論じる。それは、自分が知っていると思い込んだことについて過剰な自信を持つことと、自分の無知や自分が住む世界の不確実性の度合いを理解することに関しては明らかに無能なことである。私たちは、自分の理解の度合いを過大評価する一方で、多くの事象で偶然が果たす役割を過小評価する傾向にある。自信過剰になるのは、後知恵で過去の確実性を錯覚するからである。私はこの問題に関して、『ブラック・スワン――不確実性とリスクの本質』（望月衛訳、ダイヤモンド社）の著者ナシーム・タレブから影響を受けた。井戸端会議では、後知恵の魔力や確実性の錯覚に幻惑されることなく、過去の教訓を賢く活かしたいものである。

第4部では経済学の領域に踏み込み、意思決定の性質とともに、合理的経済主体モデルについて論じる。ここではまず、二システム・モデルに基づき、プロスペクト理論の主要概念を巡る最新の見方を披露する。プロスペクト理論は、一九七九年にエイモスと私が発表した選択モデルである。続いては、人間の行う選択がどんなときに経済合理性から逸脱するかを検討し、問題を狭いフレームで個別に扱う傾向や、フレーミング効果について論じる。フレーミング効果が働くと、選択をする際に本質的でない事柄に左右される。これらの点はシステム1の特徴から容易に説明できるが、標準的な経済学が前提する合理性には真っ向から対立する。

第5部では、二つの自己のちがいに関する最近の研究について解説する。二つの自己とは、現在を経験する自己と過去を記憶する自己であり、両者の利害は必ずしも一致しない。たとえば、苦痛を伴う二種類の実験A、Bを受けてもらうとする。Bは時間が長いので、Aよりも苦痛が大きい。だがシステム1の機能である記憶の自動形成には独特のルールがあることに着目し、Bの実験が最後に快い記憶を残すよう操作しておく。そして二種類の実験が完了後、被験者にもう一度受けるとしたらどちらの実験がよいかと訊ねると、彼らは記憶する自己に従って、無用の苦痛を引き受けることになる（実際に引き受けるのは、言うまでもなく経験する自己のほうである）。

二つの自己のちがいを幸福度の測定に応用してみると、ここでもやはり、経験する自己がしあわせだと感じるものと、記憶する自己がしあわせだったと感じるものとは、必ずしも同じではないことがわかった。同じ身体の中の二つの自己は、どのように幸福を追求するのか——これは、個人にとっても社会にとってもなかなか難しい問題を提起する。というのも、社会は政策目標として国民の幸福を掲げているからである。

結論部では、本書で取り上げた三つのちがいの意味を、取り上げたのとは逆の順序で、すなわち経験する自己と記憶する自己、古典的な経済学における主体の概念と（心理学を援用した）行動経済学における主体の概念、自動的なシステム1と努力を要するシステム2の順で振り返る。そして最後に、井戸端会議をよりよいものにするメリットを再確認し、組織が判断や選択を高めるにはどうしたらよいかを論じる。

巻末に、エイモスと共同執筆した論文を二本掲げる。最初の論文は不確実な状況下での判断に関するもので、これについてはすでに述べたとおりである。二番目の論文はプロスペクト理論およびフレーミング効果に関する研究をまとめたもので、一九八四年に発表した。これらの論文はノーベル賞の選考委員会が受賞の業績として挙げたものだが、読者はきっと単純明快な内容に驚くことだろう。二本の論文を読めば、どんなことがかなり前からわかっていて、どんなことが最近判明したのかについて、おおよそのイメージを摑むことができる。

第1部

二つのシステム

第1章　登場するキャラクター
——システム1（速い思考）とシステム2（遅い思考）

自動モードになっている脳の働きを理解するために、次の写真をご覧いただきたい。

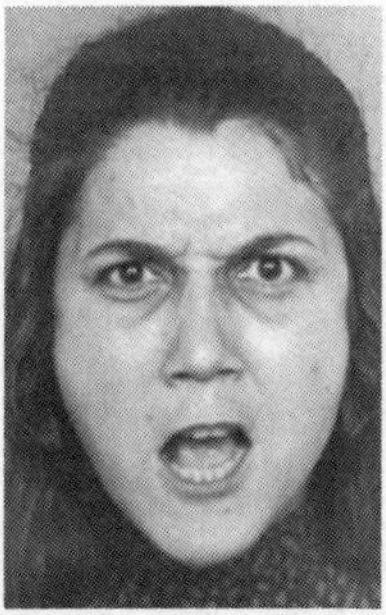

図1

この写真を見たとき、あなたは、通常「見る」と呼ばれている行為と直感的思考とが切れ目なく結びつく経験をする。あなたは写真を見てすぐ、この若い女性の髪が黒いと気づくのとほとんど同時に、彼女が腹を立てていることに気づくだろう。

しかもあなたが見るものは、現在にとどまらない。この女性が何か怒りの言葉を、それもものすごい大声で発するだろうと感じとる。この女性がこれからやる行為の予測は、何の努力もなく自動的に頭に浮かんできたことだろう。あなたには、この女性の気分を評価しようとか、行動を予測しようという意志はなく、自分が何をしているのかさえ気づいていなかった。ただ、思い浮かんだのである。これは、速い思考の一例である。

では今度は、次の問題を見てほしい。

17×24

これがかけ算の問題だということに、もちろんあなたはすぐに気づく。そしておそらく、紙と鉛筆があれば解けるが、ないと難しいと考えるだろう。さらに、おおよその答の範囲は直感的にわかるはずだ。たとえば、12609も123もあり得ないことはすぐにわかるだろう。だが少し時間をかけないと、答が568でないことに確信は持てまい。正解は思い浮かばないし、わざわざやってみることもないとお考えの読者もいると思うが、ぜひともこの問題に暗算で取り組み、一部でよいからやってみてほしい。

これであなたは、一連の計算手順を通じて遅い思考を経験したことになる。まず学校で教わったかけ算のやり方を記憶から呼び出して実行した。計算をするのはそれなりに骨が折れる。いま自分が何をしているのか、次に何をするのか、順序立てて考えると同時に、途中の計算結果も覚えておかなければならないので、いろいろなことを同時に記憶する負担を感じたはずだ。このプロセスは知的作業にほかならない。熟考、努力、秩序を要する作業は、遅い思考の典型である。計算は、頭の中だけのことではなく、身体もかかわってくる。筋肉は緊張し、血圧は上がり、心拍数も上がる。問題を解いているときのあなたの目を観察したら、瞳孔が拡がっていることに気づくだろう。作業が終わった瞬間に、つまり答（ちなみに正解は408である）を出すかギブアップした瞬間に、瞳孔はもとの大きさに戻る。

二つのシステム

怒った女性の写真とかけ算の問題が呼び覚ました二つの思考モードについて、心理学者は数十年前から興味を持ち、いろいろな名称をつけてきた。[*1] 私は脳の中の二つのシステムをシステム1、システム2と呼ぶことにしたい。この名称を最初に提案したのは、心理学者のキース・スタノビッチとリチャード・ウェストである。

・「システム1」は自動的に高速で働き、努力はまったく不要か、必要であってもわずかである。また、自分のほうからコントロールしている感覚は一切ない。

・「システム2」は、複雑な計算など頭を使わなければできない困難な知的活動にしかるべき注意を割り当てる。システム2の働きは、代理、[*2] 選択、集中などの主観的経験と関連づけられることが多い。

システム1および2という名称は心理学で広く使われているものだが、本書では他の本より踏み込んだ形で使う。読者は、二人の登場人物が出てくる心理劇を読んでいるように感じることだろう。

自分自身について考えるとき、私たちはシステム2を使い、自分の考えを持って自ら選択し、何を考えどう行動するかを自分で決める意識的で論理的な自分を認識する。システム2は自分こそが行動の主体だと考えているだろうが、本書の主人公は自動的なシステム1のほうである。私が描く登場人物は、こんな具合だ。システム1は何の努力もせずに印象や感覚を生み出し、この印象や感覚が、システム2の形成する明確な意見や計画的な選択の重要な材料となる。システム1の自動運転が生み出すアイデアのパターンは驚くほど複雑だ。だが、一連の段階を踏み順序立てて考えを練り上げられるのは、スピードの遅いシステム2だけである。システム2は、システム1の自由奔放な衝動や連想を支配したり退けたりすることもできる。それがどのような状況で起きるのかは、以下の章で説明していく。読者は、二つのシステムがそれぞれに能力と欠陥と役割を持つ独立の主体であると考えてほしい。

ではここに、システム1が自動的に行うことの例をいくつか挙げておこう。おおまかに単純なものから複雑なものへと並べてある。

- 二つの物体のどちらが遠くにあるかを見て取る。
- 突然聞こえた音の方角を感知する。
- 「猫に〇〇〇」という対句を完成させる。

・おぞましい写真を見せられて顔をしかめる。
・声を聞いて敵意を感じとる。
・2＋2の答を言う。
・大きな看板に書かれた言葉を読む。
・空いた道路で車を運転する。
・チェスでうまい指し手を思いつく（あなたがチェスの名人だとする）。
・簡単な文章を理解する。
・「几帳面でもの静かでこまかいことにこだわる」性格はある職業のステレオタイプに似ていると感じる。

これらはすべて怒った女性の写真を見たときと同種の働きで、自動的に行われ、努力はゼロかほんのわずかしか必要としない。システム1の能力には、動物に共通する先天的なスキルが含まれている。すなわち人間は、周囲の世界を感じ、ものを認識し、注意を向け、損害を避け、蜘蛛を怖がるように生まれついている。一方、先天的でない知的活動は、長年の訓練を通じて高速かつ自動的にこなせるようになる。

たとえばシステム1は、「フランスの首都は？」という問いから答を連想することを学習してきた。また、自分が置かれた社会的な状況の微妙な空気を読み、理解するスキルも習得してきた。スキルの中には、チェスの指し手を見抜く技など、専門的な訓練を受けなければ習得できないものもある。しかしそれ以外は、多くの人が身につけている。たとえばある人の性格描写から職業を判別するには、言語や文化に関する幅広い知識を必要とするが、そうしたものはたいていの人が持ち合わせている。こうした知識は記憶に保存され、とくに意図も努力もせずにアクセスできる。

　先ほど列挙した活動の多くは、完全に自動的に行われる。自分の国の言葉で書かれた簡単な文章はどうしたって理解してしまうし、大きな音が突然聞こえたらだいたいの方角はわかってしまう。「2＋2＝4」を知らずにいることも、フランスの首都を訊かれて「パリ」を連想せずにいることも、不可能だ。このほかの活動、たとえばものを嚙むといったことは自分でコントロールする余地があるものの、通常はいわば自動操縦モードで行われる。

　注意力の制御は、二つのシステムが共有している。大きな音のした方角を向くのは、通常はシステム1が無自覚のうちに働くからだが、それはただちにシステム2の意識的な注意力を呼び覚ます。混雑したパーティー会場で誰かが大声で暴言を吐いていても、そちらのほうを向く衝動を抑えることはできるかもしれない。ただし頭は動かさないとしても、あなたの注意が、少なくとも瞬間的にはその声に向けられていたことはまちがいない。それでも、意図的に他の対象に向けることで注意を逸らすことができる。

　システム2の働きはきわめて多種多様だが、共通する特徴が一つある。それは、注意力を要することである。注意が逸れてしまうとうまくいかない。システム2が行うことの例を挙げておこう。

・レースでスタートの合図に備える。
・サーカスの道化師に注意を集中する。
・人が大勢いるうるさい部屋の中で、特定の人物の声に耳を澄ます。
・白髪の女性を探す。
・意外な音を聞いて、何の音か記憶をたどる。
・歩く速度をいつもより速いペースに保つ。
・ある社交的な場で自分のふるまいが適切かどうか、自分で自分を監視する。
・あるページにaの文字が何回出てくるか数える。
・自分の電話番号を誰かに教える。
・狭いスペースに車を停める（あなたは腕利きの駐車係ではないとする）。
・二種類の洗濯機を総合的に比較する。
・納税申告書を記入する。
・複雑な論旨の妥当性を確認する。

こうしたことをするためには、注意を払わなければならない。その態勢が整っていなかったり、あらぬ方向に気が散っていたりしたら、全然できないか、できてもうまくはやれない。システム2には、通常は自動化されている注意や記憶の機能をプログラミングして、システム1の働きを調整する能力が備わっている。たとえば混んだ駅で親戚と待ち合わせているとき、あなたは白髪の女性を探すとか、髯を生やした男性を探すといった具合に注意力をセットし、遠くから親戚を見つけられるようにする。同じように、Nで始まる首都やフランスの実存主義小説を探索しやすいように記憶をセットすることもできる。またロンドンのヒースロー空港でレンタカーを借りたら、きっと係員は、「ここからは左側通行です」と注意を促すだろう。いま挙げたどのケースでも、私たちは自然にはできないことを要求される。そうしたことを一貫して行うには、少なくともある程度の継続的な努力が必要だとあなたは気づくだろう。

「注意を払う」とよく言うが、これはまさに当を得た表現である。というのも、注意は限度額の決まった予算のようなものだからだ。この予算はさまざまな活動に配分できるが、予算オーバーは失敗につながる。努力を要する作業の場合、多数の活動が互いに邪魔し合うという特徴があるため、同時にこなすのは難しく、ときには不可能である。たとえば混んだ道路で右折しながら17×24を計算するのはまず不可能だろうし、そもそも絶対にやるべきではない。もちろんあなたは複数のことを同時にこなせるだろう。しかしそれは、努力せずにできる簡単な活動に限られる。たとえば空いた高速道路を運転中なら、同乗者とおしゃべりしてもたぶん大丈夫だろう。また小さな子供を持つ親の多くが、いくぶん後ろめたく思いつつ気づいているとおり、別のことを考えながら本を読み聞かせることは可能である。

注意力が限られていることは誰もがある程度は気づいており、限界を超えないよう社会的な配慮をしている。たとえば狭い道路でトラックを追い越すときには、大人の同乗者なら気を効かせ、運転者に話しかけるのをやめる。そんなときに運転者の注意を逸らすべきではないとわきまえているし、どのみち相手が一時的にこちらの話を聞かなくなるとわかっているからだ。

何かに極度に集中していると、実質的に何も目に入らなくなり、通常であれば必ず注意を引くようなものにさえ気づかないことがある。その衝撃的な例が、クリストファー・チャブリスとダニエル・シモンズの共著『錯覚の科学』（木村博江訳、文藝春秋）に紹介されている。

チャブリスとシモンズは、白シャツチームと黒シャツチームがそれぞれバスケットボールをパスし合う様子を撮影した短い動画を制作した。そして被験者にこの動画を見せ、黒チームは無視してよいから、白チームのパスの回数を数えるよう指示する。何人もがつねに動きながら二個のボールが飛び交っているので、この作業は難しく、被験者は注意力を集中しなければならない。動画が半分ぐらいまで進んだところで、ゴリラの着ぐるみを着た女性がコートを横切り、胸を叩き、そして立ち去る。ゴリラは九秒間画面に登場している。ところが延べ数千人の被験者がこれを見たにもかかわらず、約半数が何も異常に気づかなかったのである。彼らに与えられた仕事は数えることだった。しかも片方のチームは無視してよい、ととくに指示されていた。その結果、ほかのことが目に入らなくなってしまったのだった。

この作業をせずに動画を見たグループでは、ゴリラを見落とした人は一人もいなかった。

ものを見たり音の方角を察知したりするのはシステム1の自動機能ではあるが、これが働くためには、そうした刺激に対する注意力が、ある程度は割り当てられていなければならないということである。チャブリスとシモンズは、この実験で最も注目すべき点として、被験者が結果にひどく驚いたことを挙げている。それどころか、ゴリラを見落とした被験者は「そんなものはいなかった」と主張したという。あれほど目立つものを見落とすはずはないというのだ。ゴリラ実験は、私たちの脳の働きについて二つの重要な事実を浮き彫りにした。第一に、私たちはまったく明らかなものにさえ気づかないことがある。第二に、そうした自分の傾向に気づいていないことである。

二つのシステムの相互作用

二つのシステムの相互作用は本書で繰り返し取り上げるテーマなので、ここでおおまかな点をお話ししておくとわかりやすいだろう。

本書に登場するシステム1とシステム2は、私たちが目覚めているときはつねにオンになっている。システム1は自動的に働き、システム2は、通常は努力を低レベルに抑えた快適モードで作動している。このような状態では、システム2の能力のごく一部しか使われていない。システム1は、印象、直感、意志、感触を絶えず生み出してはシステム2に供給する。システム2がゴーサインを出せば、印象や直感は確信に変わり、衝動は意志的な行動に変わる。万事とくに問題のない場合、つまりだいたいの場合は、システム1から送られてきた材料をシステム2は無修正かわずかな修正を加えただけで受け入れる。そこであなたは、自分の印象はおおむね正しいと信じ、自分がいいと思うとおりに行動する。これでうまくいく——だいたいは。

システム1が困難に遭遇すると、システム2が応援に駆り出され、問題解決に役立つ緻密で的確な処理を行う。システム2が動員されるのは、システム1では答を出せないような問題が発生したときである。たとえばさきほど17×24のかけ算をやったときには、あなたのシステム2が呼び出されたはずだ。また、ひどく驚いたときに注意力がどっと高まるのを感じた経験はないだろうか。これは、システム1が想定している世界のモデルに反した出来事が察知されて、システム2の出番になったからである。システム1の世界では、デスクスタンドがジャンプしたり、猫が吠えたり、ゴリラがバスケットボールのコートを横切ったりはしない。

ゴリラ実験は、予想外の刺激を察知するにはある程度の注意力が必要だということを示した。驚きは注意を喚起し、それに集中させる。きっとあなたは目を見開き、記憶の中を探して、つじつまの合った説明をつけようとすることだろう。システム2はまた、あなた自身の行動をつねに監視する任務も負っている。怒っているときに礼儀正しくふるまわせるのも、夜運転しているときに警告を発するのも、こうした監視の働きである。何か過ちが犯されようとしているときも、システム2が出てきて威力を発揮する。かっとして暴言を吐きそうになり、なかなか冷静になれなかった経験が誰にでもきっとあることだろう。

以上をまとめると、こうなる。あなた（つまりあなたのシステム2）が考えたり行動したりすることの大半は、システム1から発している。だがものごとがややこしくなってくると、システム2が主導権を握る。最後の決定権を持つのは、通常はシステム2である。

システム1とシステム2の分担は、きわめて効率的にできている。すなわち、努力を最小化し成果を最適化するようになっている。ほとんどの場合に仕事の配分がうまくいくのは、システム1がだいたいにおいてうまくやっているからだ。慣れ親しんだ状況についてシステム1が作り上げたモデルは正確で、目先の予測もおおむね正しい。難題が降りかかってきたときの最初の反応も機敏で、だいたいは適切である。ただしシステム1にはバイアスもある。バイアスとは、ある特定の状況で決まって起きる系統的エラーのことである。これから見ていくように、システム1は本来の質問を易しい質問に置き換えて答えようとするきらいがあるうえ、論理や統計はほとんどわかっていない。システム1のもう一つの欠陥は、スイッチオフできないことである。たとえば自分の国の言葉が画面上に現れたら、注意が完全にほかのことに向いているときは別として、ついつい読まずにはいられない。[*3]

二つのシステムの衝突

図2は、二つのシステムを衝突させる古典的な実験の一種である。[*4] 読者は先へ読み進む前

最初に、並べられた単語を左欄→右欄の順で上からたどりながら、それぞれの単語が太字か細字かを声に出して言ってください。次に同じ順序で、それぞれの単語が真ん中より左に書かれているか、右に書かれているかを声に出して言ってください。左に書かれているときは「左」、右のときは「右」と言います（口の中で呟くだけでもかまいません）。

左欄（左寄り）	左欄（右寄り）	右欄（左寄り）	右欄（右寄り）
左		太い	
	左	細い	
右			**細い**
右		太い	
	右	**太い**	
	左		細い
左			**細い**
	右		太い

図2

に、ぜひともやってみてほしい。

たぶんあなたは、どちらのタスクもうまくこなせただろう。と同時に、どちらのタスクにも難しい箇所と簡単な箇所があったことに気づいたはずだ。太字と細字を識別する実験では、左欄がやさしく右欄は難しい。右欄になると、スピードが遅くなり、つかえたり口ごもったりしたことだろう。右か左かを識別する実験では、左欄が難しく、右欄ははるかに簡単である。

これらのタスクで活動するのは、システム2である。というのも、文字を読みながら「太字」「細字」や「右」「左」と言うのは、ふだんからやり慣れている作業ではないからだ。このときあなたは、準備の一つとして自分の記憶をプログラムし、必要な単語（最初の実験では太字・細字）が「舌の先に載って」いるようにする。このように特定の言葉を優先させておくのはたいへん効率的で、左欄に関する限り、読むときのちょっとした緊張に抵抗しやすくなる。

ところが右欄に移るとそうはいかない。そこに書かれているのはまさに先ほど舌の先に載せた単語であり、どうしても無視できないからである。おそらくあなたは正しく答えられるだろう。だが、つい書かれた単語を読んでしまいそうになる反応に打ち克つのは努力を要するので、スピードは落ちる。あなたが経験したのは、自分がやろうとしていることと、それを邪魔する自動反応とのせめぎ合いにほかならない。

自動反応とそれを制御しようとする意志との衝突は、日常生活でよく起こるものである。レストランで隣のテーブルに突飛な格好をしたカップルがいるとき、そちらをじろじろ見ないように努力した経験は誰しもあるだろう。退屈な本を読んでいて、意味がわからなくなった箇所に何度も後戻りするなど、無理に注意を向けようとする経験もおなじみのものだ。また冬の寒さが厳しいところでは、運転中に凍った路面でコントロールを失い、さんざん聞かされた注意に従うのに苦労した人も多いことだろう。その注意が、自然にやろうとすることに反しているからである。なにしろ「滑った方向にハンドルを切る。ブレーキは絶対に踏んではいけない」のだ。そして誰でも、「くたばれ」と言いたくなるのをぐっとこらえた経験があるにちがいない。

システム2の仕事の一つは、システム1の衝動を抑えることである。言い換えれば、システム2はセルフコントロールを任務にしている。

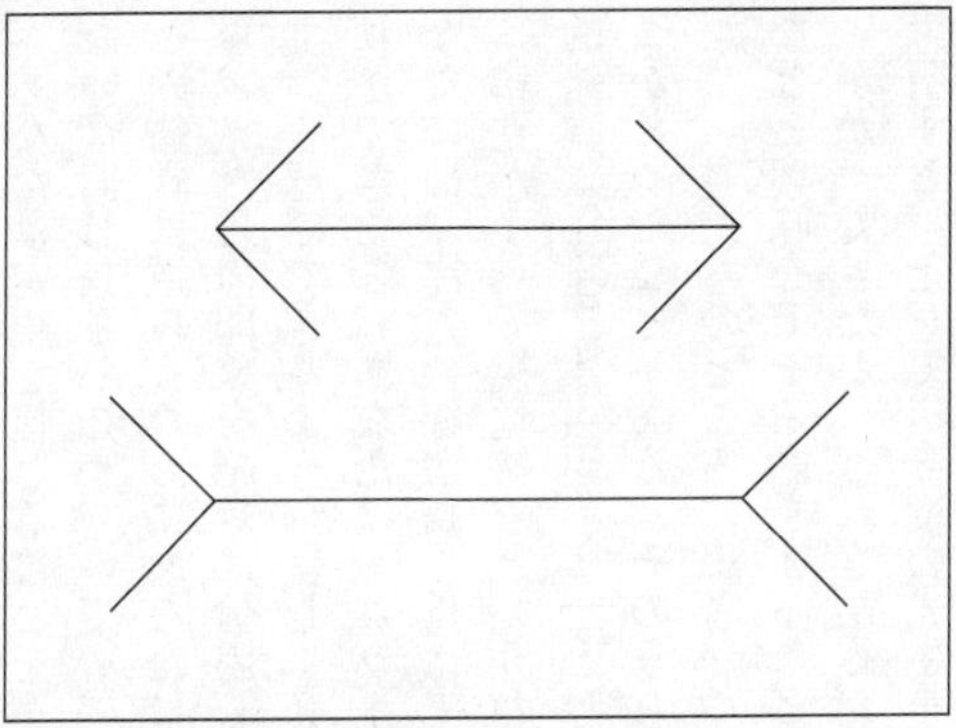

図3

錯覚

システム1の自主独立性を評価し、印象と確信のちがいを理解するために、ここで図3をよく見てほしい。

この図は、取り立てて目を引くものではない。長さのちがう線が二本、平行に並んでいる。どちらの線にも矢羽根のような斜めの線がついているが、羽根の向きは異なる。見たところ、下の線のほうが明らかに長い。以上が私たちの見たものであり、当然ながら私たちは見たものを信じる。以前にこのような絵を見たことがある人なら、これが有名なミュラー・リヤー錯視だと知っているだろう。定規で計ってみればすぐにわかるとおり、二本の水平線の長さはじつは同じである。

長さを確かめたあなた（「あなた」とは、あなたが「私」と呼ぶ意識的な主体、つまりあなたのシステム2のことである）は、いまや新たな確信を抱いたことになる。すなわちあなたは、二本の線が同じ長さであることを知っている。だから、線の長さが同じかどうか質問されたら、知っていることを答えるだろう。それでもあなたには、下の線のほうが長く見えているのだ。

あなたは定規を信じることを選んだが、システム１がやりたいようにすることは止められない。同じ長さと知っていても、そのように見ることは、あなたには決められないのである。この錯覚に逆らうためにあなたにできることは、一つしかない。羽根のついた線が出てきたら、見た目の印象を絶対に信用しないことである。このルールを実行するには、錯覚のパターンを認識できるよう学習し、必要なときにその知識を呼び出せなければならない。もしそれができたら、あなたはミュラー・リヤー錯視には二度と惑わされないだろう。それでもあなたには、片方の線が長く見えているのだが。

錯覚がすべて視覚絡みというわけではない。思いちがいという錯覚もあり、これを「認知的錯覚（cognitive illusion）」と呼ぶ。大学院生だった頃、私は心理療法に関する講義をいくつかとったことがある。そのうちの一つで、教授がちょっとした医者の知恵を伝授してくれた。「君たちのところに患者がやって来て、これまで受けた治療はどれもまちがっていた、などと興味をそそる話をすることがあるかもしれない。その患者は、これまで何人もの医者にかかってきたが、どれもだめだったと言い、医者が自分をどう誤解していたかを要領よく説明する。そして、今度の先生を見た瞬間に、これまでとはちがうとわかりました、先生とはフィーリングが合います、先生なら私をわかってくれ、助けてくれるでしょう、などと言う」。そこで教授は一段と声を張り上げて断言した。「そうなったら、その患者を診ようという気さえ起こしてはいけない。そいつを放り出せ。そいつはまずまちがいなくサイコパスだ。サイコパスを助けることはできない」

何年か過ぎてから、私はようやく教授がサイコパスの魔力を警告してくれたのだと理解した。この方面の権威も、教授の助言が正しいと認めている。[*5] この患者の例は、ミュラー・リヤー錯視とよく似ている。教授が教えてくれたのは、そうした患者にどんな感情を持って接するべきか、ということではない。教授には、私たちが患者に同情を感じることがわかっていたし、そうした感情をかき立てるのはシステム1なので、自分ではコントロールできないこともわかっていた。また、患者に対する感情をつねに疑ってかかれ、と教えてくれたわけでもない。私たちが教えられたのは、たび重なる治療の失敗の話をする患者に強く惹かれるのは、平行線につけられた羽根に気をとられるのと同じで、危険な兆候だということである。これは認知的錯覚であり、私のシステム2はそれをどうやって認識するかを教わり、錯覚を信じたり、それに従って行動したりしないよう、助言されたのだった。

認知的錯覚は克服できますか、とよく質問される。いま挙げた例から考えるに、あまり期待はできそうにない。システム1は自動運転していてスイッチを切ることはできないため、直感的思考のエラーを防ぐのは難しいからだ。システム2がエラーの兆候を察知できないことも多々あるので、バイアスをつねに回避できるとは限らない。エラーが起きそうだという兆候があったときでさえ、エラーを何とか防げるのは、システム2による監視が強化され、精力的な介入が行われた場合に限られる。ところが日常生活を送るうえでは、つねにシステム2が監視するのは必ずしも望ましくはないし、まちがいなく非現実的である。のべつ自分の直感にけちをつけるのは、うんざりしてやっていられない。そもそもシステム2はのろくて効率が悪いので、システム1が定型的に行っている決定を肩代わりすることはできないのである。私たちにできる最善のことは妥協にすぎない。失敗しやすい状況を見分ける方法を学習し、懸かっているものが大きいときに、せめて重大な失敗を防ぐべく努力することだ。そして他人の失敗のほうが、自分の失敗より容易に認識できるものである。

架空のキャラクター

本書では、二つのシステムをそれぞれに個性や能力や欠点を備えた脳の中の行動主体として考えるよう提案している。本の中では、これらのシステムが主語になるような文章、たとえば「システム2が答を計算する」といった文章がたびたび登場する。

このような表現の仕方は、専門家仲間では罪悪だと考えられている。人間の思考や行動を、あたかも脳の中に住んでいる小人の思考や行動として説明するように見える[*6]、というのがその理由だ。文法的に言うと、「システム2が答を計算する」という先ほどの文章は「執事が小銭をくすねた」という文章と似ている。だが教授仲間ならきっと、執事の文章はどうして小銭がなくなったかをちゃんと説明できているが、システム2の文章のほうは、答がどうやって計算されるかを説明できていないじゃないか、と言うだろう。この指摘はもっともである。これに対する私の答は、こうだ。システム2が計算するという能動態の短文は、説明ではなく記述なのである。この短い文章は、「暗算は努力を伴う意志的な行為であって、右折中に行うべきものではなく、瞳孔の拡大や心拍数の増加を伴う」ことを簡便に表現している。同様に、「通常の条件下での高速道路の運転はシステム1に任される」という文章は、ゆるやかなカーブでのハンドル操作は自動的に行われほとんど努力を必要としないことを表し、さらに、経験豊富なドライバーなら、同乗者とおしゃべりしながらでも空いた高速道路を運転できることを示唆する。そして「侮辱されたジェームズがかっとなってばかげたふるまいをするのをシステム2が止めた」という文章は、自分を抑えようと努める能力が妨げられていたら（たとえば酔っぱらっていたら）、ジェームズはもっと攻撃的な反応をしたはずだということを意味する。

システム1とシステム2は、これから本書でお話しすることの中できわめて重要な位置を占めているので、ここではっきりと、これらが架空のキャラクターであることを言っておかねばならない。システム1と2は、相互作用する部品から構成されたシステムという一般的な意味でのシステムではないし、どちらのシステムも脳のどこかに属しているわけではない。ではなぜ、まじめな本の中に無味乾燥な名前をつけた架空のキャラクターを登場させるのか、と読者は思われたことだろう。答は、脳にはちょっとした癖があって、こうしたキャラクターを使うほうが有効だからである。

つまり、「ある主体（たとえばシステム2）が○○をした」と記述するほうが、「あるものには○○をする性質が備わっている」より理解しやすい。言い換えれば、文章の主語としては「システム2」のほうが「暗算」より好ましい。脳は、とりわけシステム1は、個性や癖や能力を備えた行動主体のストーリーを組み立てたり解釈したりすることに、とくに適性があるように見える。あなたは小銭をくすねる執事をすぐさま悪い奴だと考え、ほかにももっとよからぬことをしているだろうと予想し、彼のことをしばらく覚えているだろう。システムに関する用語もそうあってほしいと願っている。

より説明的な名称、たとえば「自動的に働くシステム」と「努力を要するシステム」といった表現を使わずに、システム1とシステム2にするのはなぜか。理由は単純で、「自動的に働くシステム」[*7]のほうが「システム1」より長く、したがって作業記憶のスペースを余計にとるからである。無駄なスペースをとると考える能力が減ってしまうから、この点は重要だ。ロバートをボブ、ジョゼフをジョーと呼ぶように、「システム1」や「システム2」は、本書でこれからお話しするキャラクターのニックネームだと考えてほしい。架空のシステムを設定することで、私にとっては判断と選択について考える作業が容易になるし、読者にとっては説明が理解しやすいものになるだろう。

システム1とシステム2を話題にするときは

「彼は感銘を受けたようだけど、一部の印象は錯覚ではないか」

「あれはまちがいなくシステム1の反応だ。だって彼女は、異変に気づく前に反応したのだから」

「いまはあなたのシステム1が活動しているようだ。ちょっと落ち着いて、システム2を働かせたほうがいい」

第2章　注意と努力[*1]

——衝動的で直感的なシステム1

ありそうもないことだが、本書が映画化されるとしたら、システム２は脇役だろう。もっとも当人は、自分こそが主役になるべきだと考えているにちがいない。システム２を決定づける特徴は、働かせるのに努力を要することである。ところがシステム２は怠け者という性格を備えており、どうしても必要な努力以上のことはやりたがらない。そこで、システム２が自分で選んだと信じている考えや行動も、じつはシステム１の提案そのままだったということが、往々にして起きる。システム１こそ本書の主役である。ただし、システム２にしかできない重要な仕事は存在する。それは努力や自制を要する仕事で、このようなタスクの実行中には、システム１の直感や衝動は押しのけられる。

知的努力

システム２が全力で働くのを体験したいなら、次の作業をやってみるといい。おそらく五秒以内にあなたの認知能力を極限まで使うことは請け合いである。始める前に、異なる四桁の数字をいくつか考えて、小さなカードに書き出しておく。カードを山にして、一番上に白紙のカードを載せる。これからやるのは、各桁に1を足す「プラス1問題」である。それでは始めよう。

一定のリズムを刻んでください（一秒一回にセットしたメトロノームを用意すると便利です）。一番上の白紙のカードを取り除き、最初のカードに書かれた四桁の数字を、声を出して読みます。カチカチと二回数えてから、元の数字の各桁に1を足した数をリズムに合わせて言ってください。たとえばカードに5294と書かれていたら、6305と言います。リズムを乱してはいけません。

四桁より多くなるとこなせる人はめったにいないが、チャレンジ精神旺盛な人はプラス3に挑戦していただいてもかまわない。

頭がフル回転しているときに体はどうなっているのかを知りたいなら、ビデオ撮影するとよい。机の上に本を二つの山に積み上げ、片方にビデオカメラを載せ、もう片方に顎を載せる。そしてカメラのレンズを見ながら、プラス1またはプラス3問題をやるのだ。あとで再生すると、瞳孔の大きさが変化していることがわかり、どれほど一生懸命にやっていたかを雄弁に物語ってくれる。

私はこのプラス1問題に長年にわたる個人的な思い入れがある。研究者になって間もない頃、一年ほどミシガン大学で、客員研究員として催眠を研究していた。そして何かおもしろいテーマがないか漁っているうちに、サイエンティフィック・アメリカン誌に掲載された心理学者エッカード・ヘスの論文の中に、「瞳孔は魂の鏡だ」と書かれているのが目に留まったのである。[*2] 最近になって読み返しても、やはり興味をかき立てられる論文だった。

この論文は、美しい自然を撮影した写真を見ているとき、ヘスの瞳孔が拡がることに妻が気づいたという報告で始まる。そして論文の最後には、衝撃的な二枚の写真が掲げられている。どちらも同じ美女を撮影したものだが、一枚のほうがもう一枚よりずっと魅力的に見える。両者のちがいはただ一つ、魅力的なほうは瞳孔が拡がっており、そうでないほうは収縮していることだ。論文には、瞳孔を拡げる効果のあるベラドンナという薬草が化粧に使われていたことや、バザールでは、買い手が自分はどのぐらい買いたがっているのかを売り手に悟られないよう、黒いサングラスを着用することなども紹介されている。

ヘスの発見のうち、とくに私の興味を引いたものが一つあった。それは、瞳孔が知的努力を敏感に示すバロメーターになる、という指摘である。二桁のかけ算をやっているとき、瞳孔はかなり拡がる。もっと難しい問題になると、さらに拡がるという。この観察は、知的努力に対する身体的な反応が感情的覚醒とは異なることを示唆していた。ヘスの研究成果は催眠とはあまり関係がなかったが、知的努力を可視化するというアイデアは、研究テーマとして有望だと私は考えた。研究室にいた大学院生のジャクソン・ビーティも乗り気になってくれたので、私たちは一緒に取り組むことになった。

ビーティと私は、検眼室によく似た装置を用意した。被験者はおでこと顎を台に固定してカメラを見ながら、録音された問題を聞き、メトロノームの音に合わせて答える。メトロノームに合わせて一秒ごとに赤外線を照射し、撮影を行う。実験が終わるたびに私たちは大急ぎでフィルムを現像し、瞳孔の画像をスクリーンに投影して測定した。若くてせっかちな研究者にはじつに適した実験方法である。結果をすぐに知ることができるうえ、その結果は例外なく一つのことを示していた。

ビーティと私が集中的に取り組んだのは、プラス1問題のように一定のペースを保てる問題である。こうした問題では、被験者の脳に何が起きているかが手に取るようにわかるから[*3]だ。私たちはメトロノームの音に合わせて数桁の数字を録音し、被験者にリズムを守って一つひとつ復唱する、各桁の足し算をする、といったタスクをやってもらった。すぐにわかったのは、瞳孔の大きさが、タスクの難易度に応じて一秒ごとに変化することである。瞳孔の反応は、見事に逆V字型を描いた。

プラス1かプラス3問題をやったことがある人ならわかるように、被験者が投じる努力は四桁の数字が読み上げられるのを聞きとって覚えるにつれて増えていき、短時間で足し算をして答を言うまでの間に、ほとんど耐えられないほどの限界まで達する。その後は、短期記憶の「重荷を取り除く」につれてリラックスする。瞳孔のデータは、主観的な経験ともぴたりと一致した。長い桁数ほど瞳孔は確実に大きく拡がるし、足し算のほうが復唱より努力を要する。そして瞳孔の大きさが最も大きくなるのは、最大の努力を要する瞬間と一致した。

四桁の数字でプラス1問題をこなすのは、七桁の数字を復唱するより多くの努力を要した。これまでに観察した中ではプラス3問題が最も難しく、必要な努力は最も多かった。最初の五秒間で、瞳孔はもとの面積より約五〇%も大きくなり、心拍数は一分間で約七回増える。[*4]これはふつうの人に耐えられる上限であり、これを超えると降参してしまう。たとえば、とうてい覚えていられないような桁数を被験者に聞かせると、瞳孔は開くのを止め、収縮する。

私たちは数カ月にわたって広い地下室を占領し、被験者の瞳孔の映像を廊下のスクリーンに投影できるような仕組みを作り上げた。また、室内の物音が廊下から聞こえるようにした。スクリーンに投影された瞳孔の直径はおよそ三〇センチもあり、被験者が難事業と格闘すると、この大きな瞳孔が拡大したり収縮したりする。研究室にやって来る訪問者にとって、これはひどくおもしろい見物だった。私たちは、いつ被験者がギブアップしたかを神業のように当ててみせたものである。暗算をしているとき、被験者の瞳孔は通常は数秒以内に拡がり、問題を解く間は拡大したままとなる。そして答を出すか、あきらめるかすると、ただちに収縮する。廊下でスクリーンを見ている私たちは、ときどきこう言って被験者や訪問者をたまげさせた。「なぜそこであきらめてしまうんだい？」。するとよく中から「どうしてわかったんですか？」と答が返ってくる。そんなとき私たちは、「君の魂の窓を持っているからさ」と答えるのだった。

廊下からの気楽な観察は、ときに正規の実験と同じぐらい示唆に富んでいた。私は、二つの実験の合間に休憩していた女性被験者の瞳孔をぼんやりと見ていて、重要な発見をした。

この女性は顎を台に載せたままスタッフとおしゃべりしていたので、瞳孔の映像を見ることができたのである。このとき私が驚いたのは、しゃべったり相手の言葉を聞いたりする間、女性の瞳孔が小さいままで、少しも拡がる気配がないことだった。ありふれた会話には、実験に投入するような努力をほとんど必要としないらしい。二桁か三桁の数字を覚えるより会話のほうが簡単だということである。これは、大発見だった。このとき私は、実験でやってもらうタスクが並外れた努力を要することに初めて気づいた。そして、あるイメージが思い浮かんだ。私たちの脳は、というのはここではシステム2のことだが、ともかくもそれは、いつもは快適な歩く速さで働いている。このペースは、ときどきジョギングで乱される。そして稀にはダッシュが入る。プラス1やプラス3問題はダッシュ、日常会話はぶらぶら歩きである。

脳がダッシュしているときは、人間は実質的に目が見えなくなることもわかった。『錯覚の科学』では、被験者にパスの回数を数えさせてゴリラを見えなくしたが、私たちもプラス1問題で、ゴリラほどセンセーショナルではないものの、同様の発見をしている。被験者が足し算をやっている最中に、文字を何度か点滅させたのである。*5 被験者には足し算を最優先するように、ただし実験終了後には、Kの文字が現れなかったか報告してほしい、と指示した。

この試みでは、作業中のわずか一〇秒の間にも、文字を感知して覚えておく能力が変化することがわかった。作業の始まりか終わり近くにKが点滅したときは、被験者はまず見落とさない。だが知的努力が最高潮に達している作業半ばの時点で点滅すると、見開かれた目がそれを見つめていることが写真から判断できるにもかかわらず、被験者はほぼ二回に一回見落とした。見落とす確率は、瞳孔の拡大とまったく同じ逆V字型のパターンを示す。この結果は心強かった。瞳孔は、知的努力に伴う身体的覚醒のよい指標になることが確かめられたからである。これで私たちは先へ進み、脳の働きを理解するためにこの結果を活用できるようになった。

瞳孔は、どの家にも設置されている電力メーターとまさに同じように、知的エネルギーの消費量を時々刻々と教えてくれる。[*6] 両者の類似性はなかなか意味深長だ。電力の使用量は、あなたが何をするか、つまり部屋の照明を点けるか、パンをトーストするか、といったことに左右される。照明を点けたりトースターのスイッチをオンにしたりすれば、必要な電力が消費される。ただし、その器具に必要な電力以上は消費されない。同じように、私たちは何をするか自分で決められるが、それに使える努力の量は決まっている。たとえば9462という数字を見せられ、これを一〇秒間覚えていないと殺す、と言われたとしよう。だがどれほど殺されたくなくても、9462のプラス3問題をやらされるとき以上の努力を注ぎ込むことはできない。

システム2もあなたの家の電気回路も能力が限られている点は同じだが、過負荷に対する反応は異なる。電力需要が大きくなりすぎるとブレーカーが落ち、その回路に接続されたすべての電気製品は一斉に使えなくなる。これに対して脳の過負荷に対する反応は、もっと精密で選択的である。システム2は最も重要な活動を停電から保護し、その活動に必要な注意力を確保する。そして残った「予備電力」をその時々の別のタスクに振り向ける、というふうにする。私たちの文字点滅実験では、足し算を優先するよう被験者に指示したが、被験者はこの指示をちゃんと守ったことがわかっている。というのも、点滅のタイミングは計算作業に何の影響も与えなかったからだ。最も努力を必要とする瞬間に文字が点滅したら、被験者は見ない。少し余裕のある時間帯に点滅すれば、見落とす確率は下がる。

このように精妙に注意力を配分する働きは、長い進化の歴史を通じて磨き上げられてきたと考えられる。深刻な脅威や有望なチャンスにすばやく反応すれば、生き延びる可能性が高まるからだ。この能力は、もちろん石器時代の人間に限られているわけではない。現代の人間でも緊急時にはシステム1が事態を掌握し、自分の身を守る行動を最優先させる。運転中に路面の油膜でタイヤが滑ったと想像してほしい。何が起きたか認識する前に、対処している自分に気づくことだろう。

ビーティと私が共同研究をしたのはわずか一年間だったが、その後のキャリアにお互い大きな影響があった。ビーティはのちに認知科学の分野で瞳孔測定の権威となった。そして私は『注意と努力（*Attention and Effort*）』（本章＊1参照）を書き上げることができた。同書の大部分は、ビーティとの共同研究および翌年ハーバードに移ってから私が行った補足実験に基づいている。さまざまなタスクをこなす際の瞳孔を測定するだけで、私たちはシステム2の働きについてたくさんのことを学んだのだった。

あるタスクに習熟するにつれて、必要とするエネルギーは減っていく。脳に関する多くの研究[*7]から、何らかの行動に伴う脳の活動パターンは、スキルの向上とともに変化し、活性化される脳の領域が減っていくことがわかっている。才能も、同様の効果を持つ。飛び抜けて頭のいい人は、同じ問題を解くのに通常の人ほど努力しないのであり、このことは瞳孔測定からも脳の活動からも確かめられている。[*8]よく言われる「最小努力の法則」[*9]は、肉体的な労力だけでなく認知能力にも当てはまるのである。この法則は要するに、ある目標を達成するのに複数の方法が存在する場合、人間は最終的に最も少ない努力ですむ方法を選ぶ、ということだ。経済学的に言えば、努力はコストである。そこでスキルの習得も、その利益とコストを天秤にかけて行うことになる。[*10]こんな具合に、怠け者根性は私たちの中に染みついている。

私たちが実験で採用したタスクが瞳孔に与えた影響は、じつにさまざまだった。被験者ははじめは注意力がみなぎり複雑な作業をやる心構えができた状態にある。おそらく通常よりも高い覚醒レベルにあり、認知的に準備が整っている状態と言えるだろう。一桁か二桁の数字を記憶するとか、ある数字をある単語と関連づける（たとえば3＝ドア）といったタスクは、当初の状態を一時的に上回る刺激をもたらす効果がある。ところがその効果はプラス3問題に比べるときわめて小さく、瞳孔の直径は五％しか拡大しない。二つの音の高さを区別するタスクになると、瞳孔はもっと大幅に拡大する。最近の研究では、読み手を惑わせるような単語をまちがえずに読むタスク（第1章の図2のようなタスク）も中程度の努力を必要とすることがわかった。[*11] 六桁か七桁の数字を覚える短期記憶のテストには、一層の努力が必要になる。読者も経験があると思うが、自分の電話番号や家族の誕生日を思い出して声に出して言うのは、短時間ですむけれども相当な努力を要する。というのも、言い終わるまで全部の数字を覚えていなければならないからだ。暗算で行う二桁のかけ算とプラス３問題は、たいていの人がこなせる限界に近い。

認知能力を要するある種の作業が、他の作業より難しく努力を要するのはなぜだろうか。注意力という貴重な予算を投じてどんな結果を買うべきなのか。システム１にできないことでシステム２にできるのはどんなことか。私たちはいまではこうした質問に対して、仮説を提出することができるようになった。

別々の行動を要求する複数の事項や、ルールに従って組み合わせなければならない複数の事項を同時に記憶にとどめるには、努力が必要である。たとえばスーパーマーケットへ行ってから買い物リストを思い出すとか、レストランで魚と肉それぞれのメニューから注文する料理を選ぶ、調査で意外な結果が出たときに標本数が少ないことを勘案して総合的に評価する、などがこれに該当する。ルールに従う、評価対象をいくつもの面から比較する、複数の選択肢の中から熟慮の末に選ぶ、といったことができるのは、システム２だけだ。自動的なシステム１には、こうした能力は備わっていない。

システム１が見抜けるのは、単純な関係（「彼らはみんなよく似ている」「息子は父親よりかなり背が高い」など）だけである。またシステム１は、一つのものに関してなら複数の情報をうまく統合できるが、複数の異なる問題を同時に扱うことはできないし、純粋に統計的な情報を扱うのは不得意である。システム1は、「几帳面でもの静かで、秩序や整理整頓を好み、こまかいことにこだわる」と描写された人物が類型的な図書館司書に似ていると気づく。だがこの直感を、図書館司書を職業にしている人は少ししかいないという知識と結びつけるのは、システム2にしかできない仕事である。もっとも、システム2がちゃんとやり方を知っていればの話であって、実際にはこれができる人はめったにいない。

システム2に備わっている決定的な能力は、いわゆる「タスク設定」ができることである。すなわち、慣れていない作業を指示されたとき、それに応じられるよう記憶をプログラムすることができる。たとえば、「このページに出てくるfの文字をすべて数えなさい」と言われたとしよう。これは、あなたが前に一度もやったことのないタスクであり、自然に思いつく類(たぐ)いのものでもないが、システム2はちゃんとやってのける。この作業をうまくこなせるよう注意力をセットするのにも、実行するのにも、努力が必要だ。しかし何度もやれば必ず上達する。心理学では、このようにタスク設定を導入し完了するプロセスを「実行制御(executive control)」と呼ぶ。そして神経科学は、主に脳のどの領域が実行機能を司るのかをすでに突き止めている。そのうち一部の領域は、対立や矛盾を解決するときに活動する。このほかは前頭前野と呼ばれる、他の霊長類に比べてヒトでよく発達した領域で、こちらは知能を必要とする活動に関わっている。[*12]

さて、ページの終わりにたどりついたとき、あなたにもう一つ指示が出されたとしよう。

今度は、「次のページにあるカンマの数を数えなさい」というものである。これは前よりも難しいだろう。というのも、あなたはすでにｆの文字に注意を払うようになっているので、この傾向を取り払うのに苦労するからである。認知心理学におけるこの数十年間で重要な発見の一つは、あるタスクから別のタスクに切り替えるのは困難だ、ということである。とりわけ時間的余裕がないときにそう言える。[*13] プラス３問題や暗算のかけ算が難しいのは、高速の切り替えが必要になることが一つの原因と考えられる。プラス３問題をこなすには、あなたは同時にいくつもの数字を作業記憶[*14]にとどめ、かつ一つひとつの数字を特定の計算と関連づけておかなければならない。いくつかの数字は足し算をする前であり、一つは足し算中、残りは足し算を終えているが、最後に答えるまで覚えておく必要がある。近年行われている作業記憶のテストに、被験者が二つの難しいタスクを交互に行うというものがある。被験者は一方の結果を忘れないようにしつつ、もう一方をこなさなければならない。こうしたテストで好成績を収める人は、一般的な知能テストでも成績がよい。[*15] ただし、注意力をコントロールする能力は知能だけでは測れない。注意力の効率測定を行うと、航空管制官や空軍パイロットには、知能テストでは測れない能力が備わっていることがわかる。[*16]

時間的な制約は、努力を促すもう一つの要因となる。プラス３問題に取り組むとき、あなたはメトロノームの音で急かされるとともに、記憶の負荷にも急き立てられる。たくさんのボールを空中に投げ上げたジャグラーと同じで、ペースを落とすことは許されない。せっかく覚えたものが薄れていくスピードに遅れないよう計算をこなし、記憶から消えてしまいそうになったら確認・反復する必要がある。いくつかのことを同時に頭に入れておかなければならないタスクには、どれもこの種のせわしなさがある。幸運にも膨大な作業記憶を備えている人でない限り、ものすごい勢いでこなさなければならないだろう。遅い思考にとって最も努力を要するのは、このように速く考えることである。

プラス3問題に取り組んだとき、あなたはきっと、こんなに頭を酷使することはめったにないと感じただろう。現実の生活でも、仕事中に取り組む知的作業のうち、プラス3問題に匹敵する努力が求められるものはほとんどない。いや、六桁の数字を覚えて復唱するタスクに匹敵するものさえ、めったにないだろう。私たちはふつう、簡単な作業に小分けするとか、中間結果を出して長期記憶に覚えさせるとか、すぐにいっぱいになってしまう作業記憶を使わずに紙に書き出すといった方法を使って、過大な負荷を防ぐ。こんな具合に時間と行動を管理して長丁場を乗り切り、「最小努力の法則」に従って生活している。

注意と努力を話題にするときは

「運転中にその問題をやりたくはないね。そいつは瞳孔が拡がるような難問で、えらく努力を必要とするから」

「まただ最小努力の法則が働いている。彼はきっと、できるだけ面倒なことを考えずにすまそうとするだろう」

「彼女は会議を忘れていたわけじゃないよ。ただ、会議のことを決めたとき、ほかのことに完全に気を取られて、そもそも君の話を聞いてなかったんだ」

「すぐに思いついたことは、システム１による直感だ。もう一度やり直して、記憶をよく探ったほうがいい」

第3章　怠け者のコントローラー
――論理思考能力を備えたシステム2

　私は毎年数カ月をバークレーで過ごす。そこでの楽しみの一つは、サンフランシスコ湾の景観を堪能しながら、丘陵地帯を毎日四マイルほど散歩することだ。毎回時間を計って消費カロリーを計算した結果、一マイル一七分のペースが私にとってちょうどよい速さだということがわかった。椅子にふんぞり返っているよりは体も使うしカロリーも消費するが、このスピードでは緊張や負担は一切感じないし、ペースを守るのに無理をすることもない。このペースなら、歩きながら考えたり仕事をしたりできる。いやむしろ、散歩による穏やかな肉体的刺激の効果で、注意力が高まるのではないかと感じる。

　システム2にも、自然なスピードというものがある。とりとめのない考えにもいくらかは知的エネルギーを使うし、とりたてて頭を使っていないようなときでさえ、自分の周りで何が起きているかをモニターするのに知的エネルギーを使っている。だがこのようなときには、めったに緊張しないものである。特別な注意や自制を要求される状況でない限り、身の回りや自分の頭の中で何が起きているかを監視するのは、ほとんど努力せずにできる。運転しながら速度を落とそうとか次の角を曲がろうとか次々に決断する、新聞を読んで情報を集める、同僚や家族といつもの冗談を言い交わすといったことは、肩に力を入れずに気楽にできる。ちょうど散歩のようなものである。

歩きながら考えるのは、ふつうはたやすいし、とても楽しいものだ。だが度が過ぎると、二つの活動はシステム2の限られたリソースを争うようになる。このことは、簡単な実験ですぐに確かめられる。友人と気持ちよく歩いている最中に、23×78を暗算ですぐにやってほしい、と頼んでみればよい。気の毒な友人は、たぶんその場に立ち止まってしまうだろう。私の経験から言うと、ぶらぶら歩きながら考えることはできるが、短期記憶に負荷をかけるような知的作業をすることはできない。時間に追われながら複雑な論拠を組み立てなければならないときは、私はじっとしていたいし、立っているより座っているほうがいい。もちろん、遅い思考がつねに極度の集中や複雑な情報処理を伴うわけではない。実際、私が人生で最高の考えを思いついたのは、エイモスと散歩をしているときだった。

ぶらぶら歩きより速いペースになると、散歩はすっかり様子が変わってしまう。早歩きになったとたんに、思考能力はあきらかに低下するからだ。ペースが上がるにつれて、私の注意力は歩くこと自体にひんぱんに向けられ、意識的に速いペースを保とうとする。それにつれて、一連の考えを結論に導く能力は損なわれていく。上り坂で私が維持できる限界はおよそ一マイル一四分だが、この速さになると、何かを考えようと試みることすらできなくなる。小道をたどりながらすばやく歩くという肉体的な努力に加えて、ペースを落としたいという衝動を抑えるには、克己心を発揮する精神的な努力も必要だ。こうしたセルフコントロールも熟考と同じく、努力という限られたリソースを消費する。

私たちの大半は、ほとんどの時間、一貫した一つながりの思考を維持するにも、たまさかの複雑な思考に取り組むにも、セルフコントロールを必要とする。系統的な調査をしたわけではないが、タスクをひんぱんに切り替えたり、知的作業をスピードアップしたりするのは本質的に不快なことであり、人間は可能であればそれを避けるのではないかと思う。「最小努力の法則」が成り立つのは、このためだ。時間的な制約がないときでさえ、思考の流れを維持するには自制心を必要とする。私が執筆中に一時間当たり何回メールチェックをしたり冷蔵庫の中を漁ったりするかを数えた人がいたら、怠け心を容易に察知できるだろうし、私がなんとか絞り出せるセルフコントロールではとても足りない、と結論づけたことだろう。

幸いにも、認知能力を要する作業がどれも嫌悪感を催させるわけではない。人間はときには長時間にわたって、それも意志の力をとくに発動しなくとも、すさまじい努力を続けることができる。このように苦もなく集中を続けられる状態について研究した第一人者は、心理学者のミハイ・チクセントミハイである。彼はこの状態に「フロー」という名前をつけ、この言葉はすでに定着している。フローを経験した人は、このときのことを「まったく努力しなくても極度に集中でき、時が経つのも、自分自身のことも、あれこれの問題もすべて忘れてしまう状態」と説明する。この状態がどれほど喜びに満ちているかを語る彼らの言葉からも、チクセントミハイが「最適経験」と呼ぶのは頷（うなず）ける。[*1] 絵を描くことからバイクでレースをすることまで、多くの活動がフロー感覚を生み出す。そして私が知っている何人かの幸運な作家にとっては、本を書くことさえ、しばしば最適経験となるらしい。フローは、二種類の努力をすっぱり切り離す。一つはタスクへの集中、もう一つは注意力の意識的なコントロールである。バイクを時速一五〇マイルで走らせるとか、チェスの試合をするといったことは、まちがいなく大変な努力を要するだろう。だがフロー状態になってしまえば、この活動に完全にのめり込むので、注意力の集中を維持するのに何らセルフコントロールを必要としない。したがって、この仕事から解放されたリソースを目の前のタスクにだけ振り向けることができる。

忙しく、消耗するシステム2

現在では、セルフコントロールと認知的努力は、どちらも知的作業の一形態であることが確かめられている。多くの心理学研究によれば、困難な認知的作業と誘惑に同時に直面した人は、誘惑に負ける可能性が高い。たとえばあなたが七つの数字を見せられ、これを一分か二分覚えているように、と言われたとしよう。しかも、数字を覚えておくことは最優先事項だ、と申し渡されたとする。こうしてあなたが数字に注意を集中しているところに、二種類のデザートからお好きなほうをどうぞ、と言われたらどうだろう。片方はいかにもカロリーの高そうなチョコレートケーキ、もう一方はあっさりしたフルーツサラダである。この実験から、頭が数字でいっぱいのときには誘惑の大きいチョコレートケーキを選ぶ確率が高いことが確認された。システム2が忙殺されているときには、システム1が行動に大きな影響力を持つようになる。そしてシステム1は甘党なのである。[*2]
認知的に忙しい状態では、利己的な選択をしやすく、挑発的な言葉遣いをしやすく、社会的な状況について表面的な判断をしやすいことも確かめられている。[*3]頭の中で数字を覚えて繰り返していることに忙殺されて、システム2が行動ににらみを利かせられなくなるためだ。もちろん、認知的負荷だけがセルフコントロール低下の原因ではない。睡眠不足や少々の飲酒も同様の効果をもたらす。朝型の人のセルフコントロールは、夜になるとゆるむ。夜型の人は逆になる。今やっていることがうまくいくだろうかと心配しすぎると、実際に出来が悪くなることがある。これは、余計な心配で短期記憶に負荷をかけるからだ。[*4]結論は、はっきりしている。セルフコントロールには注意と努力が必要だということである。だからこそ、思考や行動のコントロールがシステム2の仕事になっているのである。
心理学者のロイ・バウマイスターのチームは一連の驚くべき実験を行い、認知的、感情的、身体的のいずれかを問わず、あらゆる自発的な努力は、少なくとも部分的にはメンタルエネルギーの共有プールを利用していることを決定的に証明した。バウマイスターらの実験は、同時並行的なタスクではなく連続的なタスクを使って行われている。
彼らの実験で繰り返し確認されたのは、強い意志やセルフコントロールの努力を続けるのは疲れるということである。何かを無理矢理がんばってこなした後で、次の難題が降りかかってきたとき、あなたはセルフコントロールをしたくなくなるか、うまくできなくなる。この現象は、「自我消耗（ego depletion）」と名づけられている。代表的な実験では、感情的な反応を抑えるよう指示したうえで被験者に感動的な映画を見せると、その後は身体的耐久力のテスト（握力計を握り続けるテスト）で成績が悪くなった。実験の前半で感情を抑える努力をしたために、筋収縮を保つ苦痛に耐える力が減ってしまったわけだ。

このように自我消耗を起こした人は、「もうギブアップしたい」という衝動にいつもより早く駆り立てられる。別の実験では、被験者はチョコレートや甘いクッキーの誘惑に抵抗しながら、ラディッシュやセロリなど清く正しい野菜を食べさせられる。これで自我消耗した被験者は、この後で難しい認知的タスクを課されると、いつもより早く降参してしまう。

セルフコントロールを消耗させる状況やタスクは、いまではさまざまなものが知られている。そのどれにも、人間の自然の欲求やニーズと対立するか、それらを克服しなければならないという共通点がある。たとえば、次のようなものである。

・考えたくないのに無理に考える。
・感動的な映画を観ているのに感情的な反応を抑える。
・相反する一連の選択を行う。
・他人に強い印象を与えようとする。
・妻（または夫）や恋人の失礼なふるまいに寛容に応じる。
・人種の異なる人と付き合う（差別的偏見を持っている人の場合）。

消耗を示す兆候も、多種多様である。

・ダイエットをやめてしまう。
・衝動買いに走る。
・挑発に過剰反応する。
・力のいる仕事をすぐに投げ出す。
・認知的タスクや論理的な意思決定でお粗末な判断を下す。

実験結果は雄弁である。つまり、システム2に困難な要求を強いる活動は、セルフコントロールを必要とする。そしてセルフコントロールを発揮すれば、消耗し不快になる。[*5]認知的負荷とは異なり、自我消耗に陥ると、モチベーションがいくらかは低下する。あるタスクにセルフコントロールを大いに発揮すると、もうほかのことに努力したくないという気になるのである。どうしてもやらなければならないとなったら、何とかがんばれるとわかっていても、そういう気分になってしまう。いくつかの実験では、強力なインセンティブを与えられると、被験者は自我消耗の影響に抵抗できることがわかった。[*6]これに対して、タスクをこなしながら六桁の数字をしばらく覚えておくようにと言われたときには、被験者はさらにがんばる気にはならなかった。このように、自我消耗と認知的に忙しい状態とはちがうものである。

バウマイスターのチームによる最も驚くべき発見は、彼の言葉を借りるなら、メンタルエネルギーという概念が単なる比喩以上のものだとわかったことである。[*7] 神経系は、人間の体のどの部分よりも多くのブドウ糖を消費する。そして非常な努力を要する知的活動は、ブドウ糖というコストで換算すると、とりわけ高くつくと考えられる。難しい認知的推論をしているときや、セルフコントロールを要する仕事に取り組んでいるときには、血液中のブドウ糖が減る（血糖値が下がる）。これは、全力疾走中のランナーが筋肉に蓄えられていたブドウ糖を消費する現象とよく似ている。このことから、自我消耗の影響はブドウ糖の摂取で解消できると考えられる。バウマイスターのチームは、この仮説をいくつかの実験で確かめた。

ボランティアを募ったある実験では、参加者は第一のタスクとして、女性がインタビューされている様子を撮影した短い動画を無音声で観た後に、その女性のボディランゲージを解釈するよう求められる。動画を観ている間に、いくつかの単語がスクリーンをゆっくりと連続的に横切っていくが、参加者はこれらの単語を無視しなければならない。もしこれに気を取られた場合には、最初からやり直しだと言われる。このようにセルフコントロールを要する行為は、自我消耗を引き起こすことが知られている。[*8]

さて実験では、次のタスクに移る前に、参加者にレモネードを与える。半分にはブドウ糖が入っており、残り半分には人工甘味料のスプレンダが入っている。レモネードを飲んだ後の第二のタスクは、直感を抑えないと正しく答えられない。通常は、自我消耗した人は非常に直感的エラーを犯しやすくなる。スプレンダ入りレモネードを飲んだ被験者は予想通りエラーを犯したが、ブドウ糖入りを飲んだ被験者は自我消耗の兆候を示さなかった。脳が使えるブドウ糖のレベルが回復したおかげで、正答率は下がらなかったと考えられる。ただし、ブドウ糖を消費するタスクが、一時的な覚醒（およびその結果としての瞳孔の拡大や心拍数の増加）ももたらすかどうかは、さらに時間をかけて調査する必要がある。

消耗が判断力におよぼす悪影響を調べた実験の結果が、最近「米国科学アカデミー紀要」で発表された。*9 イスラエルで行われた実験で、そうと知らずに被験者になったのは、八人の仮釈放判定人である。彼らは一日中、仮釈放申請書類の審査をしている。書類は順不同で提出され、審査にかける時間は平均六分という短さである（仮釈放の申請は却下が前提で、認められるのは三五％にすぎない）。実験では、決定に要した時間とともに、判定人に与えられる三回の食事休憩、すなわち朝、昼、午後の休憩時間も記録された。そして休憩後の経過時間と許可件数の比率を算出したところ、各休憩直後の許可率が最も高く、六五％の申請が認められた。

その後は次の休憩までの二時間ほどの間に比率は一貫して下がっていき、次の休憩直前にはゼロ近くになった。読者もお気づきのとおり、これは好ましくない傾向である。実験チームはその説明をあれこれ検証した末に、結局考えうる最も妥当な説明はたいへん残念なものになった。疲れて空腹になった判定人は、申請を却下するという安易な「初期設定」に回帰しがちだ、ということである。この場合、疲労と空腹が重なったことが消耗の原因と考えられる。

怠け者のシステム2

システム2の主な機能の一つは、システム1が「提案」した考えや行動を監視し、制御することである。そして提案の一部は直接行動に移すことを許可し、残りは却下したり修正を施したりする。

たとえばここに簡単な問題がある。読者は解こうと身構えるのではなく、直感に従って答を出してほしい。

バットとボールは合わせて一ドル一〇セントです。

バットはボールより一ドル高いです。

ではボールはいくらでしょう?

きっとあなたの頭の中に数字が閃いたことだろう。もちろんそれは、一〇、つまり一〇セントだ。この簡単な問題の特徴は、すぐに答が思い浮かぶこと、そしてその答は、直感的で説得力があり――そしてまちがっていることである。検算してみれば、すぐにまちがっていると気づく。なぜなら、ボールが一〇セントなら、一ドル高いバットは一ドル一〇セントになり、合計で一ドル二〇セントになってしまうからだ。正解は五セントである。始めから正解を答えた人も、直感的な一〇セントという数字が思い浮かんだと考えてまちがいない。この人たちは、直感に何とか抵抗できただけである。

シェーン・フレデリックと私は共同研究を行い、二つのシステムに基づく判断の理論化を試みた。研究の中心的なテーマは「システム2はシステム1の提案をどの程度厳しくチェックしているのか」というもので、フレデリックはバットとボール問題を使ってこのテーマに取り組んだ。彼の推論は、こうだ。ボールは一〇セントだと答える人について、いまや重要な事実がわかっている。それは、この人たちは答が正しいかどうかをちゃんとチェックしていないこと、彼らのシステム2は、ちょっと努力すれば却下できたはずの直感的な答をやすやすと許可したことである。しかも一〇セントと答えた人は、状況が示す明らかな手がかりを見落としていた。それほど簡単に答の出るような問題をわざわざ出す必要があるのか、そこを考えるべきだったのである。チェックにかかるコストがごく小さいことを考えると、チェックを怠ったのは注目すべきことだと言える。数秒ほど頭を使い（バットとボール問題の難易度は中程度である）、ちょっとばかり筋肉を緊張させ瞳孔を拡大させるだけで、恥ずかしいまちがいを犯さずにすんだはずだ。一〇セントと答えた人は、「最小努力の法則」の熱心な支持者だと思われる。直感的な答をしなかった人は、より熱心に頭を働かせるタイプだと言える。

バットとボール問題に答えた大学生の数は数千人に上るが、結果は衝撃的だった。ハーバード大学、マサチューセッツ工科大学、プリンストン大学の学生のなんと五〇％以上が、直感的な、つまりまちがった答を出したのである。[*10] もっと多くの大学で試したら、おそらく誤答率は八〇％を超えたにちがいない。私たちはバットとボール問題をきっかけに、多くの人は自信過剰に陥っており、自分の直感を信じすぎているのではないかと考えるようになった。この見方は、これから本書で繰り返し登場する。大方の人は、認知的努力をするのは控えめに言っても厄介なことであり、できるだけ避けたいと考えているように見える。

それでは今度は、論理の問題を出題しよう。二つの前提と一つの結論を示すので、できるだけすばやく、論理的に成り立つかどうか答えてほしい。二つの前提から最後の結論は導き出せるだろうか。

すべてのバラは花である。
一部の花はすぐにしおれる。
したがって、一部のバラはすぐにしおれる。

大学生の大部分が、この三段論法は成り立つと答える。[*11] しかし実際には成り立たない。すぐにしおれる花の中にバラが含まれないことはあり得るからだ。ほとんどの人の頭には、バットとボール問題のときと同じく、もっともらしい答がすぐに思い浮かぶ。これを打ち消すのは至難の業だ。というのも、「だってバラはすぐにしおれるじゃないか」という内なる声がしつこくまとわりついて、論理をチェックするのが難しくなるからだ。それに大半の人は、問題を深く考え抜くなどという面倒なことはしない。

この実験結果は、日常生活の推論に関してははなはだ残念な意味合いを持つ。たいていの人は、結論が正しいと感じると、それを導くに至ったと思われる論理も正しいと思い込む。たとえ実際には成り立たない論理であっても、である。つまりシステム1が絡んでいるときは、はじめに結論ありきで論理はそれに従うことになる。

では次に、次の問題を読んですぐに答えてほしい。

ミシガン州では一年間に何件ぐらい殺人が発生するでしょうか？

これもフレデリックが考え出したもので、先ほどと同じくシステム2を試す問題である。この問題の「罠」は、犯罪率の高いデトロイトがミシガン州の都市だという点にある。アメリカの大学生ならそのことは知っているし、デトロイトがミシガン州最大の都市であることもわかっているはずだ。だが知識というものは、必ずしも知っているか知らないかのどちらか、というわけではない。事実を知ってはいても、必要とするときに出てこないことはめずらしくない。デトロイトがミシガン州の都市だと知っている人は、知らない人より殺人の件数を多く言うはずだが、実際には回答者は、「州」について訊かれたときには都市のことは考えないものである。事実、「ミシガン州では〜」と訊かれたグループは、「デトロイトでは〜」と訊かれたグループより、殺人の件数を平均して少なく答えている。デトロイトのことを思い浮かべなかった怠慢は、システム1とシステム2の両方に責任がある。州について訊かれたときに都市名が思い浮かぶかどうかは、部分的には記憶の自動機能にかかっている。この点に関しては、人によってちがいがある。ミシガン州にくわしい人もいれば、そうでない人もいるだろう。たとえばミシガン州の住民は、他州の人よりくわしいと考えられる。地図が大好きという人は、スポーツ好きな人よりよく知っているだろう。また一般に頭のいい人は、たいていのことをよく覚えている可能性が高い。知能とは論理思考をする能力だけでなく、記憶の中から役に立つ情報を呼び出し、必要なときに活用する能力でもあるからだ。記憶はシステム1に属す機能ではあるが、探索作業をスローダウンさせ、関係のある事実をすべて見つけ出す入念な探索に切り替える選択肢は、誰でも持ち合わせている。ちょうど、バットとボール問題で一部の回答者が答を出す作業をスローダウンさせ、直感的な答をきちんとチェックしたように。入念なチェックと探索をどこまで行うかはシステム2に任されており、人によってばらつきがある。

バットとボール問題、バラと花の三段論法、ミシガン州デトロイト問題には、ある意味で共通性がある。この手の問題でまちがえるのは、少なくともいくぶんかは、モチベーションが低いせいだと考えられることだ。つまり、あまり一生懸命取り組まなかったのである。一流大学に合格できるような人なら最初の二問には十分答えられるはずだし、ミシガン州問題でも、じっくり考えれば同州の主要都市と犯罪率の高さを思い出せたはずだ。この人たちは、ぱっと頭に浮かんだもっともらしい答に飛びつく誘惑を退けられれば、もっと難問だって解くことができる。安易に満足して考えるのを止めてしまうのは、大いに問題だ。若い学生たちの自己監視能力と彼らのシステム2を「怠け者」と決めつけるのは少々手厳しいかもしれないが、けっして不当とは思われない。知的怠惰の罪を犯さない人たちは、より「まじめ」だと言える。つまり注意深く、せっせと頭を使い、うわべは魅力的な答に安易に満足せず、直感に対してより懐疑的である。心理学者のキース・スタノビッチなら、より「合理的」だと言うことだろう。*[12]

知能、認知的制御、合理性

思考とセルフコントロールの関係を調べるために、研究者はさまざまな方法を試してきた。その一つとして、相関関係を調べる方法がある。セルフコントロールと認知能力それぞれについて人々をランクづけしたら、どちらのランキングでも同じような位置づけになるだろうか。

心理学史の中できわめて有名な実験の一つに、ウォルター・ミシェルらによるマシュマロ・テストと呼ばれるものがある。*[13] この実験では、四歳児の目の前にマシュマロまたはオレオ・クッキー一個が入った皿を置き、「これはベルを押せばいつでも食べてかまわない。でも食べずに一五分我慢できたらご褒美としてもう一個あげる」と言って実験者は部屋を出る。四歳の子供にとってはきびしい状況だ。ひとりぼっちで部屋に残され、机の上にあるのはクッキーの皿と、実験者を呼ぶためのベルだけ。説明によると、「部屋の中には、おもちゃや本などお菓子から気を逸らすようなものは何もない。実験者は部屋を出てドアを閉め、一五分経過後、または子供がベルを鳴らすか、お菓子を食べてしまうか、立ち上がるか、何か具合が悪そうな様子を示したとき以外は戻って来ない」となっている。*[14]

子供たちはマジックミラー越しに観察されており、その様子を撮影したビデオを見た人は、思わず笑ってしまう。子供たちの約半数は一五分待つ難行をやってのけるのだが、その子たちの大半は、後ろを向いたり、数を数えたり、目を覆ったり、じつにさまざまな方法で誘惑から注意を逸らしている。そして実験から一〇～一五年後に、誘惑に勝った子供と負けた子供のちがいが明らかになる。誘惑に勝った子供は、認知的タスクで高水準の実行制御能力を示した。とりわけ、自分の注意力を効率的に配分する能力に長けていた。青春期にさしかかる年代ではあるが、麻薬などに手を出す確率も低かった。さらに重大なちがいが認められたのは、知的能力である。四歳のときにセルフコントロールを示した子供たちは、知能テストで大幅に高い点数をとった。*[15]

オレゴン大学の研究チームは、認知的制御と知能の関係を数通りの方法で調査した。その一つは、注意力のコントロールを高めて知能向上を図る試みである。チームは四～六歳児に五～四〇分間、注意力とコントロールをとくに必要とするようなさまざまなコンピュータゲームをやらせた。たとえば、ジョイスティックを使ってアニメの猫をつかまえ、沼地を避けながら草原に連れて行く。草原はだんだんに小さくなり、沼地はだんだん大きくなるので、次第に正確なコントロールが必要になる。この実験の結果、注意力を訓練すると実行制御能力が高まるだけでなく、非言語知能テストの成績も上がることがわかった。しかもこの効果は数カ月持続した。[*16] 同じグループが行った別の調査では、注意力のコントロールに関わる遺伝子を特定するとともに、この能力にはしつけも影響することを突き止めた。また、子供たちが注意力をコントロールする能力は、自分の感情をコントロールする能力と密接に関連することも確かめた。

シェーン・フレデリックは、認知的思考力を調べるテストを作成している。このテストは、先ほどのバットとボール問題を含む三問で構成される。三問はいずれも、まちがっているがもっともらしい答を直感的に想起させる、という点から選ばれている（問題は第5章で取り上げる）。フレデリックは、このテストの成績が悪い生徒、つまりシステム2の監視機能が弱い生徒の特徴を調査し、思いついた最初の考えを答えがちで、直感が正しいかどうか確かめる努力を惜しむことを発見した。

直感を無批判に受け入れる人は、システム1からの提案は何事によらず受け入れる傾向がある。具体的には、こうした人たちは衝動的で、せっかちで、目先の満足を貪欲に追い求める。たとえば「今月三四〇〇ドルもらうのと来月三八〇〇ドルもらうのとどちらを選ぶか」という問いに対して、直感派の六三％が前者を選ぶ。一方、三問とも正解だった人がこちらを選ぶ率は三七％にすぎない。また「注文した本を翌日配送してもらうためにいくらまで払うか」という問いに対しては、テストの成績が悪かった人が払ってもよいと考えた額は、良かった人の二倍に達した。フレデリックの発見から、私たちの心理劇の登場人物は、異なる

「個性」を持っていることがうかがえる。システム1は衝動的であり、システム2は論理思考能力を備えていて注意深い。しかし、少なくとも一部の人のシステム2は怠け者である。そしてこのことに関連するちがいが人々の間に見受けられる。すなわち、システム2を使いたがる人もいれば、システム1寄りの人もいる。こうしたわけでフレデリックのテストは、思考の怠け癖を予測するよい手がかりとなる。

システム1、システム2の名称を最初に提案したのは、キース・スタノビッチと長年にわたる共同研究者のリチャード・ウェストである（最近では「タイプ1、タイプ2のプロセス」という表現を好んで使っている）。スタノビッチらは、本書でも取り上げているような問題における個人間の相違を数十年にわたって研究してきた。彼らがさまざまな手法を使って追究してきたのは、一つの基本的な問題、すなわち、判断のバイアスにとらわれやすい人とそうでない人がいるのはなぜか、ということだ。スタノビッチは研究の成果を『合理性と熟考思考（*Rationality and the Reflective Mind*）』と題する著作にまとめたが、そこには、本章で取り上げた問題に対する大胆なアプローチが示されている。それによれば、こうだ。スタノビッチは、システム2を二つの部分に区別する。いや、単に区別というより、二つの思考回路に分けてしまう。スタノビッチがアルゴリズム的と呼ぶ第一の回路は、遅い思考と複雑な計算を担当する。この種の知的能力を必要とするタスクに長けている人たちは、知能テストの成績が飛び抜けてよく、あるタスクから別のタスクへすばやく効率的に頭を切り替えることができる。だが、知能が高いからといってバイアスに無縁というわけではない、とスタノビッチは指摘する。バイアスに関係してくるのは、合理的と名づけられたもう一つの思考回路である。スタノビッチの考える合理的な人は、私が「まじめ」と形容した人に似ている。要するにスタノビッチは、「合理性」は「知性」と峻別すべきだと言うのである。彼によれば、上っ面だけの思考すなわち怠け者思考は、熟考思考の欠陥と合理性の欠如を表しているという。これは、新たな発想を喚起する魅力的なアイデアだ。スタノビッチらは、研究成果に基づき、バットとボール問題のようなテストのほうが、従来のＩＱテストのような知能テストよりも、認知的エラーを犯しやすい傾向をより的確に評価できると述べている。[*17] 知性と合理性を峻別するこうした見方が新たな発見につながるかどうかは、今後に待つことにしたい。

コントロールを話題にするときは

「彼女は、何の苦もなく何時間も集中していた。たぶん、フロー状態に入っていたのだろう」

「一日中会議の連続で、彼の自我は消耗してしまったのだろう。それで、問題をよく考えもせずに、いつも通りの手順で処理しようとしたのだと思う」

「彼は、自分の言ったことに筋が通っているか確かめもしなかった。あいつのシステム２はいつも怠け者なのか、それともひどく疲れていたのかな？」

「残念ながら、彼女は思いついたことを考えなしに口にする傾向があるようだ。それに、我慢することを知らない。システム２が弱いんだな」

第4章　連想マシン[*1]

――私たちを誘導するプライム（先行刺激）

システム1の驚くべき仕組みを探る手始めとして、まずは次の言葉を見てほしい。

バナナ　　げろ

一秒か二秒の間にあなたの頭にはさまざまなことが思い浮かんだだろう。いやな思い出や汚いイメージ。嫌悪感で顔が歪んだかもしれないし、この本をちょっと押しのけたかもしれない。心拍数は上がり、鳥肌が立ち、汗が出てくる。つまりあなたは気色の悪い言葉を見て、実際の出来事への反応を少しゆるやかな形で経験したことになる。これらはすべて自動的に起きるもので、あなたにコントロールすることはできない。[*2]

あなたの頭の中では、「バナナ」と「げろ」が自動的に連結され、因果関係を形成したことだろう――そうすべき理由は何もないのだが。その簡単なシナリオではバナナが嘔吐の原因ということになり、その結果、一時的にバナナが嫌いになるかもしれない（すぐに治るから心配はいらない）。あなたの記憶の状態は他の面でも変化し、「げろ」から連想されるもの（病気、悪臭、吐き気など）や「バナナ」から連想されるもの（黄色、果物、リンゴ、パリーなど）にいつもより敏感になり、反応しやすくなる。

嘔吐は、二日酔いや消化不良など、ふつうとは異なる状況で起きやすい。そこであなたは、嘔吐を引き起こす原因を連想させる言葉にも、ふだんより敏感になっているだろう。またあなたのシステム1は、この二つの言葉が並んでいることはめったにないと気づく。いや実際、一度も見たことがないだろう。そこであなたは、いくらか面食らってもいるはずだ。

こうした一連の反応は瞬時に、自動的に、何の努力もなしに起きる。あなたがそうしたかったわけではないし、止めようとしても止められない。これがシステム1の働きである。あなたが二つの言葉を見た結果として起きた一連のことは、連想活性化と呼ばれるプロセスの産物である。最初に思い浮かんだことがまた別のことを呼び起こし、頭の中に次から次へと活動がつながっていく。こうした複雑な一まとまりの現象の基本的な特徴は、一貫性が保たれていることである。一つひとつが他と関連づけられ、支え合い、強め合っている。言葉は記憶を呼び覚まし、記憶は感情をかき立て、感情は顔の表情や他の反応（緊張や回避行動など）を促す。そして表情を変えたり回避行動をとったりすれば、そのもとになった感情は一層強まり、それがまた、感情に即した考えをさらに強めるという具合である。これらはごく短時間で、しかも同時に起き、認知的・感情的・肉体的反応の自己増殖パターンを生み出す。このパターンは多様であるが統一されており、このことを連想一貫性があるという。一秒かそこらで、あなたは自動的かつ無意識のうちに、驚くべき神業をやってのけたわけである。まったく予想外の出来事を前にしたあなたのシステム1は、まず二つの言葉が妙な具合に組み合わさった状況をできるだけ筋道の通るものにしようと試み、二つを結びつけて因果関係に仕立て上げた。起こりうる悪影響を予測し、これから起こりそうな出来事に対して身構えることで、新たな展開を生む状況を作り出した。また、事態の意外性を認識することで、いま起きたこととの状況分析もしている。最後に過去の情報を呼び出し、できる限り将来に備えた。

ここで奇妙なのは、あなたのシステム1が、単なる二つの言葉の組み合わせを、現実を表すものとして扱ったことである。あなたの身体は、実際の嘔吐に対する反応をいくらか弱めた形で体験した。感情的な反応や身体的な反射も、この出来事に対するあなたの解釈の一部である。認知科学者が近年強調するように、認知は身体化されている。あなたは身体で考えるのであって、脳だけで考えるわけではない。*3

こうした現象を引き起こすメカニズムはずっと昔から知られており、観念連合と呼ばれていた。私たちは経験から、意識の中では考えが次から次へと順序立てて推移するものだと理解している。一七世紀、一八世紀のイギリスの哲学者は、この連続的な流れを司るルールを見つけようとした。スコットランドの哲学者デービッド・ヒュームは一七四八年に『人間知性研究』を発表し、その中で連合（連想）の原則を三つにまとめている。類似、時間と場所の近接性、そして因果律である。ヒュームの時代から連想という概念は大きく様変わりしているが、それでもなおこの三つの原則はよい出発点となる。

この章では、観念を幅広い意味に捉えるつもりだ。具体的でも抽象的でもよいし、動詞、形容詞いずれで表現されてもかまわない。いや、握りしめた拳だってよい。心理学者は、観念を広大なネットワークに浮かぶノード（節点）と捉えている。このネットワークは連想記憶と呼ばれ、その中に収められた観念は他の多くの観念とリンクしている。リンクにはさまざまなタイプがある。原因と結果（ウィルスと風邪）、ものと属性（ライムとグリーン）、ものとカテゴリー（バナナと果物）などだ。ヒュームの頃から進歩した点の一つは、意識的な観念が一つずつ順番に扱われるとは考えなくなったことである。現在の見方では、大半を同時に扱うと考えられている。すなわち、活性化された一つの観念は、別の観念を一つだけ呼び覚ますのではなく、多くの観念を活性化し、それらがまた別の観念を活性化する。しかも、意識に記録されるのは、そのうちのごくわずかでしかない。連想思考の大半はひそやかに進行し、意識的な自己からは隠されている。思考のすべてにアクセスできるわけではないという認識は、自分の経験と相容れないためなかなか受け入れがたい。だが、それが真実なのだ。あなたは、自分で思っているよりずっと少ししか、自分について知らない。

プライミング効果のふしぎ

科学ではよくあることだが、連想メカニズムの解明を巡る最初の大きなブレークスルーは、測定方法の向上によってもたらされた。ほんの数十年前までは、連想を研究しようと思ったら大勢の人に質問するしかなかった。たとえば「〝日（day）〟という言葉を聞いて最初に思い浮かぶのはどんな言葉ですか」と質問し、「夜」「太陽」「長い」といった回答の頻度を集計する。

一九八〇年代になると、ある単語に接したときには、その関連語が想起されやすくなるという明らかな変化が認められることがわかった。たとえば、「食べる」という単語を見たり聞いたりした後は、単語の穴埋め問題で〝SO□P〟と出されたときに、SOAP（石けん）よりSOUP（スープ）と答える確率が高まる。言うまでもなく、この逆も起こりうる。たとえば「洗う」という単語を見た後は、SOAPと答える確率が高まる。これを「プライミング効果（priming effect）」と呼び、「食べる」はSOUPのプライム（先行刺激）、「洗う」はSOAPのプライムであると言う。[*4]

プライミング効果は、さまざまな形をとる。たとえば、「食べる」という観念が頭の中にあるときは（それを意識するしないにかかわらず）、「スープ」という単語が囁かれたり、かすれた字で書かれたりしていても、あなたはいつもより早くそれを認識する。もちろんスープだけでなく、食べ物に関連するさまざまなもの、たとえばフォーク、空腹、肥満、ダイエット、クッキーなども。最後に食事をしたときのレストランで椅子がぐらぐらしていたら、きっと「ぐらぐら」という言葉にも反応しやすくなるだろう。さらに、プライムで想起された観念は、効果は弱まるものの、別の観念のプライムになることもある。池に拡がるさざ波のように、連想活性化は広大な連想観念ネットワークの一カ所から始まって、拡がっていく。

こうしたさざ波の分析は、今日の心理学研究において非常に興味深い分野と言えよう。記憶に関する理解でもう一つ大きな進歩は、プライミングは概念や言葉に限られるわけではない、と判明したことである。意識的な経験からこれを確かめることは、もちろんできない。だが、自分では意識してもいなかった出来事がプライムとなって、行動や感情に影響を与えるという驚くべき事実は、受け入れなければならない。

これについては、ジョン・バルフらが行った、早くも古典と言うべき実験がある。この実験では、ニューヨーク大学の学生（一八～二二歳）に五つの単語のセットから四単語の短文をつくるよう指示する（たとえば、彼／見つける／それ／黄色／すぐに）。[*5] このとき一つのグループには、文章の半分に、高齢者を連想させるような単語（フロリダ、忘れっぽい、はげ、ごましお、しわなど）を混ぜておいた。この文章作成問題を終えると、学生グループは他の実験に臨むため、廊下の突き当たりにある別の教室に移動する。この短い移動こそが、実験の眼目である。実験者は学生たちの移動速度をこっそり計測する。するとバルフが予想したとおり、高齢者関連の単語をたくさん扱ったグループは、他のグループより明らかに歩く速度が遅かったのである。

この「フロリダ効果」には、二段階のプライミングが働いている。第一に、一連の単語は、「高齢」といった言葉が一度も出てこないにもかかわらず、老人という観念のプライムとなった。第二に、老人という観念が、高齢者から連想される行動や歩く速度のプライムになった。これらは、まったく意識せずに起きたことである。

実験後の調査で、出された単語に共通性があると気づいた学生は一人もいないことが判明した。彼らは、最初のタスクで接した単語から影響を受けたはずはない、と主張したものである。つまり老人という観念は、彼らの意識には上らなかった。それでも、学生たちの行動は変化した。観念によって行動が変わるというこの驚くべきプライミング現象は、イデオモーター効果として知られる。あなたが何も意識していなくても、このパラグラフを読んだことはプライムとなる。もしあなたが水を飲もうと立ち上がっていたとしたら、おそらくいつもより動作がゆっくりになっていただろう。ただし、たまたまあなたが老人嫌いなら、話は別である。調査によれば、その場合にはあなたの動作は通常より速くなるはずだ。

このイデオモーター効果は、逆向きにも働く。ドイツの大学で行われた研究は、バルフらがニューヨークで行った実験をまさに反転させたものである。学生たちは、部屋の中を毎分三〇歩のペースで五分間歩くように指示される。このペースは、通常の歩く速度の約三分の一である。その後に問題を出されると、彼らは「忘れっぽい」「年老いた」「孤独」など高齢者に関連する単語を通常よりはるかにすばやく認識するようになった。[*6] このような双方向性のプライミング効果は、整合的な反応を促す傾向がある。すなわち、高齢というプライムを受けると、老人らしく行動する。逆に老人らしく行動すると、高齢という観念が強められる。

連想ネットワークでは、双方向の関係はめずらしくない。たとえば楽しいと笑顔になるが、笑顔になれば楽しくなる。鉛筆を横向きにして、数秒間口にくわえてみてほしい。次に鉛筆を縦にして、ストローで飲むときのように口にくわえる。あなたは気づかなかったかもしれないが、横向きのときは笑顔にちかくなり、縦向きのときはしかめ面になる。ある実験では、大学生に鉛筆をくわえたまま漫画（ゲーリー・ラーソンの『ファーサイド（*The Far Side*）』）を読み、おもしろさの度合いを評価してもらった。[*7] すると横向きの鉛筆をくわえた（本人は笑っているつもりはないが）笑顔の被験者は、縦向きでしかめ面の被験者より、漫画をおもしろいと感じたのである。別の実験では、眉を寄せてしかめ面をつくった被験者は、衝撃的な写真（飢えた子供、喧嘩、事故の負傷者）に対して強い感情反応を示した。[*8]

ごくありきたりの単純な動作が、私たちの考えや感じ方に無意識のうちに影響をおよぼすこともある。ある実験では、オーディオ装置の音質チェックのためと称して、被験者にヘッドホンでメッセージを聞くように指示した。[*9] ただ聞くのではなく、音のゆがみを調べるために、聞きながら頭を何度も動かす。被験者の半数は頭を上下に、残り半数は左右に振る。この条件でラジオの論説番組を聞いてもらったところ、上下すなわち頷く動作をしたグループは論説に賛成し、左右すなわち否定の動作をしたグループは反対した。この場合も意識とは無関係に、ありふれた身体的な動作が肯定あるいは否定に結びつけられたのである。だから、「自分がどんな気分のときも、つねにやさしく親切にしなさい」という忠告は、まことに当を得ていると言えるだろう。やさしく親切に行動することで、あなたは実際にやさしく親切な気持ちになる――これはとても好ましいご褒美である。

プライムが私たちを誘導する

プライミング効果に関する研究から生まれたさまざまな発見は、「自分の判断や選択を行っているのは自立した意識的な自分だ」という私たちの自己像を覆すものである。たとえば私たちの大半は、投票とは熟慮の末の行動であって、自分の価値観や政策評価を反映しており、無関係の要素には左右されないと考えている。たとえば投票所がどこにあるか、などということには仮にも影響されるべきではない、というわけだ。だが実際は大いに影響されている。このことは、二〇〇〇年に行われた投票パターンの調査によって確かめられた。この調査はアリゾナ州の複数の選挙区で実施されたもので、学校補助金の増額案に対する賛成票は、投票所が学校の場合、そうでない場合よりも有意に多かったのである。[*10] これとは別の実験でも、教室やロッカーの写真を見せられた人は、学校関連のプロジェクトを支持する率が高まることがわかった。しかも写真の効果たるや、生徒の親か一般有権者かのちがいよりも大きかった。プライミングの研究は、老人を想起させると歩く速度がゆっくりになる、という初期の実験からずいぶん遠くまできたものである。いまでは、プライミング効果が日常生活のあらゆる場面に入り込んでいることがわかっている。

お金を想起させるものは、いささか好ましくない効果をもたらす。[*11] ある実験の被験者はいくつかの単語のリストを見せられ、それを使ってお金に関わる表現をつくるよう指示された（たとえば「高い／デスク／額／サラリー」から「高額のサラリー」）。さらにもっと微妙なプライムとして、お金に関係のあるものが室内に無造作に配置された。たとえば、モノポリーで使うおもちゃのお金をテーブルの上に積んでおくとか、コンピュータのスクリーンセーバーとして水に浮かぶドル紙幣の画像を使う、といった具合である。

すると、お金のプライムを受けた被験者は、受けなかったときより自立性が強まったのである。彼らは、難問を解くのにいつもの二倍もの時間粘り強く取り組んだ末に、ようやくヒントを求めた。これは、自立性が高まった顕著な証拠と言える。しかしその一方で、利己心も強まった。彼らは、他の学生（じつはサクラで、与えられた課題がよくわからなかったふりをしている）の手助けをする時間を惜しんだ。また、実験者が鉛筆の束を床に落としたとき、拾ってあげた本数が他の学生より少なかった。同じシリーズの別の実験では、被験者は、これから初対面の人と対談をするので、実験者がその人物を迎えに行く間に椅子を二脚用意するよう指示される。するとお金のプライムを受けた被験者は、そうでない被験者より、二脚の間隔を離した（一一八センチ対八〇センチ）。また、お金のプライムを受けた被験者は、一人でいることを好む傾向が強かった。

これらの発見から総じて言えるのは、お金という観念が個人主義のプライムになるということである。すなわち、他人と関わったり、他人に依存したり、他人の要求を受け入れたりするのをいやがる。この注目すべき研究を行ったのは心理学者のキャスリーン・ヴォースだが、自分の発見がどんな意味を持つかについてヴォースがあえて論じようとせず、多くを読者に委ねている点は称賛に値する。ヴォースの実験が持つ意味は深い。彼女の発見は、お金を想起させるものに取り囲まれた今日の文化が、気づかないうちに、それもあまり自慢にできないような具合に、私たちの行動や態度を形作っている可能性を示唆した。世界には、ひんぱんに尊敬を思い起こさせる文化もあれば、神を思い出させる文化もある。また、「親愛なる指導者」の大きな写真を使って、服従というプライムを国民に与える国もある。独裁国家の指導者の写真がそここに飾られていたら、「見張られている」という感覚を与えるだけでなく、自ら考えたり行動したりする気持ちが失せてしまうことに、疑いの余地はあるまい。

プライミングに関する研究データは、国民に死を暗示すると、権威主義思想の訴求力が高まることを示唆している。[*12] 死の恐怖を考えると、権威に頼るほうが安心できるからだ。また、無意識の連想において象徴と隠喩が果たす役割を指摘したのはフロイトだが、実験によってこの知見も確認されている。たとえば、「W□□H」と「S□□P」という虫食いの単語が並んでいるとしよう。この単語を完成させる実験で、直前に何か恥ずかしい行為を考えるよう指示された被験者は、「WISH」と「SOUP」よりも「WASH」と「SOAP」を選ぶ確率が高くなる。それどころか、同僚の背中を突き刺すことを考えただけで、その人は電池、ジュース、チョコレートよりも、石けん、消毒液、洗剤を買いたくなる。これは、自分の魂が汚れたという感覚が、体をきれいにしたいという欲求につながるからだと考えられる。このような衝動は「レディ・マクベス効果」と呼ばれている。[*13]洗うという行為は、罪を犯した身体の部分と密接に結びついている。ある実験では、被験者が架空の人物に電話またはメールで「嘘」をつくよう誘導される。その後に何が欲しくなるかを調べたところ、電話で嘘をついた被験者は石けんよりうがい薬を、メールで嘘をついた被験者はうがい薬より石けんを選んだ。[*14]

プライミング研究の成果を講演などで話すと、聴衆は「信じられない」と反応することが多い。これは、驚くべきことではない。選ぶのは自分であり、その理由もわかっている、と システム2は考えているからだ。おそらくあなたの頭にも、次のような疑問が浮かんだことだろう。条件をちょっと操作するだけで、それほど大きな影響が表れるものだろうか。その手の実験は、周囲の状況からその時々に受けるどんなプライムにも私たちが必ず翻弄されるということを示しているのだろうか、と。答はもちろんノーだ。プライムに効果があることはまちがいないが、必ずしも大きな効果とはいえない。一〇〇人の有権者がいた場合、投票所が学校だったときと教会だったときとで学校補助金に対する意見が変わるのは、もともと考えを決めかねていた一握りの人たちにすぎまい。だが選挙の場合には、そのほんの数パーセントが雌雄を決する可能性もある。

とはいえ、プライミング効果をまったく信じないという選択肢がないことは、ここで強調しておきたい。実験結果はでっちあげではないし、統計学的に見て偶然でもない。これらの研究が到達した結論は正しい、ということは受け入れるほかないのである。さらに言えば、あなたは、研究成果が自分にも当てはまることを受け入れなければならない。もしあなたが水面にお札が浮かんでいるスクリーンセーバーを使っていたら、知らない人がうかつにも鉛筆をぶちまけたとき、少ししか拾ってあげないだろう。そんなことは自分の個人的な経験とは一致しないから自分には当てはまらない、とあなたは考えるかもしれない。だがあなたの自覚的な経験は、おおむねシステム2の目から見たストーリーで構成されている。一方、プライミング現象が起きるのはシステム1の中であり、あなたはそこに意識的にアクセスすることはできない。

最後に、プライミング効果をこのうえなく明確に示す実験を紹介しておこう。

この実験は、あるイギリスの大学のオフィスで行われた[*15]。このオフィスのキッチンには紅茶とコーヒーが用意されており、スタッフはセルフサービスでそれを飲んで、代金は近くの箱に入れる習慣になっている。箱の横にはちゃんと値段表も貼ってある。さてある日、値段表の上に何の予告もなく横長の写真が貼り付けられた。写真だけで、説明や注意書きは一切ない。一週間単位で写真は取り替えられ、それが一〇週間にわたって続いた。最初の週はこちらをじっと見ている目の写真、次の週は花の写真、という具合に交互に目と花が登場する。誰もこの写真を話題にしなかったが、箱に投入されるお金には顕著なちがいが認められた。写真と代金投入率（ミルクの消費量に対する代金の比率）を図4に示した。ぜひともじっくり見てほしい。

一週目には、大きく見開かれた目がこちらをじっと見ている写真が登場した（一番下の写真）。この週に投入された金額は、ミルク一リットル当たり平均七〇ペンスである。二週目には花の写真で、投入額は平均一五ペンスだった。この傾向はその後も続き、平均すると

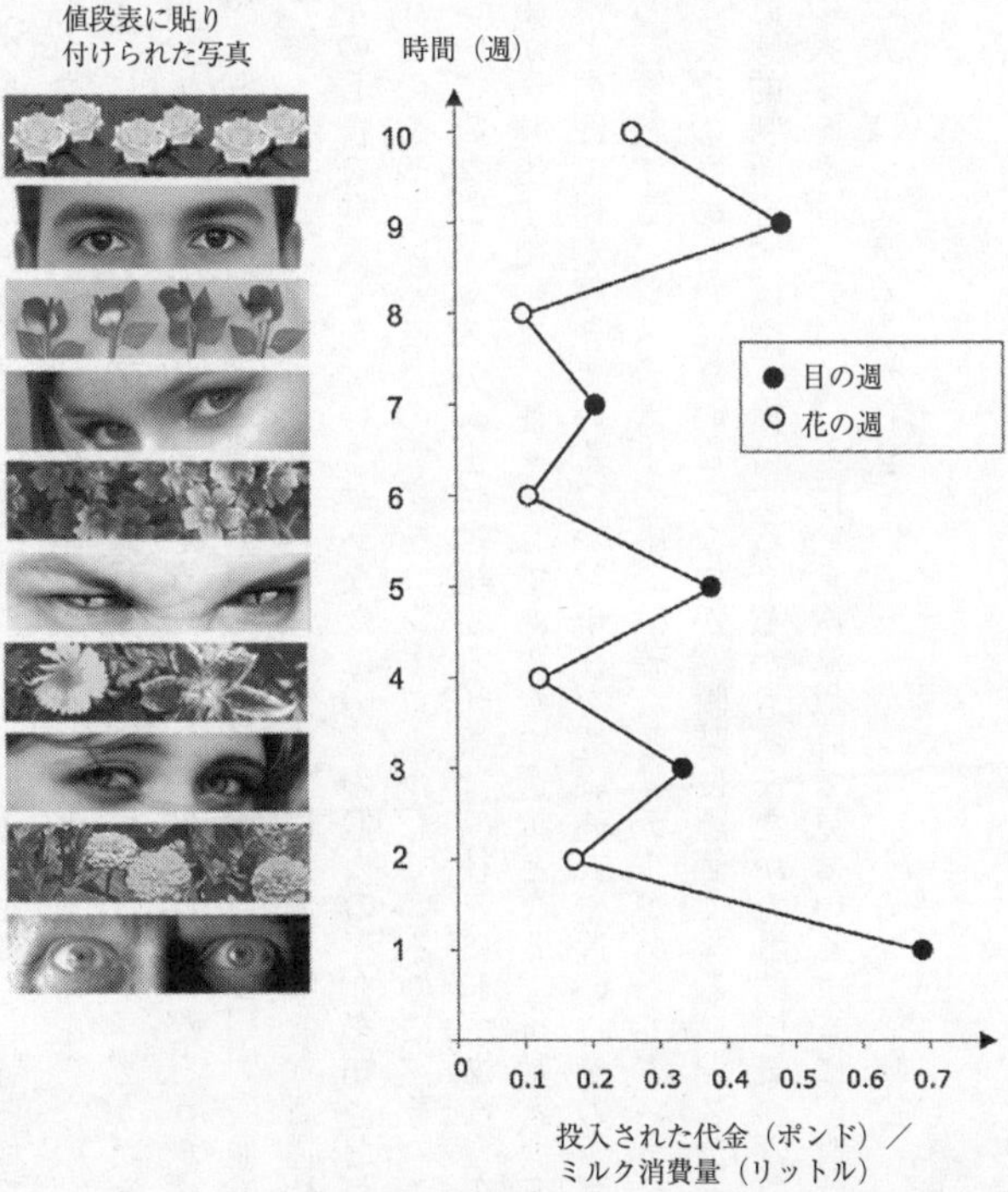
値段表に貼り
付けられた写真
時間（週）
10
9
8
7
6
5
4
3
2
1
0
0.1 0.2 0.3 0.4 0.5 0.6 0.7
目の週
花の週
投入された代金（ポンド）／
ミルク消費量（リットル）

図4

「目の週」の投入額は「花の週」の約三倍に達した。明らかに、「見られている」ことが象徴的に示されただけで、スタッフの行動は改善されたと考えざるを得ない。このことから予想されるように、写真は無意識のうちに行動に影響をおよぼした。どうだろう、これならあなたも、自分もきっと同じ行動をとりそうだと感じるのではないだろうか。

数年前、心理学者のティモシー・ウィルソンが『自分の中の他人（*Strangers to Ourselves*）』（邦題は『自分を知り、自分を変える』村田光二監訳、新曜社）という刺激的なタイトルの著書を発表した。[*16] いまやあなたは、その他人の存在を知ったわけである。その他人はあなたのやっていることの大半をコントロールしているのに、そのことにあなたはほとんど気づいていない。システム1が供給する印象は、往々にしてあなたの確信に変わる。システム1が送り出す衝動は、往々にしてあなたの選択となり、行動となる。システム1は、あなた自身と周囲で何が起きているのか、現在を近い過去や近い将来の予測と結びつけて、暗黙のうちに解釈する。システム1の中には確たるモデルがあって、いま起きているのがありふれたことなのかめったにないことなのか、瞬時に評価できる。システム1は、だいたいは正しい直感的判断をすばやく提供する。しかもあなたが意識的に気づかないうちに、これらの活動の大半をやってのける。とはいえ次章以降で見ていくように、直感がしでかす系統的エラーの大半はシステム1からきている。

プライミング効果を話題にするときは

「これだけ大勢の人が制服を着ている光景は、創造性のプライムにはならないね」

「ものごとは、あなたが考えるほど理屈に合っているわけではない。論理的一貫性の大半は、あなたの頭の中の産物だ」

「彼らは欠陥を発見するようにプライムを与えられていた。で、その通り、発見したというわけさ」

「彼のシステム1がストーリーをでっちあげ、システム2はそれを信じた。ま、誰にでもあることだがね」

「笑顔をつくってみるといい。ほんとうに気分がよくなるから」

第5章　認知容易性
──慣れ親しんだものが好き

人間は、意識があるときはいつでも、いや、おそらくはないときでさえ、脳の中でたくさんの情報処理を同時に行っており、いくつもの重要な質問に対する答を常時アップデートしている。たとえば、何か目新しいことが起きていないか、何か危険な兆候はないか、万事うまくいっているか、新たに注意を向けるべきものはあるか、この仕事にはもっと努力が必要か、といった質問である。重要な変数の現在値を示す計器がずらりと並んだコックピットを考えるとよいだろう。数値の評価はシステム1が自動的に行う。システム2の応援が必要かどうかを決めるのも、システム1の役割である。

コックピットには、「認知容易性（cognitive ease）」を示す計器がある。[*1] 針が「容易」のほうに寄っていれば、ものごとはうまくいっていると考えてよい。何も危険な兆候はなく、重大なニュースもなく、新たに注意を向けたり努力を投入したりする必要はない。一方、「負担」のほうに寄っていれば問題が発生しており、システム2の応援が必要になる。認知負担は、その時点での努力の度合いや満たされていない要求の度合いに影響される。驚くのは、認知容易性を計測するこのたった一つの計器が、さまざまなインプットとアウトプット

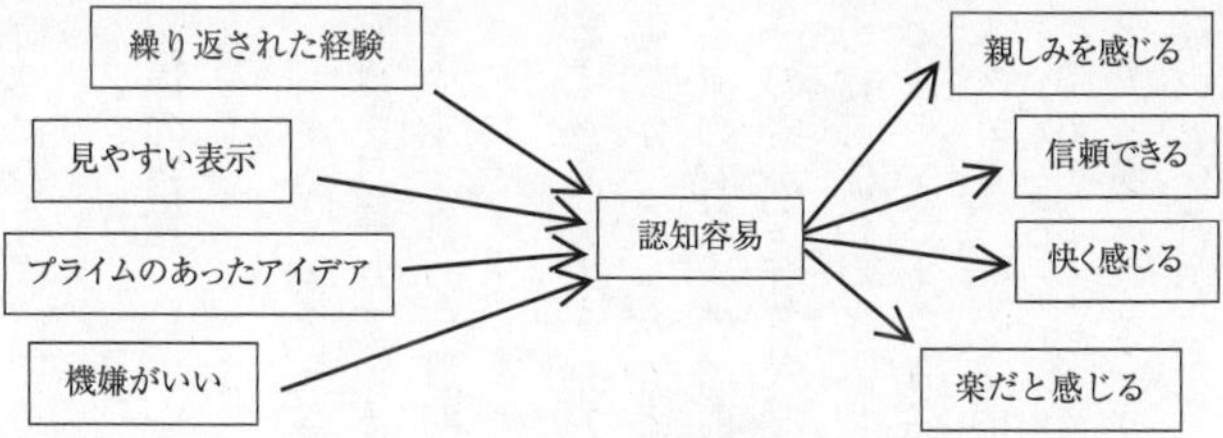

図5　認知容易性の原因と結果

を結ぶ大規模なネットワークに接続していることである。*2 図5に、それを簡単に表した。

この図から、鮮明に印刷された文章、繰り返し出てくる文章、プライム（先行刺激）のあった文章は認知しやすく、スムーズに処理されることがうかがえる。機嫌のいいときに話を聞いたり、鉛筆を横向きにくわえて「笑顔」をつくって聞いたりするだけでも、認知は容易になる。逆に、見にくい活字やかすれた印刷の説明書、あるいは難解な用語を使った文章を読んだり、機嫌が悪いとき、しかめ面をつくったときに読んだりすれば、認知負担を感じる。

認知が容易だったり負担に感じたりする原因は、逆向きにも働く。つまり、認知が容易なときは、あなたはたぶん機嫌がよく、好きなものを見ていて、聞いていることをもっともだと思い、直感を信用し、慣れ親しんだ心地よい状況だと感じている。そんなとき、あなたはおそらく少々だらけていて、あまり深く考えようとはしていないだろう。逆に認知負担を感じているときは、あなたは慎重で疑り深くなっており、ふだんより多くの努力を払い、緊張し、エラーを犯しにくい。また、いつもほど直感に頼らず、創造性も発揮しない。

記憶の錯覚

錯覚と言うと、すぐに目の錯覚（錯視）が思い浮かぶことだろう。私たちはそういう絵や写真を見慣れているからだ。だが錯視は、錯覚の一部にすぎない。記憶もまた錯覚を起こしやすく、より一般的には思考も錯覚に陥る。

デービッド・ステンビル、モニカ・ビグスキー、シェナ・ティラナ。これはたったいま私がこしらえた名前だが、もしあなたが数分以内にこのうちの誰かに出くわしたら、「以前にどこかで会った」と感じる可能性が高い。お気づきの通り、これらは有名人の名前ではなく、二流の有名人の名前ですらない。だが数日後にたくさんの名前が書かれたリストを渡され、その中から有名人だけをピックアップするように指示されるとしよう。そこに書かれているのは二流の有名人や聞いたこともない人の珍妙な名前なのだが、あなたがそこでデービッド・ステンビルを有名人と認識する可能性はかなり高い。映画でも、スポーツでも、政治ニュースでも、その名前にお目にかかったことはないにもかかわらず、である。

この記憶の錯覚を初めて実験したのは心理学者のラリー・ジャコビーで、「一夜にして有名人になる」というタイトルで論文を書いた。[*3] なぜそんなことが可能なのだろうか。まずは、誰かが有名かそうでないかをどうやって知るのか、考えてみてほしい。ほんとうに有名な人

（あるいはあなたの専門分野での著名人）の場合には、あなたはその人について、たくさんの情報を収納したファイルを頭の中に持っている。アインシュタイン、ボノ、ヒラリー・クリントンなどが、そうした有名人に該当する。だが、仮にあなたが数日以内にデービッド・ステンビルという名前に遭遇したとしても、頭の中のファイルには何の情報もない。わかっているのは、なんだかなじみがあるという感覚、どこかでこの名前を見かけたな、ということだけだ。

これについてジャコビーは「見覚え、聞き覚えといった感覚は、単純だが強力な『過去性』という性質を帯びており、そのために、以前の経験が鏡に直接映し出されているように感じる」とあざやかに説明している。*4 この過去性という性質は錯覚である。ジャコビーらが示したとおり、本当のところはこうだ。デービッド・ステンビルという名前を見てなつかしく感じられるとすれば、それは、あなたがその名前をほかの名前よりはっきり見分けるからである。以前に見かけたことのある単語は、その後は見つけやすくなり、ぱっと見せられただけでも、あるいは騒音で聞き取りにくくても、簡単に識別できるようになる。また、他の単語より速く（一〇〇分の数秒程度だが）読むこともできる。要するに、前に見た単語をまた見るときには認知が大幅に容易になり、それが「なじみがある、よく知っている」という印象につながる。

図5からは、このことをテストする方法も読み取ることができる。まったく新しい単語をこしらえ、それを認知しやすくすれば、過去性を持ちやすくなる。具体的には、新しい単語

をテスト直前にほんの数ミリ秒見せたり、リストの中の他の単語からくっきり際立たせたりして無意識のプライムを与えると、その単語は「なじみがある」と認識される確率が高まる。この関係は、逆向きにも作用する。たとえば、ひどく見にくい単語リストを渡されたと想像してほしい。そこにはかすれた単語やぼやけた単語、いくらかましな単語が無造作に並んでおり、あなたははっきり見える単語だけピックアップするよう指示されたとする。すると、最近見かけた単語は、なじみのない単語よりはっきりと見えるはずだ。図5が示すように、認知容易要因あるいは負担要因は置き換えることができ、あなたが実際にはよく知らないものが認知しやすくもなれば、しにくくもなる。「なじみ」の錯覚は、こうして起きるのである。

真実性の錯覚

「ニューヨークはアメリカの大都市である」「月は地球の周りを回っている」「ニワトリの脚は四本である」。これらの文章を読んだとき、あなたは関連する情報をたちどころに大量に呼び出したことだろう。そしてすぐに、最初の二つは正しいが、最後の文章はまちがいだと気づく。ただしこのとき、「ニワトリの脚は三本である」のほうが「ニワトリの脚は四本である」より甚だしいまちがいだと考える点に注意してほしい。あなたの連想記憶は、最後の文章の正誤を判断するときに、スピードが遅くなる。これは、多くの動物の脚は四本であるという情報、それからひょっとすると、スーパーマーケットで鶏の脚が四本パック詰めで売られているといった情報を呼び出すからだ。するとシステム2が出てきて、こうした情報を取り除く。システム2は、ニューヨークの質問は簡単すぎると判断したり、「回る」とはどういう意味かを考えたりするのにも関わってくるだろう。

あなたが最後に運転免許の試験を受けたときのことを思い出してほしい。トラックやタクシーの免許をめざす人は、想定問題集の答と説明を丸暗記するほど猛勉強をするのかもしれないが、少なくとも私は、別の州に引越して免許を取り直したとき、そんな立派なことはしなかった。交通規則の本をざっと読み、あとは運を天に任せた。運転歴が長いので、試験問題のいくつかは答を知っていたが、正解が思い浮かばない問題もかなりあった。そのとき私がやったのは、認知しやすさに頼ることである。つまり、選択肢の中に見覚えのあるものがあれば、それが正解だと考えた。見慣れない選択肢（あるいはどう考えてもおかしい選択肢）は排除した。なじみの印象を形成するのはシステム1であり、システム2はこの印象に基づいて正誤の判断を下すことになる。[*5]

図5からは、次の教訓も引き出すことができる。それは、認知しやすいかどうかの印象に基づいて判断を下していたら、予測可能な、つまり系統的な錯覚は避けられない、ということである。連想記憶マシンをスムーズに動かす要因は、例外なくバイアスを生む。誰かに嘘を信じさせたいときの確実な方法は、何度も繰り返すことである。聞き慣れたことは真実と混同されやすいからだ。独裁者も広告主も、このことをずっと昔から知っていた。だが、真

実らしく見せかけるのに全部を繰り返す必要がないことを発見したのは心理学者である。「鶏の体温」という表現を繰り返し示された人は、「鶏の体温は四四度である（もっともらしい数字なら何でもよい）」という文章が出てきたときに、正しいと判断しやすい。[*6] 文章の一部になじんでいるだけで、全体に見覚えがあると感じ、真実だと考えるからだ。ある発言や文章の情報源を思い出せず、手持ちの情報とも関連づけられないとき、あなたはつい認知しやすさを手がかりにすることになる。

説得力のある文章を書くには

いまあなたは、受け手に真実だと信じさせる文章を書かなければならないとしよう。もちろん本当のことを書くにしても、それだけで信じてもらえるとは限らない。そんなときに認知容易性をうまく使うのは完全に正当であり、「真実性の錯覚」の研究成果がきっと役に立つだろう。

原則としては、認知負担をできるだけ減らすことである。そうすれば、ただちに視認性を高めることができる。次の二つの文章を比べてみてほしい。

アドルフ・ヒトラーは一八九二年に生まれた。

アドルフ・ヒトラーは一八八七年に生まれた。

どちらもまちがい（ヒトラーが生まれたのは一八八九年）だが、実験によると、最初の文章のほうが正しいと受け取られやすい。

次なるアドバイスは、書いたものを印刷することである。高級紙を使って活字と背景のコントラストをはっきりさせるとなおよい。カラー印刷にするなら、緑、黄、水色といった中間色よりも、明るい青や赤にするほうが信用されやすい。

自分を信頼できる知的な人物だと考えてもらいたいなら、簡単な言葉で間に合うときに難解な言葉を使ってはいけない。学生の間には、教授に印象づけるには難解な語彙を使ったほうがいいという通説が流布しているが、プリンストンの同僚ダニエル・オッペンハイマーはこれに異議を唱え、「必要性とは無関係に衒学的な専門用語を使用することの影響すなわち無用に長い単語を使うことの弊害」と題する論文を書いた。この論文でオッペンハイマーは、ありふれた考えをもったいぶった言葉で表現すると、知性が乏しく信憑性が低いとみなされることを示した。*7

文章をシンプルにしたうえで、覚えやすくするとなおよい。できるなら、韻文にすることがお勧めだ。そのほうが真実と受け取られやすい。ある有名な実験では、参加者の半数に、あまり見慣れない次のような格言を十数項目読ませた。

大難は敵味方を一つにする。
小さな一撃も積もれば大木を倒す。
告白した過ちは半ば正されている。

残り半数には、同じ内容をふつうの文章にしたものを読ませた。

大きな災難がふりかかると、それまで争っていた敵味方も力を合わせるようになる。
小さな一撃でも、何度も加えるうちには、どんな大きな木も倒すことができる。
過ちを自ら認めたときには、その過ちの半分は正されたと言ってよい。

すると、格言風に仕立てた文章のほうが、ふつうの文章より洞察に富むと判断された。[*8] あなたへの最後のアドバイスは、「誰かの文章や参考資料を引用するなら、発音しやすい人が書いたものを選びなさい」というものである。ある実験では、トルコの架空の企業について、二つの証券会社が提出した報告書に基づいて将来性を判断するよう参加者に指示した。[*9] 証券会社の名前は、一つは発音しやすいアルタン、もう一つは厄介なターフートである。二冊の報告書は、いくつかの項目で不一致を来していた。このようなときは両者の中間をとるのが妥当と考えられるが、被験者はおおむねターフートよりアルタンを信用したという。システム2が怠け者で、知的努力をいやがることを思い出してほしい。あなたの文章を読む人は、努力を要するものはできるだけ避けたいと考えているのだ――引用されたややこしい名前も含めて。

以上は文章を書くうえでのよいアドバイスと信じているが、ここで浮かれていてはいけない。高級紙に明るい色で印刷し、韻を踏んだり簡単な言葉を選んだりしても、あなたの文章がまったく支離滅裂だったり、誰もが知っている事実に反していたりしたら、どうにもならない。この方面の実験を行った心理学者はみな、人間が途方もなくばかでだまされやすいとは考えていない。ではどう考えているか――人は誰でもほとんどの場合にシステム1の印象に導かれて生活しており、その印象がどこから来るのか知らないことが多い、ということである。

ある文章なり発言なりが本当だということを、あなたはどうやって知るのだろうか。理路整然としているもの、あなたの日頃の考えや好みを連想させるもの、あなたが信用している人や好感を抱いている人から発せられたものなら、あなたは認知しやすいと感じる。ここで問題なのは、印刷が鮮明だとか、韻が踏んであって覚えやすいといった、内容とは無関係の理由からも認知が容易だと感じ、しかもその感覚が何に由来するのか、簡単には突き止められないことである。図5はこのことをはっきり示している。すなわち、認知が容易だとか負担だといった感覚にはさまざまな原因があるけれども、それらを峻別するのは困難なのだ。とはいえ、困難ではあっても、不可能ではない。人間は、真実性の錯覚を生む表面的な要因のいくつかは克服することができる。ただしそれは、そうしなければならないと強く動機づけられたときだけである。ほとんどの場合には、怠け者のシステム2はシステム1の提案をあっさり受け入れ、そのまま突き進む。

認知負担と努力

多くの連想が対称関係にあることは、連想一貫性を巡る論議で重要なテーマとなっている。すでにお話ししたように、ペンを横向きにくわえて笑顔を作ったり、縦向きにくわえてしかめ面にしたりするだけで、それぞれの表情に見合った感情を経験しやすい。このように双方向に強め合う関係性は、認知容易性でも見受けられる。システム2ががんばって働いているときは認知負担を感じるし、何らかの原因で認知負担を感じたときはシステム2を呼び出す。こうして気楽な直感的なやり方から、より真剣で分析的なやり方に移行するわけである。*[10]

第3章で紹介したバットとボール問題は、最初に思いついたことを何も検証せずに答えてしまう傾向をテストする目的でつくられたものである。シェーン・フレデリックが作成した認知的思考力テスト（CRT）には、この問題のほかに、もっともらしいがまちがった直感的な答を想起させる問題があと二つ用意されている。ここで紹介しよう。

五台の機械は五分間で五個のおもちゃを作ります。
一〇〇台の機械が一〇〇個のおもちゃを作るのに何分かかりますか？

一〇〇分　五分

池に睡蓮の葉が浮かんでいます。葉の面積は毎日倍になります。睡蓮の葉が池を覆い尽くすのに四八日かかりました。では、半分を覆うまでには何日かかったでしょうか？

二四日　四七日

正解はこの段落の最後に示してある。実験ではプリンストン大学の学生四〇名にテストを受けてもらった。うち二〇名には、小さなフォントを使いかすれたような印刷の問題用紙を渡した。読めないことはないが、認知負担は大きい。残り二〇名には、ふつうに読みやすく印刷した問題用紙を渡した。結果は雄弁だった。読みやすい印刷でテストを受けた学生の九〇％が、バットとボール問題を含めた三問のうちどれかでミスをしたのである。だが読みにくい印刷のグループは、誤答率は三五％だった。つまり、読みにくいほうが成績がよかった。これは、認知負担を感じたおかげでシステム２が動員され、その結果、システム１の直感的な答は却下されたためである。（正解：五分、四七日）

認知しやすい快感

「頭が楽なら顔にはほほえみ」というタイトルの論文では、参加者に静物写真を見せる実験が報告されている。[*11] 写真のうち何枚かは、物体の全体像を見せる直前に輪郭だけを示して認識しやすくした。輪郭を示すのはほんの一瞬なので、見たことには気づかない。このときの感情反応を調べるために、外からは観察できないような微妙な表情の変化を測定（顔の筋肉の電気インパルスを計測）したところ、予想通り、写真が理解しやすいと感じるとかすかな笑みが浮かんだり、表情が和らいだりした。このように認知しやすいと気分がよくなるのは、システム1の特性だと考えられる。

このことから想像がつくように、発音しやすい言葉も好感度が高い。株式公開直後の一週間は、発音しやすい名前の会社のほうが、そうでない会社よりも株価が上がる。もっともこの効果は一時的なものだが。また発音しやすいティッカーシンボル（KAR、LUNMOOなど）の銘柄は、舌が絡まるようなティッカー（PXG、RDOなど）の銘柄より値上がりしやすく、このささやかな優位も短期間続くようだ。[*12] スイスで行われたある研究では、すら すら発音できる名前（エミー、スイスファースト、コメットなど）の会社は、無骨な名前（ゲベリット、イプサムドなど）の会社より利益率が高い、と投資家が考えていることがわかった。[*13]

図5からもわかるように、反復は認知を容易にし、なじみがあるという心地よい感覚を与

える。著名な心理学者ロバート・ザイアンスは、無作為の刺激の反復とそれに対して人々が抱くようになる好意の解明に、研究生活の大半を捧げた。ザイアンスはこの刺激の反復効果を「単純接触効果（mere exposure effect）」と名付けている。*[14]

ミシガン大学とミシガン州立大学の学生新聞で行われた実験は、私も大好きな実験の一つだ。*[15] 数週間にわたり、新聞の一面には広告のような囲みが設けられ、そこにトルコ語（またはトルコ語風）の次のような単語が代わる代わる登場した。kadirga、saricik、biwonjni、nansoma、iktitaf である。単語が繰り返される頻度はまちまちで、期間中に一度しか登場しないものもあれば、日を変えて二回、五回、一〇回、さらには二五回も顔を出す単語もあった（片方の大学新聞で頻度が最も高い単語は、別の大学では最も低かった）。これらの単語についての説明は何もなく、読者からの質問に対しては「広告主は匿名を希望している」と回答された。

このふしぎな一連の広告が終わると、実験者は学生に質問票を送り、単語が何か「よいこと」を意味していると思うか、それとも「悪いこと」か、印象を訊ねた。結果は驚くべきものだった。頻度の最も高かった単語は、一回か二回しか登場しなかった単語に比べ、「よいこと」を意味すると考えた人がはるかに多かったのである。この実験結果は、中国の漢字、人間の顔、ランダムに作成した多角形などを使った他の実験でも検証されている。

単純接触効果は、意識的ななじみの経験には依存しない。それどころかこの効果は、まったく意識とは関係がない。単語や写真があまりに短時間で反復され、何か見せられたことに気づきもしないような場合ですら、この効果は認められ、結局はいちばんひんぱんに見せられた単語や写真ほど好きになる。このことから明らかなように、この印象を形成しているのはシステム1であり、そのことにシステム2は気づいていない。むしろ単純接触効果は、まったく意識せずに見ているときのほうが、刺激としては強い。[*16]

ザイアンスは、反復されると好きになるというこの効果は、生物学的にみてきわめて重要な意味を持っており、これはあらゆる動物にも当てはまると主張した。危険の多い世界で生き延びるためには、生命体は新たに出現した刺激には慎重に反応しなければならない。恐れを抱くことも必要だし、場合によっては逃げ出す必要もある。新奇なものに疑いを抱かない動物が生き延びる可能性は低い。だが刺激が実際に安全であれば、当初の慎重さが薄れることに慣れていく。単純接触効果が起きるのは、刺激に反復的に接していても何も悪いことが起きなかったためだ、とザイアンスは指摘する。こうした刺激はやがて安全を示す信号となる。そして安全はいいことだ。言うまでもなく、この説明は人間だけに限られるわけではない。この点を確かめるために、ザイアンスの協力者は孵化間近の鶏卵を二組用意し、それぞれに異なる音を継続的に聞かせた。やがて孵ったヒナは、自分たちが殻の中にいたときに聞いた音を聞かされると、鳴くのを止めて静かになった。[*17]

ザイアンスは自身の研究について、次のように雄弁に語っている。

「反復的な接触は、生命体と周囲の環境（生命体がいるかいないかを問わない）との関係において有利に働く。それによって、この生命体は安全な物体や生息環境と、そうでないものとを区別できるようになる。これは、社会とのつながりの最もプリミティブな形と言えるだろう。したがって単純接触効果は、社会的組織や集団の基礎を形成するものであり、心理的・社会的安定性の基盤となる」[*18]

システム1の中にあるポジティブな感情と認知容易性との結びつきは、かくも長い進化の歴史をたどってきたのだった。

認知容易性、気分、直感

一九六〇年頃、サルノフ・メドニックという若い心理学者が、創造性とは何かを突き止めたと発表した。メドニックのアイデアは、とてもシンプルで説得力がある――「創造性とはすばらしくよく働く連想記憶にほかならない」ということだ。メドニックが考案した遠隔性連想検査（RAT）は、今日でも創造性の研究によく使われている。

ここでは簡単な例を挙げておこう。次の三つの単語を見てほしい。

小屋　スイス　ケーキ

この三つの単語すべてから連想されるのは、どんな単語だろう。たぶん「チーズ」と答える人が多いのではないだろうか（カテッジチーズ、スイスチーズ、チーズケーキ）。では、次の問題はどうだろう。

ダイビング　青　ロケット

これはちょっと難しいかもしれない。しかしこの問題には、英語を母語とする人なら誰でも認める正解がある。それは、「空」である（スカイダイビング、青空、スカイロケット。スカイロケットはロケット花火や急上昇を意味する）。ところが一五秒以内に「空」と答えた学生は、二〇％以下だった。もちろん、すべての三単語問題に「これしかない」という正解があるわけではない。たとえば「夢、ボール、本」という組み合わせからは、誰もが納得する一つの答えは出ていない。*[19]

最近ドイツで複数の心理学者チームが遠隔性連想検査について行った調査では、認知容易性に関して驚くべき発見があった。チームの一つが取り組んだのは、「被験者は三つの単語を見て、正解を思いつく前に、この問題には正解があると感じることができるか」「気分は検査の成績にどう影響するか」という二つの疑問に答を出すことである。チームは被験者を二つのグループに分け、開始前の数分間、第一のグループにはこれまでにあった楽しかったことを考えるように、第二のグループには悲しかったことを考えるように指示し、その後に連想問題をやってもらった。問題の半分は、三つの単語に関連性があり（「ダイビング、青、ロケット」のように）、残り半分は関連性がない（「夢、ボール、本」のように）。被験者は単語を見て関連性があるかないかを瞬時に判断し、「ある」か「ない」のボタンを押す。制限時間は各問二秒。正解を思いつくには短すぎる時間である。

すると意外なことに、被験者の回答は、偶然にしてはできすぎなほど正確だった。これには私も非常に驚いた。どうやら連想記憶マシンは、三つの単語に関連性がある（すなわちある一つの連想を共有している）ことを、当の連想が呼び出されるずっと前から知っているらしい。そして連想記憶マシンから送られるかすかな信号が、認知しやすいという感覚を生み出すのだと考えられる。[*20] 判断において認知容易性が果たす役割は、ドイツの他の研究チームによる実験でも確かめられた。認知容易性を高める操作（プライミング効果、見やすい活字、検査直前に見せた単語など）を行うと、単語を関連づけられたものとして見る傾向が強まった。[*21]

さきほどの実験でもう一つ驚くべき発見は、気分が直感の正確性に大きな影響をおよぼすことである。実験者は、正確性を表す指標として「直感指数」を計算した。すると、検査前に楽しいことを考えてもらった被験者は、指数が二倍も向上した。[*22] さらに衝撃的なのは、悲しいことを考えた被験者は、直感的な作業をまったく正確にこなせなくなってしまったことである。彼らの答はどれも、でたらめとほとんど変わらなかった。このように、気分は明らかにシステム1の働きを左右する。不機嫌なときや不幸なとき、私たちは直感のきらめきを失ってしまう。

上機嫌、直感、創造性、だまされやすさ、システム1への強い依存は同じ群れに属すと考えられ、この見方を裏付けるデータが増えている。*23 さきほどの実験結果もその一つと言えよう。これと対極にある不機嫌、失望感、不眠、猜疑心、分析的アプローチ、努力の投入といったものも、一つの群れをなすと考えられる。しあわせな気分のときは、システム2のコントロールがゆるむ。ご機嫌だと直感が冴え、創造性が一段と発揮される一方で、警戒心が薄れ、論理エラーを犯しやすくなる。ここでもまた、単純接触効果と同じように、生物学的な感知能力との密接なつながりが見受けられる。上機嫌なのは、ものごとがおおむねうまくいっていて、周囲の状況も安全で、警戒心を解いても大丈夫だからである。逆に不機嫌なのは、ものごとがうまくいっておらず、何か不穏な兆候があり、警戒が必要だからである。つまり認知容易性は、しあわせな気分の原因でもあれば結果でもあると言うことができる。

遠隔性連想検査は、認知容易性とポジティブな感情の関係について、さらに多くのことを教えてくれる。たとえば、次の言葉の組み合わせを見てほしい。

1　眠る　郵便　スイッチ
2　塩　深い　波頭

あなたはもちろん気づいていないけれども、顔の筋肉の電気的刺激を測定すると、組み合わせ2を見たときに少し笑顔になっている可能性が高い。なぜなら、この組み合わせには明らかな関連性がある（海を連想させる）からだ。じつはこのような関連性に対する笑顔反応は、三つの単語から連想されるものを答えるよう指示しなくても、表れるのである。[*24] 実際のところ、被験者が指示されたのは、三単語の組み合わせがずらりと並んだリストを上から読み、一行読み終わるごとにスペースバーを押すことだけだった。だから、並んだ単語に関連性があって認知しやすいという印象は、それ自体が心地よいものだ、ということになる。

快い気分、認知容易性、直感的な印象に関して得られた実験データは、科学者が指摘するとおり、相関はしていても必ずしも因果関係は成り立たない。認知しやすさと笑顔が一緒に起きるとしても、実際に気分がいいから、単語の関連性を見抜く直感が働くのだろうか。答はイエスである。その証拠をもたらしたのは、最近よく使われるようになったある巧妙な実験的アプローチだった。この実験では、参加者の一部にイヤホンで音楽を聴かせ、「このほど行われた研究の結果、あなたがいま聴いている音楽が単語に対する感情反応に影響をおよぼすことがわかった」と作り話をする。すると、感情反応は音楽に起因するということになり、この作り話を聞かされた参加者からは、単語の関連性を直感的に見抜く能力は完全に失われた。[*25] この結果は、三つの単語を見たときの感情反応（関連性があれば心地よく、ないと不快になる）こそが、関連性の判断の基になっていることを明らかに示している。ここは、システム1の独擅場である。感情反応に変化が起きても、それは当然であり、音楽のせいなので、単語と因果的に関連づけなかったというわけだ。

これは、実験手法と結果の両面で、これまでに行われた心理学研究で最高のものである。手法も結果も確かで、しかも驚くべきものだ。私たちはここ数十年間でシステム1の自動的な働きについて多くを知った。私たちがいま知っていることの大半は、三、四〇年前だったらSFのように聞こえたことだろう。見にくい活字が真偽の判断を左右したり、認知的なパフォーマンスを向上させたり、あるいは並んだ単語の認知容易性に対する感情反応が関連性の印象を導いたり……。心理学はずいぶんと長い道のりを歩んできたのである。

認知容易性を話題にするときは

「フォントが読みにくいという理由だけで、彼らの事業計画を却下するのは、ちょっとひどいのでは？」

「あんまり何度も繰り返されたせいで、信じたくなっているのかもしれない。ここで考え直すべきだと思う」

「慣れ親しんだものは好きになる。これが単純接触効果だ」

「今日はすごく気分がいい。ってことはシステム2がいつも以上にお留守になっているから、気をつけないと」

第６章　基準、驚き、因果関係
——システム１のすばらしさと限界

　ここまでの章ではシステム１とシステム２の主な特徴を説明し、とくにシステム１についてくわしく検討してきた。比喩を使って言うなら、私たちは頭の中に飛び抜けて強力なコンピュータを備えている。従来のハードウェアの基準からすると高速とはいえないけれども、多種多様な観念の膨大なネットワークにさまざまな連想リンクを張り巡らし、自分の世界の構造を表す能力を備えている。連想マシンを次々に活性化させる働きは自動で行われるが、一方で、私たち、つまり私たちのシステム２は、記憶の検索をある程度までコントロールすることや、それをプログラミングして、周囲に起きた出来事に注意を喚起することができる。

　本章では、システム１がやってのけることのすばらしさと、その限界について、もう少しくわしく見ていくことにしよう。

正常な状態の評価

　システム１の主な機能は、あなた自身にとっての世界を表すモデルを自動更新することにある。このモデルは、一言で言えば「あなたの世界では何が正常か」を表す。周囲の状況、さまざまな事象、行動、その結果（同時または短時間内にほぼ規則性をもって起きる結果）を連想によって関連づける作業を通じて、モデルは構築される。関連づけが強化されるにつれ、あなたの生活に起きるさまざまな事象の構造が連想観念パターンで代表されるようになる。そしてあなたが現在のことをどう解釈するか、将来のことをどう予想するかは、このパターンによって決まる。

驚くという能力は私たちの心の活動では重要な要素であり、驚き自体が、自分の世界をどう理解し何を予想しているかを端的に表す。予想は、大きく二つに分けることができる。一部の予想は能動的で意識的である。これから起きることを待ち受けているときなどがそうだ。その時間が近づくと、にぎやかな声がして、子供たちが学校から帰ってくる。ドアを開けると、聞き慣れた子供たちの声がする――そうあなたは予想している。このように能動的に予想していたことが起きなかったとき、あなたは驚く。だが実際には、受動的に予想している出来事のほうがずっと多い。つまりあなたはその出来事を待ち構えてはいない。ところがそれが起きても驚かない。これらは能動的に予想するほど発生確率は高くないものの、状況によってはごくあたりまえの出来事である。

偶発的な出来事が一度でもあると、再発時の驚きは小さくなる。数年前、妻と私はグレートバリア・リーフの小さな島で休暇を楽しんでいた。ある晩ディナーに行くと、知人がいたので私たちはびっくりした。心理学者のジョンである。私たちは挨拶を交わし、思いがけない遭遇を喜んだ。翌日ジョンは島を発っていった。その二週間後、妻と私はロンドンの劇場にいた。場内が暗くなってから誰かが遅れてやって来て私の隣に座った。休憩で客席が明るくなったときに横を見ると、なんとジョンではないか。

あとで妻と話したのだが、そのとき私たちは同時に二つのことを考えた。第一は、劇場での遭遇は最初のときより驚くべき偶然の一致であること。第二は、それにもかかわらず、私たちは最初に島で出くわしたときほど驚かなかったことである。明らかに最初の偶然のために、私たちの頭の中の「ジョン像」がいくらか変わったのだ。彼はいまや「海外旅行中に突然出現した心理学者」と認識されている。私たちのシステム2はこれがばかげた認識だとわかっているが、システム1のほうは、妙な場所でジョンと出会うことが当たり前のように了解している。だから、もし劇場の隣の席にジョン以外の知人を発見していたら、私たちはもっと驚いたことだろう。確率の計算からすれば、何百人もいる知人の一人と出会うより、ジョンと出くわす確率のほうがはるかに低い。それでも、ジョンと出会うのはより「正常」に感じられたのである。

条件次第では、受動的な予想があっという間に能動的な予想に変わることがある。私たちは別の機会にそれを経験した。数年前のある日曜日の夜、長年の習慣通り週末をニューヨークで過ごした私たち夫婦は、プリンストンに向かって車を走らせていた。すると、ただならぬ出来事を目にする。路肩で車が炎上していたのだ。次の日曜日に同じ道路を走っていると、またもや別の車が火災を起こしているではないか。このとき私たちは、先ほどの劇場のケーろ」と同じく、二度目の火災には最初のときほど驚かなかった。そこは「車が燃えるところ」と認識されていたからである。そして二度あることは三度あるというわけで、今度は能動的な予想を抱くようになった。その後何カ月も、いや何年も、その地点を通過するたびに私たちは炎上する車を思い出し、もう一度起きてもおかしくないと考えたのだった（だがもちろん、もう二度と見ることはなかった）。

さまざまな出来事は、どんな具合にして「正常」あるいは「異常」と認識されるのだろうか。この問題に関して心理学者のデール・ミラーと私が執筆した共同論文の中から、「基準理論」の例を紹介しよう。ただし私の考えはこのときから少し変わってきている。

「おしゃれなレストランで隣のテーブルの客を何となく見ていた人が、客の一人がスープを飲んで顔をしかめたことに気づいた。この些細な出来事で、その後に起きるさまざまな出来事の基準が変わってしまう。スープで顔をしかめた客がウェイターと肩が触れただけで怒り出しても、もはや驚くべきことではないし、同じスープを注文した別の客が一口飲んで怒り出しても、意外ではなくなるだろう。こうした出来事はそうひんぱんに起きることではないはずだが、いまやさほど異常ではなくなっている。これは、必ずしもこれらの出来事が事前の予想通りだったからではない。あとの出来事が最初の出来事を想起させ、記憶から呼び出し、それと関連づけて解釈されるから、さほど意外でなく受け止められるのである」[*1]

いま、自分がレストランにいると想像してほしい。あなたは、客の一人がスープに顔をしかめたことに驚き、さらに、ウェイターと接触しただけで怒ったのを見て驚いた。ただし第二の出来事は、最初の出来事を記憶から呼び出し、両方を重ね合わせたから意味を帯びるようになったのである。すなわち二つの出来事が一つのパターンに整理され、「あの客はひどく神経がたかぶっている」とみなされる。もし、最初の出来事のあとで誰か別の客が怒ってスープに文句を言ったとしたら、この二つの出来事は関連づけられ、まちがいなく「スープはまずい」ということになっただろう。

「モーゼは何組の動物を箱船に乗せたか」——この質問のまちがいに気づく人は、きわめて少ない。このためこの質問は「モーゼの錯覚」と名付けられている。モーゼは動物を一匹も箱船に乗せていない。乗せたのは、ノアである。先ほどのスープで顔をしかめるお客と同じように、モーゼの錯覚も基準理論で説明がつく。「箱船に乗せられる動物」という観念は、聖書の文脈を想起させる。そしてモーゼは聖書に出てきておかしくない人物である。あなたはモーゼを能動的に期待するわけではないが、モーゼが出てきても驚かない。モーゼとノアが同じ母音を持ち、音節の数が同じであることも、錯覚を助長する。認知容易性を生み出す三つの単語のように、あなたは無意識のうちに「モーゼ」と「箱船」を結びつける関連性を探し、意気込んで質問に答えてしまう、というわけだ。質問の人物を「モーゼ」ではなく「ジョージ・W・ブッシュ」に代えたら、あなたは政治絡みのお粗末なジョークだと受け取り、錯覚は抱かないだろう。

「何かセメントのようなもの」という言葉は、連想観念に関するこの文脈にはそぐわない。するとと、たったいま読者が経験したように、システムは異常を検知する。「何か」という言葉が出てきたとき、次にくるものが何か、読者にはわかっていない。だが「セメント」と続いたときに、この文章ではひどく変だと感じる。脳の反応を調べた研究によると、正常でない現象は驚くべきスピードでひそやかに感知されるという。

最近行われた実験では、「地球は毎年一回トラブルの回りを回転する」という文章を読み上げたところ、被験者は「トラブル」が発音された瞬間に〇・二秒でぎょっとするという、脳の活動の顕著なパターンが確認された。さらに驚くべきことに、「私は妊娠したらしく、毎朝気分が悪い」と男の声で言っても、「私は背中にタトゥーを彫らせたのでございます」と上流階級の言葉遣いで言っても、脳は先ほどと同じすばやさで反応する。[*2] このような不調和を認識できるのは、自分の世界に関する大量の知識が瞬時に動員されたからにちがいない。たとえば後の文章では、まず上流階級の言葉遣いが識別され、さらに、上流階級の人間は派手なタトゥーはしないという通念に反することが認識されたはずである。

私たちがお互いにコミュニケーションをとれるのは、世界についての知識や言葉の使い方をあらかた共有しているからである。私がテーブルについて言及し、それ以上とくに但し書きをつけなければ、私がふつうのテーブルを意味しているのだとあなたは了解する。おそらくあなたの考えるテーブルは、上面がほぼ水平で、脚の数は二五本よりはるかに少ないだろう。こんな具合に途方もない数のカテゴリーについて、私たちは「基準」を持っている。そしてこれらの基準が、異常（たとえば妊娠した男や入れ墨を入れた貴族）を瞬時に察知する拠りどころとなる。

コミュニケーションにおける基準の役割は、次のような文章を考えてみるとよく理解できる。「大きなネズミがとても小さな象の鼻をよじ上っている」。このような文章を書くとき、私は、ネズミと象の大きさに関する読者の基準が私の基準とそう隔たっていない、と信頼している。この基準によって、ネズミと象の代表的な大きさや平均的な大きさは決まっているし、最小と最大の幅やばらつきもおおむね決まっている。読者か私のどちらかが、象より大きいネズミがネズミより小さい象をまたいでしまう、といったイメージを抱くことはまずない。読者と私はそれぞれに、しかし同時に、靴より小さなネズミがソファより大きな象の鼻をよじ上る図を思い浮かべる。このとき言語の理解を担当するシステム1はカテゴリーの基準にアクセスし、この二種類の動物について、大小の範囲と代表的な大きさを教えてもらっている。

因果関係と意志

「フレッドの両親はパーティーに遅れた。ケータリングサービスはもうすぐ来る予定だ。フレッドは怒った」。この文章を読んだら、フレッドがなぜ怒ったのか、あなたにはただちにわかるだろう。もうすぐ料理が届くので怒るはずはない。あなたの連想ネットワークの中では、怒りと遅刻は結果と考えられる原因として結びつけられるが、怒りともうすぐ届く料理との間には、そのような結びつきは起きない。そこで文章を読むと一貫性のあるストーリーが瞬時に組み立てられ、フレッドの怒りの原因を理解することになる。このように、因果関係の発見は、話を理解することの一部である。これを自動的に行うのはシステム1だ。あなたの意識的な自己であるシステム2は、システム1から解釈を提案され、受け入れる立場にある。

ナシーム・タレブの『ブラック・スワン』には、こうした因果関係の自動探索の例が出てくる。それは、サダム・フセインがイラクの隠れ家で逮捕された日のことである。この日の午前中、米国債価格は上昇していた。投資家は安全な投資先（つまり米国債）を物色していたらしい。そこへ、ブルームバーグ・ニュース・サービスが次のようなヘッドラインを配信した。「米国債価格は上昇中。フセインの逮捕はテロ抑止につながらない見通し」。三〇分後に国債価格は下落し、今度は次のようなヘッドラインが配信された。「米国債価格は下落。フセイン逮捕の影響でリスク資産に魅力」。フセインの逮捕は、まちがいなくその日最大の事件である。そして私たちの思考は自動的に原因を探すようになっているので、その日の市場で起きたことは、すべてこの事件で説明される運命にあった。二つのヘッドラインは、一見すると、市場の動きの説明になっているように見える。だが二つの正反対の結果を一つの理由で説明できる文章には、何の意味もない。ヘッドラインは結局のところ、つじつまの合う説明をほしがっている読者のニーズを満足させただけだった。大きな事件はさまざまな結果を引き起こすとみなされ、また結果にはそれを説明する原因が必要だと考えられている。私たちはあの日の大事件に関して限られた情報しか持ち合わせていなかったが、システム1

は手持ちの断片的な知識を結びつけて、うまいことつじつまの合う因果関係をこしらえ上げたのだった。

ではここで、次の文章を読んでほしい。

一日中ニューヨークの混雑した通りを散策し、名所見物を堪能したジェーンは、夜になって財布がなくなっていることに気づいた。

この短い文章を読んだ人に単語保持テストを受けてもらうと、「名所」よりも「スリ」のほうを強く覚えていることがわかる。*3 しかし実際には、「名所」は文中に出てくるが「スリ」は出てこない。なぜこうなるのかは、連想一貫性で説明できる。財布をなくす理由は、ポケットから抜け落ちた、レストランに置き忘れた等々、いろいろと考えられる。ところが、財布がないという事実にニューヨーク、混雑が重なると、スリが財布を盗んだのだという説明が浮かんでくる。先ほどのスープを飲んで顔をしかめた客の例では、他の客がスープに文句を言うとか、顔をしかめた客がボーイと接触しただけで怒り出すといった次の出来事が、最初の驚きに一貫性のある解釈を連想させ、もっともらしいストーリーが作り出された。

ベルギーの貴族で心理学者のアルベール・ミショットが一九四五年に出版した『因果関係の知覚』は、因果関係に関する長年の通説を覆す先駆的な著作である（英訳は一九六三年）。この通説とは、観念連合に関するヒュームの分析にまで遡るもので、人間はさまざまな事象の相関性を繰り返し観察することによって、物理的な因果関係を推察するとされている。たしかに私たちは、動いている物体が別の物体にぶつかり、それによって別の物体がだいたいは同じ方向に（必ずしもいつもではない）動き出すのを何度となく見た経験がある。たとえばビリヤードがそうだ。花瓶に乱暴にハタキをかけて割ってしまったときも。だがミショットはちがう考えを持っていた。私たちは、ちょうど色を見るのと同じように、因果関係を見るのだと主張したのである。この点を立証するために、ミショットは次のような実験を行った。紙の上に黒い四角と白い四角を離して置く。黒い四角を動かし、白い四角に接したところで止める。ただちに白い四角が動き出して黒から離れる。すると被験者は、二つの四角が衝突したわけではないことを観察しているにもかかわらず、強力な「因果関係の錯覚」にとらわれてしまう。白い四角がただちに動き始めたのを見て、黒に押されたのだと考えるわけだ。多くの実験で、生後六カ月の乳児に連続する出来事を見せると因果関係として認識すること、出来事の順序を入れ替えると驚くことが確かめられている。[*4] つまり私たちは生まれたときから、因果関係の印象を受けやすくできているらしい。この印象は原因と結果のパターンに関する論理に裏付けられているわけではなく、システム1によってもたらされる。

ミショットが物理的な因果関係に関する実験をしたのとほぼ同時期の一九四四年に、心理学者のフリッツ・ハイダーとマリアンヌ・ジンメルは、ミショットとよく似た方法を使って、意志的な因果関係の知覚実験を行った。

二人は一分四〇秒の動画を制作した。動画の中では、大きな△と小さな△と一つの◯が、家の形をした図形のまわりをずっと動いている。家のドアは開いている。大きな△は攻撃的で、小さな△をいじめ、○を怯えさせている。○と小さな△は、力を合わせて大きな△をやっつけようとする。ドアのあたりで小競り合いが起き、最後は大衝突になる。[*5] 動画を見せられた被験者は、どうしてもこのように、単なる図形に意志と感情を感じとる。そうした感じを抱かなかったのは自閉症の被験者だけだった。

言うまでもなく、いじめるとか怯えるといったことは、すべて頭の中で考えたことである。私たちは、何かしら主体を見つけ、それに人格や意志を持たせる傾向があり、いかにもそれらしくふるまうのを見たがるようにできているのだ。ここでも実験データは、人間が生まれながらにして、何らかの事象に意志を見出す傾向があることを示している。一歳以下の乳児でさえ、いじめる側といじめられる側を区別できるし、追いかける側には最短距離をとって相手をつかまえることを期待する。[*6]

自分の自由意志で行った行動は、物理的な因果関係から切り離される。塩をとったのがあなたの手でも、あなたはその行為を物理的な因果関係の連鎖とは考えない。料理に塩をかけたかったので、身体から離脱した自分が決定を下し、手がそれに従ったのだと解釈する。多くの人が、自分の心が命令を発して行動を起こさせたと自然に考えている。

心理学者のポール・ブルームは、二〇〇五年にザ・アトランティック誌に発表した論文で、人間は物理的な因果関係と意志的な因果関係を区別するように生まれついており、ほぼ普遍的に宗教信仰が見られる理由はそれで説明できる、との刺激的な主張を披露した。「われわれは、基本的に物質世界を精神世界から切り離して理解する。魂のない肉体と肉体のない魂を思い浮かべられるのはこのためだ。ブルームによれば、因果関係に二つのモードを想定しているからこそ、多くの宗教の中心をなす二つの信念が自然に受け入れられるのだという。この二つとは、「物理的な世界をつくった究極の原因は無形の神であること」「人間が生きている間は不死の魂が一時的に肉体を支配し、死んだ後は肉体を離れること」である。[*7] 因果関係のこの二つのコンセプトは進化の過程で別々に形成され、宗教の原型をシステム1の構造に組み込んだ、とブルームは考えている。

因果関係を巡る直感の重要性は、本書で繰り返し取り上げるテーマである。というのも人間には、統計的な推論をすべき状況で因果関係を不適切に当てはめようとする傾向があるからだ。統計的思考では、カテゴリーや集合の特性に基づいて個別のケースの結論を下すのであるが、残念ながら、システム1はこの種の推論を行う能力を備えていない。システム2は統計的思考を学習することはできるが、そのための専門的な教育を受けた人はごく少ない。

私が心理プロセスをシステム1、2という比喩で記述することにし、全体の整合性をあまり気にしていないのは、こうした背景からである。私はときにシステム1を個性や好みのある主体として表現し、ときに複雑な関連づけのパターンによって現実を理解する連想マシンとして表現する。システムもマシンも架空のものだが、あえてそれを使うのは、私たちが因果関係を考えるときのやり方に適しているからだ。ハイダーの△と○は、ほんとうは行動主体ではない。ただ、そう考えるほうが簡単だし自然なのである。つまりこれは、知的努力の節約である。私は、頭の中で起きることを個性や意志で説明したり（二つのシステム）、ときには機械的な規則性で説明したり（連想マシン）するほうが、読者にとって（私にとっても）考えやすいだろうと判断した。システムが現実のものだと読者に信じさせるつもりは毛頭ない。この点は、ハイダーが大きい△はいじめっ子だと信じさせるつもりがなかったのと同じである。

基準と因果関係を話題にするときは

「次の申請者も古くからの友人だったけど、最初のときほど驚かなかった。一度そういうことがあっただけで、二度目は当たり前に感じられてしまうものだね」

「この製品に対する反応を調査するときには、平均にばかり注目しないように。正常な反応の範囲を知ることのほうが大切なのだから」

「彼女は、ただの不運だってことを受け入れられないようだ。何が原因なのか、どうしても知りたがってるんだよ。しまいにはきっと、誰かが意図的に自分の仕事をめちゃめちゃにしたと言い出すだろう」

第7章　結論に飛びつくマシン
——自分が見たものがすべて

偉大な喜劇俳優ダニー・ケイのセリフの中で、思春期の頃から忘れられないものが一つある。嫌いな女について話すくだりで、「あの女が好きな仕事は我を忘れること、好きなスポーツは結論に飛びつくことさ」というものだ。いまだに覚えているが、統計的直感の合理性についてエイモス・トヴェルスキーと初めて話したときに、ふとこのセリフがよみがえった。おかげでシステム1の働きを的確に説明できたのだと、いまも考えている。

その結論が正しい可能性が高く、万一まちがいだった場合のコストが容認できる程度であって、かつ時間と労力の節約になるのであれば、結論に飛びつくのは効率的と言える。だが慣れていない状況であるとか、失敗のコストが高くつくとか、追加情報を集める時間がない場合などは、結論に飛びつくのは危険である。そのような状況では、思慮深いシステム2が介入すれば防げたはずの直感的エラーが発生しやすい。

曖昧さの無視と疑念の排除

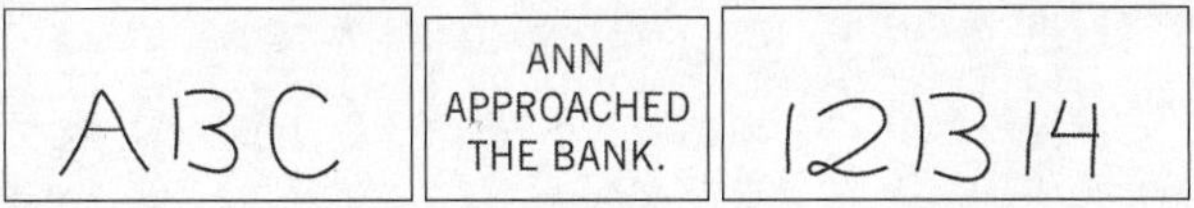

図6

まずは次の図を見てほしい。

三つの図にはどんな共通点があるだろうか。答は、どれも二通りの読み方があるということである。たぶんあなたは、左の枠内を「ABC」、右の枠内は「12 13 14」と読んだことだろう。だがどちらの枠も、中央の項目はまったく同じである。だから、「A13C」と読むことも可能だし、「12B14」と読んでもおかしくない。だがあなたはそうしなかった。なぜだろうか。同じ形を、文字の文脈では文字として読み、数字の文脈では数字として読んだ。つまり、全体の文脈が個々の要素の解釈を決定づけたのである。形がどちらにも解釈可能だったにもかかわらず、あなたはアルファベットなのか数字なのか一足飛びに結論に達し、そもそも別の読み方が存在したことすら気づかないままだった。

では、まん中の図に話を移そう。あなたはたぶん、アンという女性がお金のことを考えながら「銀行（bank）」に向かって歩いているのだと考えたことだろう。ありそうな話ではあるが、しかしこれが唯一可能な解釈というわけではない。この文章も、二通りの解釈が可能だ。もし直前の文章が「彼らはボートで漕ぎ出し、ゆっくりと川を下って行った」とあったら、あなたはまったくちがう場面を思い浮かべただろう。「川」と考えた瞬間に、“bank”という単語は銀行ではなく「川岸」を意味するようになる。

明示的な文脈がない場合、システム１は勝手にいちばんありそうな文脈を生成する。あなたは選択肢が存在すること、つまり他の解釈が可能であることに気づいていないのだから、ここで活動しているのがシステム１であることは明らかだ。あなたが最近カヌーを漕いだというのでない限り、だいたいは川よりも銀行で多くの時間を費やしているはずである。そして、自分の経験に従って解釈する。不確実性が高いとき、システム１はもっともらしい答に賭けるのであり、この賭けは経験に基づいて行われる。賭けのルールはなかなか合理的だ。最近の出来事が何も思い浮かばないときは、もっと過去の記憶を呼び出す。たとえばアルファベットでいえば、あなたの記憶に残っている最も古いものは、ＡＢＣの歌を歌ったことではないだろうか。まさか「Ａ13Ｃ」と歌った人はいないだろう。解釈を決めるに当たって最も重みがつけられるのは、最近の出来事と現在の文脈である。

どちらの例でも最も重要な点は、あなたが選択をしたことははっきりしているのに、それに気づいていないことである。たった一つの解釈しか頭に浮かばず、他の可能性の存在にすら気づかなかった。システム１は、排除した選択肢のことは記録していない。いや、別の選択肢が存在したという事実すら記録に残さない。意識して疑ってかかることは、システム１のレパートリーには入っていないのである。疑いを抱くためには、相容れない解釈を同時に思い浮かべておく必要があり、それには知的努力を必要とする。このような不確実性と疑念は、システム２の守備範囲である。

確証バイアス

著書『明日の幸せを科学する』（熊谷淳子訳、ハヤカワ文庫）で知られる心理学者のダニエル・ギルバートは、「メンタルシステムはどのように信じるのか（How Mental Systems Believe）」と題する論文を書いたことがある。この論文でギルバートは、一七世紀の哲学者バルーフ・スピノザまで遡って、信じることと信じないことの理論を打ち立てた。彼の主張は、こうだ。

ある言明の理解は、必ず信じようとするところから始まる。もしその言明が真実なら何を意味するのかを、まず知ろうとする。そこで初めて、あなたは信じないかどうかを決められるようになる。信じようとする最初の試みはシステム１の自動作動によるものであり、状況を最もうまく説明できる解釈を組み立てようとする。ギルバートによれば、たとえ無意味に見える言明であっても、最初は信じようとするという。たとえば、彼がこしらえた例文「白い魚がキャンディを食べている」を読んでみてほしい。たぶんあなたの脳裏には、ぼんやりと魚とキャンディの印象が浮かんだことだろう。これは、無意味な文章に意味を持たせようとして、連想記憶の自動処理により二つの観念を関連づけようとした結果である。

ギルバートは、信じないという行為はシステム２の働きだと考え、この点を立証するためにエレガントな実験を行った[*1]。参加者は「ディンカは炎である」といった無意味な文章を読まされ、数秒後に「正しい」と書かれたカードか「まちがい」と書かれたカードを見せられる。その後に、どの文章が「正しい」に分類されたか思い出すテストを受ける。ただし一部の参加者は、実験中ずっといくつかの数字を覚えているよう指示されている。こうしてシステム2が忙殺されると、まちがった文章を「信じない」ことが難しくなるという偏った影響が現れた。実験後に行われた記憶テストでは、数字を覚えているせいで疲れ切った参加者は、大量のまちがった文章を正しかったと考えるようになった。このことが示す意味は重大である。システム2が他のことにかかりきりのときは、私たちはほとんど何でも信じてしまう、ということだ。

システム1はだまされやすく、信じたがるバイアスを備えている。疑ってかかり、信じないと判断するのはシステム2の仕事だが、しかしシステム2はときに忙しく、だいたいは怠けている。実際、疲れているときやうんざりしているときは、人間は根拠のない説得的なメッセージ（たとえばコマーシャル）に影響されやすくなる、というデータもある。

連想記憶の働きは、一般的な「確証バイアス（confirmation bias）」を助長する。サムが親切だと思っている人は、「サムって親切？」と訊かれればサムに親切にしてもらった例をあれこれと思い出すが、「サムっていじわるだよね？」と訊かれたときはあまり思い浮かばない。自分の信念を肯定する証拠を意図的に探すことを確証方略と呼び、システム2はじつはこのやり方で仮説を検証する。「仮説は反証により検証せよ」と科学哲学者が教えているにもかかわらず、多くの人は、自分の信念と一致しそうなデータばかり探す——いや、科学者だってひんぱんにそうしている。

システム1に備わった信じたがりのバイアスは、ありそうもない異常な出来事が起きる可能性を示唆されたり、誇張的に示されたりすると、無批判に受け入れやすい。たとえば今後三〇年以内にカリフォルニアが津波に襲われる確率を訊ねられたら、あなたは津波のイメージを思い浮かべる。ちょうど「キャンディを食べる白い魚」をイメージしたときのように。そして発生確率を過大評価することだろう。

ハロー効果

もしあなたが大統領の政治手法を好ましく思っているとしたら、大統領の容姿や声も好きである可能性が高い。このように、ある人のすべてを、自分の目で確かめてもいないことまで含めて好ましく思う（または全部を嫌いになる）傾向は、ハロー効果（Halo effect）として知られる。後光効果とも言う。

この言葉は心理学の分野では一世紀以上前から使われてきたが、日常的に使われる用語ではなかった。これは残念なことだ。というのもハロー効果は、人物や状況の評価でひんぱんに見受けられる重要なバイアスを表現するのに、ぴったりの言葉だからである。システム1が形成する世界のモデルは、現実よりも単純で現実以上に一貫性があるものだが、ハロー効果はその表れの一つと言える。

あなたはパーティーでジョーンという女性と知り合い、気さくで感じがよいと思ったとしよう。すると後日、何か募金やチャリティ活動をするときに、声をかけやすい相手としてジョーンの名前を思い出す。だがあなたはジョーンが慈善活動に興味があるとか、気前がいいとかいうことをどうして知ったのだろうか。実際には、あなたはそんなことは何も知らないはずだ。社交的な場で愛想よくふるまう人が募金に気前よくお金を出すと考えるべき理由は、ほとんどあるまい。だがあなたはジョーンを好ましく思い、あとで彼女のことを思い出したとき、その感情も一緒に思い出した。

あなたはまた、隣人愛を大切に考えており、情け深い人が好きである。そこで連想によって、ジョーンは情け深く思いやりがあると考えるに至った。そう考えると、初めて会ったときよりますます彼女が好きになる。なぜならあなたは、ジョーンの「気さく」という好ましい性質に、さらに「情け深い」という美点を加えたからだ。

あなたが知っているジョーンに関する限り、情け深さを示す証拠はどこにもない。このギャップを埋めているのは、彼女に対するあなたの感情反応に基づく推測にすぎない。また、証拠が徐々に積み重なっていくようなケースでは、第一印象で抱いた感情で解釈が左右されやすい。心理学者のソロモン・アッシュは、いまや古典となった実験を行った。[*2] 二人の人物に関する次のような説明を提示して、どちらが好きか言ってもらうのである。さて読者は、アランかベンか、どちらがお好きだろうか。

アラン：頭がいい、勤勉、直情的、批判的、頑固、嫉妬深い

ベン：嫉妬深い、頑固、批判的、直情的、勤勉、頭がいい

もしあなたが大多数の人と同じなら、ベンよりアランのほうがずっと好きだろう。最初のほうに挙げられた性質は、後のほうで挙げられた性質の意味すら変えてしまう。頭のいい人が頑固なのは十分な理由があると考えられるし、場合によっては尊敬にも値する。だが妬み深くて頑固なくせに頭がいいのは、一段と危険だと感じられる。しかもハロー効果は両義性を覆い隠す。"bank"が「銀行」と「川岸」のどちらにも解釈可能であるように、「頑固(stubborn)」は「頭がかたい」ともとれるし「意志が強い」とも解釈できる。そうなると、第一印象でできあがった文脈に合わせて解釈されることになる。

この研究テーマを巡っては、さまざまな実験が行われてきた。ある実験では、参加者はまずアランの性質を表す最初の三つの形容詞（頭がいい、勤勉、直情的）について考えるよう指示された。次に、別の人物の性質を表すものとして最後の三つの形容詞（批判的、頑固、嫉妬深い）を考えるよう指示された。こうして参加者が二人の人物を想像したあとで、六つの形容詞が同じ人物を表す可能性はあるかと質問したところ、全員が「あり得ない」と答えたものである。*3

人物描写をするときに、その人の特徴を示す言葉の並び順は適当に決められることが多いが、実際には順番は重要である。ハロー効果によって最初の印象の重みが増し、あとのほうの情報はほとんど無視されることさえあるからだ。私自身、教授になりたての頃、そういう

経験をした。学生の論文試験を採点していたときのことである。始めのうち私は、ありきたりのやり方をしていた。つまり一人の学生の提出物（二本の論文を綴じてある）を取り上げ、課題1の論文を読んで採点し、続けて課題2を読んで採点し、合計を出し、それから次の学生に移るというやり方である。だがそのうち私は、自分のつける点数が課題1と2でひどく似通っていることに気づいた。もしかするとこれはハロー効果ではないか、つまり課題1の採点が課題2の評価に影響を与えすぎているのではないか……。

なぜそうなるのかは、考えてみればすぐわかる。最初の論文で高評価をした場合、次の論文に曖昧な主張や意味のわからない表現があっても、いいように解釈してしまうからだ。これは、一見すると理に適っている。最初の論文がすぐれていた学生なら、次でばかげたミスを犯すはずはない、と考えられるからだ。だが、私の採点方法には重大な欠陥がある。学生が書いた二本の論文のうち、一方がよくて一方はお粗末だった場合、どちらを先に読むかによって合計点が大きく変わってしまうからだ。私は課題を出すときに、二本の論文はどちらも同じ重みで評価する、と学生に話した。だがそれは嘘だったことになる。実際には最初の論文のほうが二本目よりはるかに重要なのだ。これは、私としては受け入れがたい。

そこで私は新しいやり方をすることに決めた。一人の学生の論文を二本続けて読むのではなく、まず課題1だけを全員読み、その後に課題2に移る。最初の論文の点数は表紙の裏に記入し、二本目を読むときに、一本目の点数に（たとえ無意識的にでも）惑わされないようにした。新しい方法に切り替えてすぐ、私は落ち着かなくなった。自分の採点に以前ほど自信が持てなくなり、これまでに感じたことのない居心地の悪さをひんぱんに感じるようになった。というのも、ある学生の二本目の論文に失望して低い点をつけ、いざ表紙の裏に書き込もうとすると、一本目には高い点数をつけていた、ということがちょくちょくあったからである。そのうえ、一本目との差を減らそうとして、これから書き込む二本目の点数を変えたくなる誘惑にも駆られた。絶対にそのようなことをしてはならない、と自分を律するのはかなり大変だった。この結果、一人の学生の点数が課題1と2で大幅にちがうケースが頻出することになる。この一貫性のなさが私を不安にさせ、不快にもした。

こんな具合で、新しい採点方法では、最初のときほどつけた点数に満足できなかったし、自信も持てなかった。しかしその一方で、この不快感は、新しいやり方のほうがすぐれていることを示す兆候なのだとも感じた。最初の採点方法では課題1も2も同じような評価になり、その一貫性に私は満足していたわけだが、それは偽の一貫性だったのである。この偽の一貫性は認知容易性を生み、私の怠け者のシステム2は喜んでこの最終評価を受け入れていた。課題1の採点が課題2に重大な影響を与えることを容認していた私は、同じ学生でも課題によって出来不出来がある可能性を、考えまいとしていたことになる。新しい採点方法に切り替えてわかった最初の採点法との不快な不一致は、たしかに本物だった。この不一致は、一つの課題だけで学生の出来を評価するのは不適切であること、そして私の評価が信頼に値しないことをはっきりと示したのだった。

ハロー効果を抑えるために私が採用した方法は、「エラーの相関性を排除せよ」という一般的な原則にも適っている。この原則がどう働くのかを説明しよう。

大勢の人が硬貨のいっぱい詰まった数本のガラス瓶を見て、それぞれの瓶に硬貨が何個入っているか当てるとしよう。ジェームズ・スロウィッキーがベストセラーとなった著書『「みんなの意見」は案外正しい』（小高尚子訳、角川書店）の中で述べているように、この種の推定では一人ひとりの答はまるで見当外れだが、全員の判断を集計してみると驚くほど的確であることが多い。*4 大勢の中にはむやみに過大評価をする人もいれば、ひどく過小評価をする人もおり、平均を計算してみるとかなり正確になる。このからくりは単純だ。全員が同じガラス瓶を見ているのだから、判断の基準は共通である。その一方で、一人ひとりの誤差は、他の人の誤差とは無関係である。したがって（系統的なバイアスが存在しない限り）、誤差の平均はゼロになるというわけである。ただしこの誤差収斂の魔法が働くのは、観察や評価が個別に行われ、エラーに相関性がない場合に限られる。もし回答者が同じバイアスを持っていたら、多数の判断を集めてもバイアスは減らない。回答者が互いに影響を受けるような場合には、実質的に標本数が減ることになるので、集団としての推定の精度は下がる。

したがって、複数の情報源から最も有効な情報を得るためには、一つひとつの情報源をつねに相互に独立させておかなければならない。このルールは、警察手続きの一部となっている。たとえばある事件に複数の証人がいる場合、証言をする前に証人同士がそれについて話し合うことは許されない。これは、証人同士の共謀を防ぐためだけでなく、バイアスのかかっていない証人たちが互いに影響をおよぼし合うことを避けるためである。情報交換をした証人たちは、同じエラーを犯しがちになるため、彼らが提供する情報全体の価値が下がってしまう。情報源から冗長性を排除することは、つねに望ましいのである。

判断の独立性（ひいてはエラーの相関性の排除）を保つ原則は、会議にさっそく応用できる。大方の企業の経営幹部は一日の大半を会議に費やしていると想像されるが、会議に当たって簡単なルールを決めておくと役に立つ。それは、議題について討論する前に、出席者全員に前もって自分の意見を簡単にまとめて提出してもらうことだ。こうしておけば、グループ内の知識や意見の多様性を活かすことができる。通常の自由討論では、最初に発言する人や強く主張する人の意見に重みがかかりすぎ、後から発言する人は追随することになりやすい。

自分の見たものがすべてだ（WYSIATI）

エイモスと一緒に研究をしていた若かりし頃の楽しい思い出の一つは、彼の特技である。エイモスは哲学の先生のものまねが絶妙で、強いドイツなまりのヘブライ語で「おまえたち、イスーの霊長類を忘れるでないぞ」となる。このフレーズで先生が何を言いたかったのかはとうとうわからずじまいだったが（たぶんエイモスもわかっていなかったと思う）、エイモスのジョークは的を射ていた。脳が手持ちの情報を扱う場合と手元にない情報を扱う場合との顕著な非対称性を発見するたびに、エイモスは（そしてついには私も）、あの妙なフレーズ「忘れるでないぞ」を思い出していたのだった。

連想マシンの設計には、活性化された情報のみを取り出すという基本的な特徴がある。たとえ無意識にでも記憶から呼び出せない情報は、存在しないのと同じなのだ。システム1は、そのとき活性化された情報を材料にして可能な限り最高のストーリーをこしらえ上げることには長けているけれども、手元にない情報を考慮することはしない（できない）。

システム1にとって「自分はうまくやったかどうか」の尺度は、ひねり出したストーリーの首尾一貫性であって、材料に使ったデータの質と量はほとんど気にしていない。情報が乏しいときは（そういうときが多い）、システム1は結論に飛びつくマシンのように機能する。たとえば、次の質問を考えてみてほしい。「ミンディクっていいリーダーになれるかしら。彼女、頭がよくて、意志も強い……」。するとあなたの頭の中には、すぐさま答が浮かんでくる。もちろん、イエスだ。その時点で入手できたひどく限られた情報に基づいて、あなたはベストの答を出したわけである。だがこれは早とちりというもの。もしそのあとに続くのが「でもお金に汚くて、すごくいじわるだけど」だったらどうだろう。

ここで、ミンディクがリーダーに適任かどうかを大急ぎで判断したときに、あなたがやらなかったことを考えてみよう。「リーダーとしての資質とはそもそも何か」とは考えなかったはずだ。システム1は、最初の形容詞を聞いたときから、もう勝手に動き始めている。ふんふん、頭がいいのか、大変結構。なになに、頭がいいうえに意志が強い、ますますよろしい——二つの形容詞だけで作るストーリーとしては、これは最高である。システム1は、このストーリーに高い認知容易性を持たせて提示する。新たな情報が入ってきたら（たとえばミンディクは金に汚いなど）ストーリーは訂正されるはずだが、なにせシステム1には待ち時間がないうえ、先ほどのストーリーで何ら不都合を感じていない。しかもシステム1には、第一印象を重視するバイアスもある。

つじつま合わせに走るシステム1と怠け者のシステム2の組み合わせなのだから、システム1の印象をそっくり反映した直感的判断の大半にシステム2がゴーサインを出すのは想像がつく。もちろんシステム2には、与えられた情報をもっと組織的に注意深く吟味し、決定を下す前にしかるべきチェックリストを作成し検討する能力は備わっている。たとえば家を買うかどうか迷っているとき、あなたは手持ちの情報だけで満足せず、さらに情報を集めようとするはずだ。だがシステム1はそんなときでさえ、慎重な意思決定に影響を与えようとする。システム1からのインプットは決して止まることがない。

限られた手元情報に基づいて結論に飛びつく傾向は、直感思考を理解するうえで非常に重要であり、これから本書にも何度も登場する。この傾向は、自分の見たものがすべてだと決めてかかり、見えないものは存在しないとばかり、探そうともしないことに由来する。先ほども述べたように、システム1は、印象や直感のもとになっている情報の質にも量にもひどく無頓着なのである。この「自分の見たものがすべて（what you see is all there is）」は、英語の頭文字をとって、ＷＹＳＩＡＴＩという長たらしい略語が作られている。

エイモスはスタンフォード大学の学生二人を助手にして、この「見たものがすべて」傾向を調査した。一方的な証拠だけを与えられ、かつそのことを知っている人がどのような反応を示すか、観察したのである。[*5] 実験の参加者には、次のような訴訟の説明文が渡された。

「九月三日、原告デービッド・ソーントン（四三歳）はスリフティ・ドラッグストア一六八号店に立ち寄った。ソーントンは労働組合の現場責任者で、定期的な組合訪問の一環として同店を訪れたものである。ソーントンの来店から一〇分以内に店長がやって来て、店内で組合員（店員）とこれ以上話すことは禁じると申し渡し、店員が休憩時間に入ってから、店舗の裏の部屋で面会するよう命じた。店側からこうした申し入れをすることは、スリフティとの組合契約で認められてはいたが、それまでに一度もそうした前例はなかった。ソーントンが異議を唱えると、要求に従うか、店を出て行くかを選ぶように、さもないと警察を呼ぶと言われた。この時点でソーントンは店長に対し、店内で一〇分程度店員と話すことは、商売の邪魔にならない限り、これまでずっと許可されてきた、定期訪問の手順を変えるぐらいなら逮捕されるほうがましだ、と示唆する。すると店長は警官を呼び、ソーントンは不法侵入の疑いで店内で手錠をかけられた。ソーントンは逮捕され、短期間拘留されたが、不起訴処分となった。現在ソーントンは、不当逮捕でスリフティを訴えている」

全員がこの説明資料を読んだ後、さらに三つのグループに分けられて、第一グループはソーントンの弁護士から、第二グループは店側の弁護士から話を聞いた。当然ながらソーントンの弁護士は、逮捕は組合に脅しをかける不当な行為だと非難し、店側の弁護士は、店内で話すのは商売の邪魔だから店長の措置は適切だと主張した。第三のグループは、ちょうど陪審員のように両方の説明を聞いた。なお弁護士からは、新しい情報は一切提供されていない。

参加者は全員、状況を完全に理解しており、原告か被告どちらか一方の弁護士からのみ説明を聞いたグループも、相手側の主張をたやすく推測することができた。にもかかわらず、一方的な説明は彼らの判断に顕著な影響を与えた。しかも一方の側からだけ説明を受けたグループは、両方から説明を聞いたグループより、自分の判断に自信を持っていた。そう、まさに読者もお気づきのとおり、手持ちの情報だけでこしらえ上げたストーリーのつじつまが合っているものだから、この人たちは自信を持ったのである。ストーリーの出来で重要なのは情報の整合性であって、完全性ではない。むしろ手元に少ししか情報がないときのほうが、うまいことすべての情報を筋書き通りにはめ込むことができる。

「自分の見たものがすべてだ」となれば、つじつまは合わせやすく、認知も容易になる。そうなれば、私たちはそのストーリーを真実と受け止めやすい。速い思考ができるのも、複雑な世界の中で部分的な情報に意味づけできるのも、このためである。たいていは、私たちがこしらえる整合的なストーリーは現実にかなり近く、これに頼ってもまずまず妥当な行動をとることができる。だがその一方で、判断と選択に影響をおよぼすバイアスはきわめて多種多様であり、「見たものがすべて」という習性がその要因となっていることは、言っておかなければならない。以下に、主なものを挙げておこう。

・自信過剰――「自分の見たものがすべてだ」という態度からうかがわれる通り、手持ちの情報の量や質は主観的な自信とは無関係である。自信を裏付けるのは、筋の通った説明がつくかどうかであり、ほとんど何も見ていなくても、もっともらしい説明ができれば人々は自信たっぷりになる。こうしたわけで、判断に必須の情報が欠けていても、それに気づかない例があとを絶たない。まさしく「自分の見たものがすべてだ」と考えてしまう。そのうえ私たちの連想マシンは、一貫性のある連想活性化パターンをよしとし、疑いや両義性を排除しようとする。

・フレーミング効果――同じ情報も、提示の仕方がちがうだけで、ちがう感情をかき立てることが多い。同じことを言っているにもかかわらず、「手術一カ月後の生存率は九〇％です」のほうが「手術一カ月後の死亡率は一〇％です」より心強く感じる。同様に、冷凍肉に「九〇％無脂肪」と表示してあったら、「脂肪含有率一〇％」よりダイエットによさそうに感じる。両者が同じ意味であることはすぐにわかるはずだが、たいていの人は表示されている通りにしか見ない。「見たものがすべて」なのである。

・基準率の無視――「図書館司書のスティーブ」問題を思い出してほしい。几帳面でもの静かでこまかいことにこだわり、よく図書館司書とみなされる、あのスティーブである。際立って特徴的な人物描写に接すると、こういうことが起きやすい。図書館司書より農業従事者のほうがはるかに数が多いことを知っているにもかかわらず、この文章を初めて読んだときには統計的な事実など考えもしない。「見たものがすべて」になってしまう。

結論に飛びつく傾向を話題にするときは

「この人のマネジメント能力について、彼女は何も知らないはずだ。彼のプレゼンテーションがうまいものだから、ハロー効果に影響されているんだよ」

「議論を続ける前に、その問題について第三者の判断を聞き、エラーの相関性を排除しよう。独立の評価機関に依頼すれば、情報が得られるはずだ」

「彼らのあの重大な決断は、たった一人のコンサルタントからの報告に基づいている。見たものがすべてだと信じ込んで、裏付け情報がどれほど少ないか、全然気づいていないのだ」

「あの連中ときたら、自分たちのシナリオに合わない情報はいらないと言うんだ。見たものがすべてだという典型的な症状だね」

第8章　判断はこう下される
——サムの頭のよさを身長に換算したら?

あなたは、誰かに聞かれるにせよ、自問するにせよ、星の数ほどの質問に答えることができる。また、星の数ほどのものを評価できる。あなたは、このページに出てくる句読点の数を数えることができるし、自分の家の窓の高さを向かいの家の窓と比べることができるし、自分が投票した議員の政治的将来性を五段階で評価することもできる。こうした問題に対処するのはシステム2である。システム2は注意を喚起し、記憶を探索して、答を見つけようとする。システム2は質問を受け取るだけでなく、質問を発することもあるが、いずれの場合にも、注意の集中や記憶の探索を通じて答を見つけようとする点は変わらない。

一方、システム1のやり方はちがう。システム1は、とりたてて目的もなく、自分の頭の中と外で起きていることを常時モニターし、状況のさまざまな面を絶えず評価している。このときほとんど(あるいはまったく)努力はしていない。こうした日常モニタリングは、難しい質問の置き換えに威力を発揮し、直感的判断で重要な役割を果たす。これが、ヒューリスティクスとバイアスの基本である。

システム1に備わっている他の二つの能力も、ある判断を別の判断に置き換えるときに役立つ。一つは、次元の異なる価値を変換して比較する能力である。「もしサムが頭のいいのと同じぐらい背が高いとしたら、何フィートぐらいかしら？」という質問にやすやすと答えられるのは、この能力のおかげである。そしてもう一つは、「メンタル・ショットガン」である。ショットガンは散弾銃で、その名の通り弾が散らばって飛ぶ。システム2がある一つの質問に答えようとしたり、状況のある面だけを評価しようとしても、そこに照準を合わせることができず、日常モニタリングも含めた他の情報処理が自動的に始まってしまう。これがメンタル・ショットガンと呼ぶ所以である。

日常モニタリング

システム1は、進化の過程で、生命体が生き延びるために解決しなければならない重要な問題を常時評価するようになった。いまどんな状況か。何か危険な兆候はあるか、それともうまいチャンスがありそうか。万事いつも通りか。近づくべきか、逃げるべきか。サバンナのガゼルに比べれば、都会で生活する人間が答を出すべき質問は、緊急性に乏しいだろう。それでも私たちは、危険のレベルを常時評価するこの自然のメカニズムを受け継いできた。このメカニズムは、オフにすることはできない。状況はよいのか悪いのかがつねに評価され、逃げるべきか、近づくのを容認すべきかが判断される。上機嫌と認知容易性は、私たち人間にとって安全性や親密性の評価基準となる。

日常モニタリングの具体例として、ここでは一目で敵と味方を見分ける能力を取り上げよう。この能力は危険な世界で生き延びる確率を高める働きをし、長年の間に進化してきたと考えられる。

プリンストンの同僚であるアレックス・トドロフは、よそ者と出会ったときに安全かどうかを瞬時に判断する能力について、生物学的な観点から研究を行ってきた。*1 トドロフによれば、私たちは見知らぬ人の顔を一目見ただけで、生死を決しかねない二つの重大な事実を評価する能力を授かっているという。一つは、その人物がどの程度支配力を持っているか（したがって潜在的に危険か）ということ。もう一つは、どの程度信頼できるか、言い換えればこの人物は友好的なのか、それとも敵対的なのか、ということである。*2 顔の造作は、支配力を評価する手がかりとなる。たとえば、角ばった頑丈な顎はその一つだ。また笑顔やしかめ面といった顔の表情は、よそ者の意図を評価する手がかりとなる。角ばった顎にへの字に結んだ口の人物は、怒らすと面倒なことになりかねない、というふうに。*3 もっとも、顔からの推測は正確にはほど遠い。まるい顎だからといって温和とは限らないし、笑顔は作り笑いということもある。だが不完全な能力であっても、生き残るうえでいくらかは役に立つ。

大昔から人間に備わっているこの能力が、最近になって脚光を浴びるようになったのは、投票行動に影響を与えるからである。トドロフは男性の顔写真を何枚も学生に見せ（一部の学生には一〇分の一秒という短時間で見せた）、その後に好感度や能力などさまざまな項目について評価してもらった。学生たちの評価は、どの項目でも同じ傾向を示した。じつはトドロフが見せた顔写真はランダムに選んだものではなく、選挙運動中の政治家の顔写真である。学生たちは政治とは無関係の状況で、写真だけを見て政治家の能力を評価したわけだが、その評価と実際の選挙の結果とを比べると、驚くべきことが明らかになった。上院議員、下院議員、州知事の選挙で当選した候補者の約七〇％が、顔写真で「能力が高い」と評価されていたのである。この調査結果はその後すぐ、フィンランドの国政選挙、イギリスの地方選挙、さらにオーストラリア、ドイツ、メキシコでのさまざまな選挙でも確認された。[*4] しかも能力の評価結果のほうが、好感度の評価結果よりも、当落予想としてははるかに当てになることがわかった。これは、少なくとも私にとっては、非常に意外だった。

トドロフによれば、「能力が高い」という評価は、支配力と信頼性の二つの観点から判断されるという。具体的には、がっしりした顎と自信あふれる微笑の組み合わせが「できる男」という雰囲気を醸し出す。実際には、そういう顔をしているからといって、政治家として活躍できるという証拠は何もない。だが当選者と落選者に対する脳の反応を調べると、先ほどの属性に欠けた候補者を排除する生物学的な反応が認められた。この調査に限って言えば、落選した候補者の顔は、ネガティブな感情反応をより強く呼び覚ましたことになる。これは私が「判断ヒューリスティック（judgment heuristic）」と呼ぶものの一例であり、くわしくは次章で解説する。簡単に言うと、有権者は当選の暁に辣腕を振るう候補者をイメージする。そして、システム2が決定を下すべきときに、顔つきなど手持ちの情報に基づく安直な評価ですませてしまうのである。

政治学者はトドロフの最初の調査を土台にして、システム1の自動的な選好にとくに左右されやすい有権者のタイプを突き止めようとした。その結果、政治に疎くてテレビをよく見る人たちが、これに該当することが判明している。政治に疎くテレビ好きの有権者は、政治にくわしくテレビをあまり見ない有権者の三倍も、「顔の印象に基づく能力」に影響されやすい。*5 このように、投票の選択決定においてシステム1が果たす役割の大きさは、人によって異なる。こうした個人差は、他の多くの事例でも確かめられている。

システム1が言葉を理解することは言うまでもないが、その理解の度合いは日常モニタリングに左右される。日常モニタリングでは、さまざまな事象を知覚し、メッセージを受け取って、類似性や代表性の検出、因果関係の特定、連想や類例の確認などを行う。とくに何も要請されなくてもモニタリングは自動的に行われ、何か必要が生じた場合には、その評価結果が活用される。*6

モニタリングの内容は多岐にわたるが、評価可能な属性が必ずしもすべて評価されるわけではない。たとえば図7を見てほしい。

ぱっと見ただけでも、この図にはさまざまな特徴があることに気づくだろう。左右のタワーの高さが同じであること、タワー同士はよく似ているが、中央の積み木とは似ていないことはすぐに見て取れるはずだ。だがたぶん、左のタワーを構成する積み木の数が、中央に平たく並んだ積み木の数と同じであることには気づかないだろう。したがって、中央の積み木を積み上げたらどの程度の高さになるかも想像できまい。積み木の数が同じであることを確

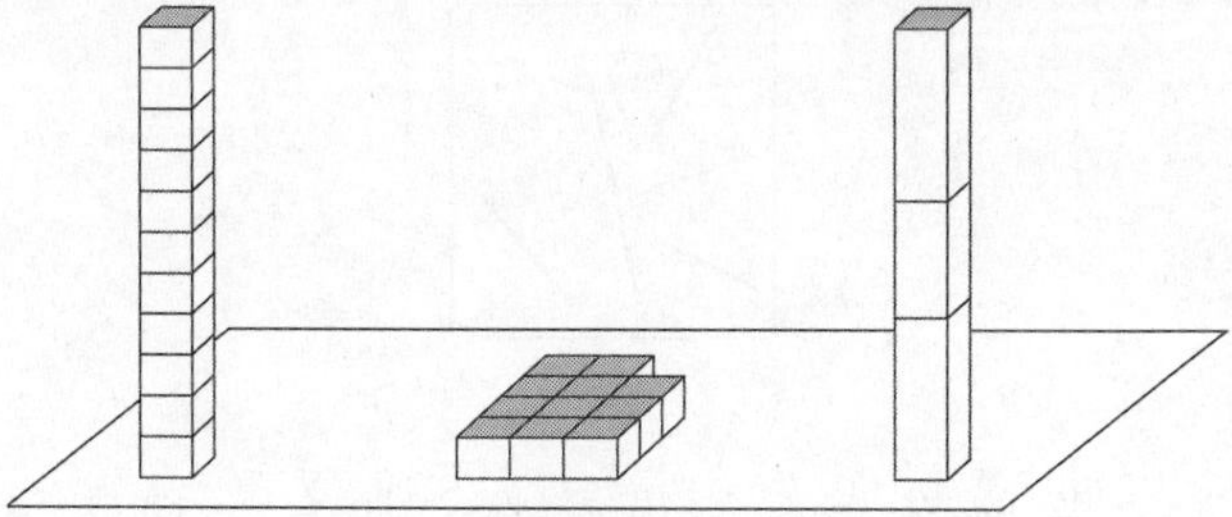

図7

認するためには、それぞれの数を数えて比べなければならない。これはシステム2にしかできない仕事である。

セットとプロトタイプ

もう一つの例として、次の質問を考えてみよう。図8に示された線の平均的な長さはどれほどだろうか。

この質問はシステム1にとっては簡単で、せかされなくてもすぐに答を出す。実験の結果、一秒とたたないうちに大方の参加者が平均の長さを答え、それはきわめて正確だった。しかも、記憶力を使う他のタスクを与えられて認知能力が忙しい状態でも、この判断の正確さは損なわれなかった。

参加者は、平均の長さが何センチかは必ずしもわかっていない。それでも、与えられた線の長さを適当に調節して「これぐらい」という具合に平均を出すことができる。たくさんの線の平均長の印象を形成する作業には、システム2は必要ない。線の色は黒だとか、平行ではない、といった事実を認識するのと同じように、システム1が自動的にやすやすとやってのける。

図8

システム１はまた、ある枠内のものの数についても、すぐに印象を形成することができる。その印象は、四個以下の場合は正確だが、それ以上になるとかなりあやしい。

では、もう一つの質問を考えてほしい。図８に示された線の長さを合計すると、どれほどになるだろうか。ここであなたは、さっきの質問とはまったくちがう経験をする。なぜなら、システム１にはさっぱり答が思い浮かばないからだ。この質問に答えるには、システム２に目を覚ましてもらわなければならない。システム２は苦労して平均の長さを見積もり、線の数を数え（または推定し）、かけ算をして答を出す。

システム１が、ぱっと見た線の長さを合計できないことは、たぶんあなたにはわかっていたと思う。そもそもあなた自身、そんな計算ができるとは考えたこともないからだ。これは、システム１の重大な限界の一例である。システム１は、プロトタイプ（典型）あるいは代表的な例のセットでもって、あるカテゴリーを代表させる。このため平均はうまく扱えるが、合計は苦手だ。合計を判断すべきときでさえ、カテゴリーの規模、すなわち含まれているものの数を無視しがちである。

エクソンバルディーズ号原油流出事故の訴訟を機に行われた実験の中に、海鳥保護のために設置するオイルフェンスの寄付を募るものがあった。[*7] 参加者は三つのグループに分けられ、それぞれ二〇〇〇羽、二万羽、または二〇万羽を救うためにいくら寄付するかを表明する。海鳥を救うことが好ましい経済行為であるなら、問題になるのは合計であり、二〇万羽を救うほうが二〇〇〇羽を救うよりはるかに価値があるはずだ。しかし実際には、三グループの平均寄付額はそれぞれ八〇ドル、七八ドル、八八ドルで、救える鳥の数とはほとんど関係がなかった。どのグループでも、参加者が反応したのはプロトタイプである。すなわち無力な海鳥の羽根に重油が絡みつき、どうしようもなく溺れ死ぬイメージである。こうした感情的な文脈では数がほぼ完全に無視されることは、繰り返し確認されている。

レベル合わせ

あなたはどれくらい幸福か。大統領の人気度はどれほどか。金融犯罪に対する刑罰はどの程度が適切か。この政治家の将来性はどうか——こうした質問には、重要な共通点がある。どれも、「どれくらい」と程度や度合いを訊ねている点だ。たとえばある候補者の政治的将来性は、「最初の選挙で落選する」から「アメリカの大統領になる」まで、度合いの幅がある。こうした属性はどれも比較が可能で、〇〇より幸福、より人気がある、より厳しい罰、より大きな権力、といった具合に比べることができる。

ここで私たちは、システム1の新しい能力を見出す。システム1が持っている基本的なものさしでは、異なる次元の度合いをそろえる「レベル合わせ（intensity matching）」が可能だということである。たとえば罪を色で表すとしたら、殺人は窃盗より暗い赤、音楽の強弱記号で表すなら、大量殺人はフォルテシモ、駐車違反の罰金未払いはピアニシモというふうに。もちろん刑罰の重さについても、あなたは同様の感覚を持っていることだろう。

古典的な実験に、一つの被験者グループが罪の重さに合わせて音量を調節し、もう一つのグループは刑罰の重さに合わせて音量を調節するというものがある。もしあなたがこの二つの音量を聞き比べたとき、片方がひどく大きかったら、不当だと感じるだろう。*8 では、次の例を考えてほしい。この例はあとでまた取り上げる。

ジュリーは四歳のときにすらすら本を読むことができました。

次に、子供としては達者なジュリーの能力を、次の尺度に当てはめてほしい。

ジュリーの早熟な才能を背の高さで表すとしたら、どのくらいでしょうか？

どうだろう、一六〇センチだろうか。いや、ちょっと低すぎる。では二〇〇センチではどうだろう。今度は高すぎるようだ。あなたは四歳の読書能力に匹敵する身長を思いめぐらす。

注目には値するが、途方もない大天才というわけではない。もしこれが生後一五カ月だったらまさに早熟な天才であり、身長で言えば二四〇センチぐらいにはなるだろう。

ジュリーの読書能力をあなたの職業の年収で表すとしたら、どの程度になりますか？

ジュリーの読書能力を犯罪の重大性で表すとしたら、どの程度になりますか？

ジュリーの読書能力を一流大学の学生のＧＰＡ（成績評価点）で表すとしたら、どの程度になりますか？

どうだろう、どれもそう難しくはないはずだ。しかも同一の文化的環境であれば、あなたの挙げる数字は他の人と似たようなものになる。このことは、ジュリーの読書能力から大学卒業時のＧＰＡを予想する実験で確かめられた。実験では、回答者は尺度を転換し、レベル合わせをしたＧＰＡを答えた。この実験についてはのちほどくわしく解説するとともに、なぜこのようなやり方が統計的に誤りであるかも説明する（第18章参照）。このやり方はシステム１にとってはごく自然であり、統計の専門家を除く大半の人はシステム２でも受け入れてしまうのだが、やはりまちがっている。

メンタル・ショットガン

システム1は、つねにたくさんの情報処理を同時に行っている。その一部は、絶えず実行されている定型的な評価である。あなたが目を開けているときはいつでも、脳は見えているものを三次元で表現し、形状や空間的な位置や特徴を把握する。この処理を行うのに意志は不要で、さぼらないよう常時監視する必要もない。これ以外の情報処理は、こうした定型的な評価とは対照的に、必要なときのみ行われる。自分は幸福か、金持ちか、といったことはのべつ評価するわけではないし、たとえあなたが政治フリークでも、大統領の将来性を片時も休まずに占うなどということはしないだろう。適宜行う判断は意志によるもので、あなたがしたいと思ったときにだけ行われる。

あなたは、本を読むたびにあらゆる単語の音節数を自動的に数えたりはしない。だがその気になれば、数えることができる。ところが、意図的な情報処理のコントロールはひどく精度が低く、こちらが望む以上、必要とする以上のことをやってしまう。この過剰な情報処理のことを「メンタル・ショットガン（mental shotgun）」と呼ぶ。

ショットガン（散弾銃）は、弾丸が放射状に発射され一定範囲に散らばる構造になっているため、照準を合わせて狙い打つことができない。システム1は、システム2が命じたことだけに照準を合わせられない点が、ショットガンと共通する。私が以前に読んだ二つの実験は、このことを示唆している。

一つ目の実験の参加者は、ペアになった単語が読み上げられるのを聞いて、韻を踏んでいると気づいたら、ただちにボタンを押す。[*9] たとえば、次の二組はどちらも韻が同じである。

VOTE — NOTE
VOTE — GOAT

このように書き出すとすぐにわかるが、VOTEとGOATの場合、韻は同じでもスペルがちがう。参加者は読み上げられるのを聞くだけだが、それでもスペルに影響されてしまうため、一組目より二組目は判断に手間取る。音を比べることだけが要求されているにもかかわらず、スペルまで比べるので、それが韻と齟齬を来すと判断が遅れるのである。一つの質問に答えようとして、ほかのことにまで気が回るわけだ。これは単に余計なだけでなく、本来のタスクにとって邪魔でもある。

もう一つの実験では、参加者は一連の文章を聞き、文章が（比喩ではなく）文字通り正しければできるだけ早くボタンを押し、正しくなければ別のボタンを押す。[*10] 次の文章ではどう反応するのが適切だろうか。

道路は蛇である。
仕事は蛇である。

仕事は監獄である。

どの文章も、文字通りの意味ではまちがっている。だがあなたはおそらく二番目の文章がまちがいであることに、他の二つより明確に気づいただろう。実験で得られた反応時間にも、そのことが顕著に表れていた。反応時間に差が出るのは、他の二つの文章は比喩的には正しいと言えなくもないからである。ここでもまた参加者は、一つの情報処理をこなそうとして別の処理も行っている。その結果、葛藤の中で正しい答を出さなければならなくなり、無関係なことに惑わされて判断が遅れてしまう。次章では、メンタル・ショットガンとレベル合わせの組み合わせを取り上げ、自分がほとんど知らないことにまで直感的な判断を下すのはなぜかを説明する。

判断を話題にするときは

「ある人を魅力的だとか、そうでないとか判断するのは、日常モニタリングの役割だ。好むと好まざるとにかかわらず、私たちはそれを自動的にやっていて、その影響から逃れられない」

「脳の中には、顔の形から支配力を評価する回路があるらしい。だから、彼がリーダーに向いているように見えるってわけ」

「刑罰は、罪の重さと一致していない限り、正当とは感じられないものだ。音量に合わせて輝度を調節することと同じと考えればいい」

「彼はその会社の財務状態が健全かどうかを聞かれたのに、その会社の製品を気に入っていることがどうしても頭から離れなかった。これは明らかにメンタル・ショットガンの典型例だ」

第9章　より簡単な質問に答える

――ターゲット質問とヒューリスティック質問

脳の働きで驚くべき特徴の一つは、めったにうろたえないことである。たしかに、ときには17×24のような暗算問題を突きつけられ、すぐに答が出なくて動転することはある。だがそういうことは稀であって、ふだんは行く先々で出合うものすべてについて、直感的にぱっぱっと感じたり判断したりする。相手をよく知る前から好きか嫌いか決められるし、なぜと理由はわからなくても、初めて会った人が信用できるかできないかがわかる。また、きちんと分析しなくても、ある企画がうまくいきそうかどうか勘が働く。さらに、完全には理解できていない質問に対しても、口に出すか出さないかは別として、何かしら答を持っている。ただし、そのときあなたが根拠とする証拠は、説明もできず立証もできないような代物ではあるが。

質問の置き換え

複雑なことにも私たちがなぜ直感的に意見を言えるのか、私から明快な説明を提案しよう。

難しい質問に対してすぐには満足な答が出せないとき、システム1はもとの質問に関連する簡単な質問を見つけて、それに答えるからである。このように代わりの質問に答える操作を「置き換え(sub-stitution)」と呼ぶ。ここでは、もともと答えるべき質問を「ターゲット質問」、代わりに答える簡単な質問を「ヒューリスティック質問」と呼ぶことにする。

ヒューリスティクスの専門的な定義は、「困難な質問に対して、適切ではあるが往々にして不完全な答を見つけるための単純な手続き」である。ヒューリスティクスという言葉は、「見つけた！」を意味するギリシャ語のユーレカを語源に持つ。

置き換えというアイデアはエイモスとの初期の研究で浮かんできたもので、やがてヒューリスティクスとバイアスの研究の柱となった。なぜ人は、確率とは何かを正確には知らないのに確率の判断ができるのだろう、と私たちは自問した。そして、答えられない課題を出されたときにはいくらか単純化をするにちがいないと考え、どのようにそれをするのか見つけようと決心した。

見つけた答は、こうだ。確率を判断するように要求されると、実際には何かほかのことを判断し、それをもって「自分は確率を判断した」と考えるのである。難しいターゲット質問に遭遇したとき、より簡単なヒューリスティック質問に対する答がすぐに思い浮かぶ場合には、おおむねシステム1がこの仕事を担当している。

ある質問を別の質問に置き換えるのは、困難な問題を解決するときのすぐれた戦略となりうる。ジョージ・ポリアは古典的名著『いかにして問題をとくか』(柿内賢信訳、丸善)の

ターゲット質問	ヒューリスティック質問
絶滅危惧種を救うためにいくら寄付するか？	瀕死のイルカを見かけたらどんな気持ちになるか？
現在の生活はどのくらい幸福か？	いまの自分は気分がいいか？
いまから六カ月後の大統領の支持率はどの程度か？	いま現在の大統領の人気はどの程度か？
高齢者をだましたファイナンシャル・アドバイザーにはどの程度の刑罰を与えるべきか？	金融詐欺に自分はどのくらい怒りを覚えるか？
次の予備選挙に立候補予定のこの女性は、政界でどこまで出世するか？	この女性は誰か政界の大物と似ているか？

表1

中で、置き換えについて、「ある問題をどうしても解けないときは、自分に解けそうなより簡単な問題を探す」と述べている。ポリアのヒューリスティクスは戦略的な手法であり、システム2が意識的に取り組む。だが本章で私が論じるヒューリスティクスは、意図的に選ばれたものではなく、メンタル・ショットガンの結果である。メンタル・ショットガンは、前章で述べた通り、質問に対して答えるときに、正確に狙いを絞れないことを意味する。

ではここで、表1の左欄を見てほしい。ここに掲げられているのは難しい質問であり、どれ一つとっても、まともな答を出すためには他のもっと難しい問題に取り組まなければならない。

たとえば、絶滅危惧種以外に考慮すべき環境問題や社会問題は、ほかにどんなものがあるか。幸福とは何か。今後六カ月の間に政治はどのような展開になりそうか。他の金融犯罪に対する標準的な判決はどうなっているのか。候補者が直面する競争はどの程度厳しいのか、等々。

こうしたことを真剣に考え抜いてから答えるのは、どうみても現実的ではない。だがあなたは、完璧に論理的根拠のある答を出すにはおよばない。ヒューリスティック質問に答えても、そこそこ筋は通る。このやり方はときにうまくいく――が、ときに重大なエラーにつながる。

メンタル・ショットガンのおかげで、難しい質問にもすばやく答を出すことが容易になり、怠け者のシステム2にあまり負荷をかけずにすむ。右欄の質問は左欄の質問からたやすく思いつくし、答えるのも容易である。瀕死のイルカや金融詐欺に対する気持ち、自分のいまの気分、候補者の政治的手腕の印象、大統領のいまの人気などは、すぐに思い浮かぶことだろう。ヒューリスティック質問は、難しいターゲット質問に対しても、すぐさま答を用意してくれる。

とはいえ、これで万事解決とはいかない。ヒューリスティック質問に対する答は、もともとの質問にフィットしていなければならないからだ。たとえば、瀕死のイルカに対する気持ちは金額で表示しなければならない。ここで活躍するのが、システム1のもう一つの能力、すなわちレベル合わせである。イルカに対する気持ちも寄付の額も、度合いの尺度で表せることを思い出してほしい。したがってイルカに対する気持ちに応じて、寄付額を決めることができる。こうして、あなたの気持ちに釣り合った金額が決まる。どの質問に対しても同様のレベル合わせが可能だ。たとえば候補者の政治的手腕を「まったくお粗末」から「非常に優れている」までの段階で評価したら、それを「予備選で落選」から「アメリカ大統領になる」までの段階に当てはめて、政治的成功を予測することができる。

メンタル・ショットガンとレベル合わせの自動処理によって、多くの場合ヒューリスティック質問に一つ以上の答が出てくるから、それをうまくターゲット質問に当てはめればいい。置き換えがうまくいけば、ヒューリスティック質問に対する答にシステム2がゴーサインを出すだろう。もちろんシステム2は直感的な答を却下することもできるし、他の情報を考え合わせて答の修正を要求することもできる。だが怠け者のシステム2は、たいていの場合に最小限の努力ですます道を選び、ヒューリスティックな答が本当に適切かどうか、くわしく調べもせずに許可する。おかげであなたはうろたえないし、ひどく頭を悩ませることもなく、本来答えるべき質問に答えていないことにさえ気づかない。しかも直感的な答がすぐさま浮かんできたのだから、ターゲット質問が難しかったことにさえ気づかないだろう。*1

3Dヒューリスティック

図9のイラストを見て、質問に答えてほしい。

このイラストの右側の人物は、左側の人物より大きいですか？

図9

すぐに思い浮かぶ答は、ハイ、大きいです、である。だが定規を当ててみればすぐにわかるが、三人の男はどれも同じ大きさなのだ。あなたが感じた相対的なちがいは、強力な錯覚のなせる技である。この例は、置き換えのプロセスを見事に説明してくれる。

三人の男がいる通路は透視図法で描かれており、平面上に奥行きが表現されている。そこであなたの知覚システムは、このイラストを平らな紙に印刷されたただの絵としてではなく、三次元の図として解釈した。三次元として見る場合、右側の人物は左側つまり手前の人物よりずっと遠くにおり、したがってはるかに大きいことになる。私たちの大半にとって、この三次元の印象は圧倒的に強い。映像アーティストや熟練した写真家でないと、三次元の図を平面に印刷された物体として見ることはできないだろう。ふつうの人の場合には、置き換えが起きる。すなわち、三次元の像としての大きさの印象が圧倒的に強いため、二次元で見た大きさの判断にとって代わる。この錯覚は、３Ｄヒューリスティックが原因である。

いまあなたが経験したのは本物の錯覚であって、問題を誤解したわけではない。あなたは、質問されているのが図中の人物の大きさであるとよくわかっていた。もし人物の大きさを見積もってくださいと言われたら、おそらく身長を表すフィートではなく、図中の大きさを表すインチで答えたことだろう。だから、質問の意図を取りちがえたわけではない。ただ、あなたは訊かれていない質問の答に影響されてしまった。それは「三人の男の身長はどれぐらいでしょうか？」という質問である。

３Ｄヒューリスティックによる二次元と三次元の置き換えは、自動的に行われた。イラストには三次元を示唆する手がかりが含まれているが、これらの手がかりは、要求されたタスク、すなわち人物の大きさを判断することとは無関係である。だから、あなたはそうした手がかりを無視すべきなのだが、どうしても無視できなかった。このため、遠くにいるように見える人物が大きく見えるというバイアスが働く。この例からわかるように、置き換えに基づく判断には、予測可能な、すなわち系統的なバイアスがかかることは避けられない。このケースでは、バイアスは知覚システムに深く根づいているので、あなたにはどうすることもできない。

しあわせに関する気分のヒューリスティック

置き換えを見事に表す例の一つとして、ドイツの学生を対象に行われた実験を紹介しよう。[*2] この実験に参加した若者には、次の二つの質問を含む質問票に答えることが要求された。

あなたは最近どのくらいしあわせですか？
あなたは先月何回デートしましたか？

実験者は答の相関関係に興味をもっており、デートの回数が多い学生は少ない学生よりハッピーだろう、と考えていた。ところが期待は裏切られた。両者の相関性はゼロに近かったのである。しあわせかどうかと訊かれたときに学生の頭に浮かんだのは、明らかにデートのことではなかった。さてこの実験では、もう一つの学生グループに同じ質問をしている。ただし順序は逆である。

あなたは先月何回デートしましたか？
あなたは最近どのくらいしあわせですか？

すると、先ほどとはまったくちがう結果になった。この順序で質問すると、デートの回数と幸福度は、心理学的な調査ではこれ以上望めないほど高い相関性を示したのである。[*3] これはどうしたことだろうか。

説明は簡単につくし、これが置き換えの好例であることがわかる。デートは学生の生活で中心的な地位を占めているわけではなさそうだ（その証拠に、最初のグループではデートと幸福度は相関していない）。ところがデートの回数を訊ねられた瞬間に、彼らは感情反応を起こしたにちがいない。たくさんデートをした学生は、自分はなかなかしあわせじゃないか、と気づく。一方全然デートをしなかった学生は、自分は孤独でみんなに嫌われているのだと感じる。そして次に一般的な幸福度に関する質問が提示されたときには、デート質問で呼び覚まされた感情が学生の頭にまだ残っていた、という次第である。

ここで起きた心理反応は、図9の錯覚の場合と非常によく似ている。「最近しあわせか」というのはひんぱんに自問するようなことではないし、簡単に評価できることでもない。適切に答えるためには、たくさんのことを考え合わせなければならないだろう。だが、デートのことを質問されたばかりの学生は、あれこれ考える必要がない。すでに彼らの頭の中には、関連する質問すなわち「あなたの恋愛ライフはハッピーですか」に対する答があったからだ。そこで彼らは本来訊かれている質問の代わりに、答が用意されている質問に答えたわけである。

ここでも、３Ｄ錯覚のときと同じように、学生たちが問題を取りちがえた可能性を検討すべきだろう。ひょっとすると彼らは、訊ねられた質問と置き換えた質問はほぼ同義だと考えたのだろうか。もちろん、ちがう。恋愛ライフと人生全体を区別する能力を学生たちが一時的に喪失したわけではない。もし両者の意味を訊ねられたら、ちゃんとちがいを答えられただろう。だが彼らはそんなことは訊かれなかった。彼らが訊かれたのは「どのくらいしあわせか」ということであり、それに対してシステム1はすでに答を持っていた、ということである。

デートだけが特別なわけではない。もし全般的な幸福度を訊ねる質問の直前に両親との関係や財政状態を訊ねる質問があったら、やはり同じパターンが見られただろう。どちらの場合にも、その特定の事柄に対する満足度が、全般的な幸福度を規定することになったはずだ。[*4] 要するに、回答者の感情に訴えかけて気分を変える効果のある問いは、すべて同様の効果を持つ。これもまた「見たものがすべて」効果の一種であり、幸福度を評価するときに、その時点の心理状態が答を大きく左右することになる。[*5]

感情ヒューリスティック

さまざまな論点に対する結論の優位性は、感情が絡んでいるときに一段と顕著になる。心理学者のポール・スロビックは、好き嫌いによって判断が決まってしまう「感情ヒューリスティック（affect heuristic）」の存在を提唱している。たとえば好みの党派だというだけで相手の主張に納得するのは、その一例である。あなたが現政権の医療政策に満足していたら、この政策は便益が大きく、費用も他の政策に比べ割安だと判断するだろう。他国に対して強硬姿勢に出る人は、おそらく、他国は自国より弱く、こちらの意志に従うと考えている。弱腰の人は、他国は自国より強く、そう簡単には譲歩しないだろうと考えている。放射能で汚染された食品、赤身の肉、原子力、タトゥー、オートバイといったものに対するあなたの感情的な見方が、そのままこうしたもののメリットやリスクの判断につながる。たとえば赤身の肉が嫌いな人は、「固いし栄養もない」などと言い張るだろう。

このように強固な結論に達しやすいとしても、だからといってあなたにまったく他の見方を受け入れる余地がないとか、どんな情報や理に適った推論を示されても絶対に意見を変えない、といったことを意味するわけではない。あなたの意見も、さらには感情的な傾向も、あなたの嫌いなことのリスクが思ったより小さいと知ったときには、少なくともいくらかは変わる可能性がある。ところがこのとき、リスクが意外に小さいという情報に接しただけで、その情報ではメリットについては何も触れていないにもかかわらず、メリットについての見方も変わってしまう。つまり、メリットも意外に多いと認識することになる。[*6]

いま私たちは、システム2の「性格」の新しい面を見たと言えるだろう。これまで私が描いてきたシステム2は、おおむね黙従的な監督者であって、システム1の目にあまる自由行動も容認する存在だった。同時に、システム2は意識的な記憶探索、複雑な情報処理、比較、計画立案、選択において積極的に役割を果たす存在であるとも指摘した。バットとボール問題を始め二つのシステムがやりとりするケースでは、最終責任を負うのはシステム2であるように見えた。システム2には、システム1の提案を却下する能力や、全体の進行をスローダウンさせて論理分析を実行する能力が備わっているからである。自己批判はシステム2が果たす重要な機能の一つである。

ところが感情的な要素が絡んでくると、システム2はシステム1の感情を批判するよりも、擁護に回る傾向が強まる。システム1の番人というより、むしろ保証人になってしまうようなのだ。情報や論拠を探索するにしても、既存の結論を検証する意図からではなく、結論と矛盾しない情報探しに終始する。かくして、積極的なつじつま合わせ屋のシステム1が無抵抗のシステム2に結論を押し付けることになる。

置き換えとヒューリスティクスを話題にするときは

「最初に答えようとしていた問題をちゃんと覚えているかい？　もしかすると私たちは、簡単な質問に置き換えているのかもしれない」

「いま考えるべきなのは、この応募者が仕事で能力を発揮できるか、ということだ。しかしわれわれは、彼女が面接で好印象を与えたか、という質問に答えようとしているように見える。勝手に置き換えてはいけない」

「彼はこのプロジェクトが気に入っている。それで、コストの割にメリットが大きいと主張しているのだ。典型的な感情ヒューリスティックだね」

「われわれは昨年の実績に基づいて今後数年間の業績を予測しようとしている。このヒューリスティックは妥当と言えるだろうか。他にも必要な情報はないだろうか」

まとめ

以下の表は、第1部で取り上げたシステム1の特徴と活動をまとめたものである。どの文章もシステム1が主語になった能動態で書かれているが、「心理的な事象が自動的かつ高速に起きる」といった表現で置き換えることは可能である。こちらのほうが専門的にはより正確であるが、理解しにくくなる。

システム1の特徴をまとめたこのリストが、架空の存在であるシステム1の「性格」を直感的に把握する一助となれば幸いである。読者もよくご存知のとおり、相手の性格を理解していれば、さまざまな状況でどんなことをするか、勘が働くものである。そしてあなたの勘は、だいたいは正しい。

システム1の特徴

・印象、感覚、傾向を形成する。システム2に承認されれば、これらは確信、態度、意志となる。
・自動的かつ高速に機能する。努力はほとんど伴わない。主体的にコントロールする感覚はない。
・特定のパターンが感知（探索）されたときに注意するよう、システム2によってプログラム可能である。
・適切な訓練を積めば、専門技能を磨き、それに基づく反応や直感を形成できる。
・連想記憶で活性化された観念の整合的なパターンを形成する。
・認知が容易なとき、真実だと錯覚し、心地よく感じ、警戒を解く。
・驚きの感覚を抱くことで、通常と異常を識別する。
・因果関係や意志の存在を推定したり発明したりする。
・両義性を無視したり、疑いを排除したりする。
・信じたことを裏付けようとするバイアスがある（確証バイアス）。
・感情的な印象ですべてを評価しようとする（ハロー効果）。
・手元の情報だけを重視し、手元にないものを無視する（「自分の見たものがすべて」ＷＹＳＩＡＴＩ）。

・いくつかの項目について日常モニタリングを行う。
・セットとプロトタイプでカテゴリーを代表する。平均はできるが合計はできない。
・異なる単位のレベル合わせができる（たとえば、大きさを音量で表す）。
・意図する以上の情報処理を自動的に行う（メンタル・ショットガン）。
・難しい質問を簡単な質問に置き換えることがある（ヒューリスティック質問）。
・状態よりも変化に敏感である（プロスペクト理論）。＊
・低い確率に過大な重みをつける。＊
・感応度の逓減を示す（心理物理学）。＊
・利得より損失に強く反応する（損失回避）。＊
・関連する意思決定問題を狭くフレームし、個別に扱う。＊
＊印の特徴については第4部（下巻）でくわしく扱う。

第2部

ヒューリスティクスとバイアス

第10章　少数の法則
——統計に関する直感を疑え

アメリカの三一四一の郡で腎臓ガンの出現率を調べたところ、顕著なパターンが発見された。出現率が低い郡の大半は、中西部、南部、西部の農村部にあり、人口密度が低く、伝統的に共和党の地盤である——あなたならこれをどう説明するだろうか。

最後の数秒間、あなたの脳はめまぐるしく働いたにちがいない。これは主にシステム2の担当で、意識的に記憶を探索し、仮説を立てたはずである。その間、瞳孔は拡大し心拍数は大幅に上がったことだろう。とはいえシステム1が眠っていたわけではない。システム2の働きは、連想記憶から呼び出した事実や提案に頼っているからだ。たぶんあなたは、共和党の政治が腎臓ガンの予防に効果的だという考えは却下し、最終的には、腎臓ガンの出現率の低い郡は農村地帯だという点に注目したのではないか。

私はこの例を統計学者のハワード・ウェイナーとハリス・ツワリングから教わったのだが、ウィットに富んだ彼らはこう論評している。「ガンをあまり見かけないのは、いなかのきれいな環境のおかげだとつい考えやすい。大気汚染はなく、水もきれいで、添加物の入っていない新鮮な食品が手に入る、というわけだ」[*1]。たしかにこれは完全に理に適っているようにみえる。

では今度は、腎臓ガンの出現率が高い郡を考えてみよう。この好ましくない郡の大半は中西部、南部、西部の農村部で、人口密度が低く、伝統的に共和党の地盤である。ウェイナーとツワリングは、皮肉たっぷりにこう言う。「ガンを多く見かけるのは、いなかの貧しい環境のせいだとつい考えやすい。質の高い医療を受けにくく、高脂肪の食事、酒の飲み過ぎ、タバコの吸い過ぎがよくない、というわけだ」。これはもちろん、何かがまちがっている。いなかのライフスタイルでは、出現率の高さも低さも説明できないのである。

カギとなる原因は、農村部であることや共和党の地盤だという事実ではない。あとで説明するように、単に人口が少ないことである。ここで学ぶべき教訓は、疫学的要因とは関係がない――私たちの脳と統計学はなじみが悪い、ということに尽きる。システム1は、ある種の思考をきわめてうまくやってのける。何の苦労もなく自動的に、複数の事象の因果関係を突き止めることだ。実際には因果関係が存在しなくても、原因と結果を仕立て上げるのも得意技である。腎臓ガン出現率の高い郡の話を聞いたとき、あなたはただちに、これらの郡は何らかの点で他の郡とはちがうはずだ、そしてそれが率のちがいの説明になるのだ、と考えたことだろう。だがこれから見て行くように、システム1は単なる統計的な事実を前にすると無能になってしまう。この単なる統計的な事実とは、結果の発生確率を変えはするが、それを起こすのではない事実を意味する。

偶発事象は、その定義からして、なぜ起きるのかは説明できない。だが偶発事象も積み重なれば、きわめて規則的なふるまいをする。ここに、おはじきがいっぱい詰まった大きな壺があると想像してほしい。おはじきの半分は赤、半分は白である。非常に忍耐強い人（またはロボット）が目をつぶって壺からおはじきを四個取り出し、何個が赤だったか記録したうえで壺に戻す。次にまた四個取り出して……という具合に何度もこの操作を繰り返す。結果を集計すると、「赤2＋白2」という結果が「赤4」または「白4」のほぼ六倍多く発生していることがわかるだろう。この関係性は数学的に裏付けられた事実であり、壺からの標本抽出を繰り返したら何が起きるかは、卵に金槌を振り下ろしたら何が起きるかと同じぐらい、確信を持って予想できる。卵の殻がどう飛び散るかまでは予想できなくても、金槌を振り下ろしたらどうなるかははっきりと見当がつくだろう。だが両者の間には明確なちがいがある。金槌と卵のときには因果関係を満足させることができるが、壺からの標本抽出では、それはできない。

腎臓ガン問題には、これと関連する統計的事実がかかわってくる。今度は同じ壺から、二人の忍耐強い人がおはじきを取り出して記録をとるとしよう。ジャックは一回に四個取り出し、ジルは七個取り出す。二人は、全部が白または全部が赤だったとき（これを極端なケースと言う）のみ、記録する。十分な回数取り出せば、ジャックの極端なケースはジルの八倍になるはずだ（予想確率はジャックが一二・五％、ジルが一・五六％）。ここでも金槌と卵のような因果関係はない。「四個がそろう回数は七個がそろう回数より多い」という数学的事実だけが存在する。

では次に、アメリカの全人口を巨大な壺に入ったおはじきだと考えてほしい。いくつかのおはじきには、腎臓ガンを表すKCという文字が印字されている。あなたはおはじきを取り出しては、各郡に割り当てて行く。農村部の郡（人口の少ない郡）に割り当てるおはじきの数は、他の郡より少ない。そこで、ちょうどジャックとジルの場合と同じように、極端なケース（ガンの出現率がきわめて高い、またはきわめて低い）は人口の少ない郡に見受けられる可能性が高くなる。これが、出現率の説明のすべてである。

私たちが最初に取り上げたのは、腎臓ガンの出現率が郡によってばらつきがあり、そのばらつきに法則性があるという、原因を知りたくなる問題だった。しかし先ほど私が示した説明は統計的なもので、要するに極端なケース（きわめて高い確率および低い確率）は大きい標本より小さい標本に多く見られる、ということにすぎない。この説明は、原因を示すものではない。ある郡の人口が少ないとしても、だからガンになりやすいとか、なりにくいということはない。単に、ガンの出現率が人口の多い郡よりはるかに高くなるというだけである。いや、じつのところ、説明すべきことは何もないのである。人口の少ない郡でのガンの出現率は、実際には通常より高くもなければ低くもない。ただある年における標本抽出の偶然により、そう見えるだけである。翌年も同様の調査をしたら、おそらくは小さい標本のときに極端なケースが起きるという一般的なパターンが再び観察されるだろう。ただし、去年ガンの多かった郡が必ずしも今年も多いとは限らない。その場合、郡の人口密度によるガン出現率のちがいは実際に存在しないのであって、ちがいがあるように見えるのは、専門家がアーティファクトと呼ぶものに当たる。アーティファクトは不適切な調査方法や統計処理の結果として現れ、この例で言えば、原因は標本サイズの差である。

私がいまお話ししたことは、ずいぶんと読者を驚かせたかもしれない。だがこれは、新事実でも何でもない。大きい標本が小さい標本より信頼に値することは、読者もずっと前からすでに知っていたはずだ。統計的知識を何も持ち合わせていない人でも、この大数の法則のことは聞いたことがあるだろう。だが「知っている」ということは、必ずしもイエスかノーかのどちらかではない。次の説明は、あなたに当てはまるのではないだろうか。

・「人口密度が低い」という特徴は、ガンの出現率の話を聞いたときに、すぐに関係があるとは思わなかった。
・標本数が四の場合と七の場合のちがいを知ったときに、少なくともいくらかは驚いた。
・それでもなお、次の二つの文章が完全に同じことを意味していると理解するのに知的努力を要する。

1　標本サイズが大きければ、小さい場合より正確である。
2　標本サイズが小さいと、大きい場合より極端なケースが発生しやすくなる。

文章1が明らかに正しいとわかっても、文章2を直感的に理解できるようになるまでは、あなたは文章1を本当に理解したとはいえない。

となれば、結論はこうなる。たしかにあなたは、標本サイズが大きいほうが正確だということは知っていた。だがたったいま、自分がそれをよくわかっていたとは言えないことに気づいた。これは、あなただけではない。エイモスと私が行った最初の共同研究では、高度な知識を持つ研究者でさえ直感的理解に欠けており、サンプリングの影響についての理解があやふやであることが判明した。

少数の法則

一九七〇年代前半にエイモスと行った共同研究の発端は、統計学の訓練を受けていない人でもすぐれた「直感的統計学者」になりうるか、という議論だった。エイモスはセミナーでも私との個人的な会話でも、ミシガン大学の研究者は直感的な統計処理に関して楽観的すぎると指摘していた。実際、この件には私自身強い関心を持っていた。まるで自分のことを言われているような気がしたからである。私は、自分がすぐれた直感的統計学者ではないことを発見したばかりだったのだ。だが、自分だけがひどくお粗末だとは考えたくなかった。

実験心理学者にとって、標本変動（標本抽出のやり方次第で結果に大きな変動が出ること）は単なる興味の対象どころではなく、非常に迷惑な阻害要因で、大きな代償を伴う。これのせいで、あらゆる研究プロジェクトがギャンブルになりかねない。

たとえばあなたが、六歳の女児の語彙数は平均的に六歳の男児の語彙数より多い、という仮説を実証したいとしよう。この仮説は母集団では成り立つことがわかっており、女児の平均的な語彙数は実際に男児より多い。ただし男の子と女の子の個体差は大きく、標本抽出の偶然によっては、両者のちがいがはっきりしない標本ができてしまったり、男の子の語彙数が多い標本ができてしまうこともあり得る。あなたが研究者だとしたら、この結果はひどく高いものにつく。時間と労力を無駄にするだけでなく、実際には正しい仮説を実証しそこなうからだ。標本サイズを十分に大きくすることが、このリスクを減らす唯一の方法である。少なすぎる標本数ですまそうとする研究者は、偶然に身を委ねることになる。

エラーが起きるリスクは、どんな標本サイズの場合にも、ごく単純な手続きで予想することができる。だが心理学者は昔から、標本サイズを決定するのにそうした計算を行っていない。ではどうするかと言えば、自分の判断に従っているのだが、これはだいたいにおいてまちがっている。エイモスと議論する直前に私が読んだ論文には、研究者が犯してきた（いまなお犯している）エラーが劇的な表現で指摘されていた。論文の執筆者によれば、心理学者が選ぶ標本は一般に小さすぎるため、真の仮説の実証に失敗するリスクは五〇％に達する、というのである。[*2] まともな研究者なら、そんなリスクを容認するはずがない。心理学者の標本サイズの決め方がまちがっているのは、標本変動の範囲に関する直感的な誤解がはびこっているためだと考えられる。

私はこの論文に大いにショックを受けた。というのもこの論文の指摘は、私自身の研究で発生したトラブルをまさに言い当てていたからである。大半の心理学研究者と同じように、私はたびたび小さすぎる標本サイズで調査を行っていた。そして、有意な結果を得られずに終わることがよくあった。いまや原因がわかった——納得のいかない結果は、私の調査方法に起因するアーティファクトそのものだったのである。それにしても、統計学を教える身であり、リスクを許容可能な水準に抑えるには標本サイズをどう決めるべきか、計算方法も知っている自分がこんな失敗をしでかすとは、痛恨の極みである。だが実際には私は、標本サイズを決めるのに計算などしたことがない。同僚たちと同様、慣例を信頼し、実験計画を立てるときの自分の直感を過信していた。そもそもこの問題を真剣に考えたことさえなかった。エイモスをセミナーに招いた時点で、私はすでに、自分の直感は当てにならないという結論に達していた。そしてセミナーの間に私たちは、ミシガン大学の楽天的な研究者はみんなまちがっているということで、意気投合したものである。

エイモスと私は、私一人が大馬鹿者なのか、それともたくさんの大馬鹿の一人なのかを調べることにした。数学の専門知識を持った研究者を抽出し、同様のミスを犯すかどうかを調査するわけだ。具体的には、実験の成功例などを取り混ぜたいかにもありそうな研究状況をこしらえたうえで、各人に標本サイズを決定してもらう。さらに、そのサイズを選んだ場合に起こりうる失敗のリスク評価をし、学生（実験を計画中と称する架空の学生）へのアドバイスもしてもらった。

この調査の参加者は全員が高度な知識を持つ研究者であり、中には統計学の教科書の著者も二名含まれている。エイモスと私は数理心理学会の会合で質問票を回収した。結果はじつにはっきりしていた――大馬鹿者は私だけではなかったのである。私の犯した失敗は、どれもこれも回答者の大半がやらかしていた。専門家といえども標本サイズには無頓着であることが、はっきりしたわけである。

エイモスと私は最初の共同論文「少数の法則の信奉」を書き、「ランダムサンプリング（無作為標本抽出）に関する直感は少数の法則に従っているらしい。この少数の法則とは、大数の法則は小さな数にも当てはまるとする法則である」と皮肉った。[*3] そして研究者に対し、「統計に関する直感は疑いの目で見ること、印象を信じるのはやめてできる限り計算を行うこと」を強く勧告した。[*4]

疑うより信じたい

次の文章を読んでほしい。

三〇〇人の高齢者を対象に電話調査を行ったところ、大統領の支持率は六〇％でした。

この文章の趣旨を一〇字以内でまとめよ、と言われたら、あなたはどう答えるだろうか。おそらく「高齢者は大統領を支持」と答えるだろう。この答はたしかにストーリーの幹に相当するが、となると枝葉の部分、すなわち調査が電話で行われ、標本数は三〇〇だった、という事実は無視されたことになる。これらは補足的な情報なので、あまり注意を引かない。たぶんあなたのまとめは、標本サイズがちがっても変わらないだろう。もちろん標本数がとんでもない数だったら、たとえば六人とか六〇〇〇万人だったら、あなたは注目するにちがいない。だが専門家でない限り、標本数が一五〇でも三〇〇〇でも反応は変わらないと考えられる。これがまさに「人間は標本サイズに対してしかるべき関心を示さない」ということである。

電話調査に関する最初の文章には、二種類の情報が含まれている。結果報告とその情報源である。あなたは当然ながら、結果の信頼性よりも報告の内容に注目した。ただし信頼性が著しく低い場合には、報告は信用されない。たとえば「支持者団体がバイアスのかかった不適切な調査を行った結果、高齢者は大統領を支持していることがわかった」というような文章を読んだら、あなたは言うまでもなく調査結果に価値を認めず、まったく信用しないだろう。そしてこの調査と結果は、恥知らずな政治工作の例と片付けられたにちがいない。

このように明らかなケースであれば、あなたは「信じない」という選択肢をちゃんと選べる。だが、「ニューヨーク・タイムズの記事によれば……」と「さっき廊下の立ち話で耳にしたのだが……」のちがいを明確に区別できるだろうか。あなたのシステム1は、信用できる度合いをわかっているのだろうか。「見たものがすべて」だと考える傾向からすると、とても区別できているとは思えない。

すでに述べたように、システム1はあまり疑り深くない。二通りの解釈が可能でも、そんなことはあっさり無視して、できるだけつじつまの合う筋書きをすらすらと作ってしまう。また連想マシンは、すぐに嘘とわかる情報でない限り、それが真実であるものとして組み込んでしまう。一方、システム2は、相容れない可能性を同時に留保して比べられるので、疑う能力を備えてはいる。だが、徹頭徹尾疑い続けるのは、もっともらしいことをすぐに信じるより、はるかに難事業だ。したがって少数の法則は、「疑うより信じたい」というバイアスの表れと言える。このバイアスは、以下の章でさまざまな形に姿を変えて登場する。

少数の法則の背景には、標本サイズが小さくても抽出元の母集団とよく似ているのだからかまわない、という強力なバイアスも存在する。このバイアスは、私たちが、自分が見たものの一貫性や整合性を誇張して考えやすいことに由来する。少ない観察例から導き出した「事実」に対する研究者の過剰な信頼は、ハロー効果とも深い関係がある。ハロー効果が働くと、実際にはほとんど知らない人のことをよく知っていると考えやすいからだ。システム1は、断片的な情報を手がかりにリッチなイメージをこしらえ上げるという意味で、事実より先走っていると言えよう。結論に飛びつくこのマシンは、少数の法則を信じているようなふるまいをする。もう少し一般的に言えば、システム1は、現実以上に筋の通った現実像を作り上げる。

原因と偶然

　連想マシンには、原因を探すという性質がある。統計的規則性に直面したときに私たちが難しく感じるのは、原因探しとは異なるアプローチが求められるからだ。統計学的な考え方では、何が原因でその事象が起きたのかは問題にしない。もしこの事象が起きなかったら何が起きたかを考える。この見方では、とりたてて何かの原因がその事象を引き起こしたのではない。起こりうるさまざまな事象の中から、偶然がそれを選んだにすぎない。

　私たちは原因追究思考が大好きなので、実際にまったくでたらめに起きたことのランダム性を評価するときに、重大なミスを犯しやすい。たとえば、六人の赤ちゃんが病院で次々に生まれた場合の性別を考えてみてほしい。男の子と女の子が生まれる順序は、明らかにランダムである。それぞれの事象は互いに独立して起きるのであり、直近数時間以内にある病院で何人の男の子と女の子が生まれようと、次に生まれる赤ちゃんの性別には何の影響もおよぼさない。では男の子と女の子が生まれる順序として、次の三通りを考えてほしい。

男男男女女女
女女女女女女
男女男男女男

どの順序も、起こる確率は等しいだろうか。直感的な答は「ノー」である。そしてこの答は、まちがっている。どの事象も互いに独立して起きるのだから、男が生まれる可能性と女が生まれる可能性は（ほぼ）等しい。したがって起こりうるどんな順序も、それが起きる確率は等しいのである。さていまあなたは、この結論が正しいと知っている。にもかかわらず、それはあなたの直感に反したままだろう。というのも、あなたにとって、いま挙げた三例のうち三番目だけがランダムに見えるからだ。実際にも大方の人が「男女男男女男」が起きる確率は、他の二つの順序よりはるかに高いと判断した。

私たちにはパターンを探そうとする傾向があり、世界には一貫性があると信じている。そこでは、規則性（たとえば「女女女女女女」）は偶然に起きるものではなく、機械的な因果律か、でなければ誰かの意志によって起きるものだと考える。ランダムなプロセスから規則性が生まれるとはゆめ考えないし、規則性を司るルールらしきものを感じとると、すぐさま「もしかすると本当はランダムかもしれない」という考えを捨ててしまう。しかし実際にはランダムなプロセスから、大方の人が絶対にランダムではないと感じるような順序がたくさん生まれている。規則性を見つけることが、進化の過程で有利だったことは容易に想像がつく。私たちは環境変化の徴候に自動的に目を光らせる習性が身についており、規則性探しは警戒行動の一部として祖先から受け継いでいる。たとえばライオンはでたらめな時間に平原に出没するのかもしれないが、ライオンの群れの出現率が高い時間帯を知っていれば、安心である。実際にはそれは、ランダムなプロセスのゆらぎにすぎないかもしれないのだが。

ランダム性を巡る誤解は蔓延しており、ときに重大な影響をおよぼすことがある。エイモスと私は代表性に関する共同論文を書き、統計学者ウィリアム・フェレーを引用した。フェレーは、実際には存在しないパターンを人々が見つけ出した例を挙げていた。たとえば第二次世界大戦中のロンドン大空襲では、爆撃は無作為ではないと一般に信じられていた。というのも、爆撃された地点を地図上に描くと、はっきりと偏りが見られたからである。中には、ドイツのスパイが住んでいるところは爆撃されないのだと信じている人もいた。しかし緻密な統計分析の結果、爆撃地点の分布は典型的なランダム分布であり、かついかにもランダムでない印象を与えがちな分布であることが明らかになった。「訓練されていない人の目には、ランダム性が規則性に見えたり、クラスター（群れ）を形成するように見えがちである」とフェレーは指摘している。[*5]

私はフェレーから学んだことをすぐに活かす機会を得た。一九七三年に第四次中東戦争が勃発した際に、イスラエル空軍に貢献することができたのである。といっても、空軍幹部に対し、原因究明を止めるよう進言しただけだが。

この戦争ではアラブ側が先制攻撃を仕掛け、とくにエジプト軍の地対空ミサイルが思わぬ効果を上げてイスラエル空軍機を多数撃墜し、緒戦で優位に立った。損失は甚大で、しかも偏っているようにみえた。たとえば、同じ基地から飛び立った二つの飛行中隊のうち、片方は四機を失ったが片方は無傷だった、といった話を私は聞かされた。こうしたわけで、損害を被った飛行中隊のどこが悪かったのか見つけようと、調査が開始されていた。一方の飛行中隊がとくにすぐれていると考えるべき理由はなかった。また、作戦にもちがいはなかった。だが言うまでもなく、パイロット一人ひとりの生活は、多くの点でランダムに異なる。たとえば、ミッションの合間に自宅に帰る頻度とか、任務終了後の報告の仕方などはそれぞれにちがう。私のアドバイスは、こうだった。二つの飛行中隊で異なる結果が出たのは、まったくの偶然にすぎないことを受け入れなさい。そして、パイロットに聞き取り調査をするのはすぐに止めたほうがよろしい。この場合の最もありうる答は、偶然である。あるかどうかもわからない原因を求めて行き当たりばったりの調査をするのは意味がないうえ、損害を被った中隊のパイロットには、自分や死んだ戦友に落ち度があったのではないかと感じさせ、さらによけいな重荷を背負わせることになるだろう……。

数年後、エイモスと教え子のトーマス・ギロビッチとロバート・バローネは、バスケットボールにおけるランダム性の誤解について調査し、物議をかもした。[*6] バスケット選手が続けざまにシュートを決め、いわゆる「当たっている」状態を「ホットハンド」を獲得したと言う。このホットハンドの存在は、「事実」として選手にも監督にもファンにも当たり前のように受け入れられている。たしかにそう思いたくなるのも無理はない。同じ選手が三回も四回も続けてシュートを決めたら、この選手はいまホットだから入るのだと考えたくなる。敵味方どちらの選手もこの判断に応じて行動し、味方はホットな選手にパスを集めようとするし、敵はこの選手を二人がかりでブロックしようとする。しかし、数千件の連続的なシュートを分析したところ、あまりうれしくない結論に到達した。バスケットボールでは、フィールドゴールでもフリースローでもホットハンドは存在しない、というものである。もちろん、シュートを正確に打てる選手とやや劣る選手はいる。だが入ったシュートと外したシュートの順番は、完全にランダムであることが確かめられた。ホットハンドの存在は、ランダム性の中にすぐさま秩序や規則性を見つけ出してしまう目の迷いにほかならない。つまりホットハンドは、広く信じられている認知的錯覚だと言える。

この調査結果に対する世間の反応も、注目に値する。予想外の結論だったため多くのメディアで取り上げられたのだが、大方の関係者はハナから信じようとしなかった。ボストン・セルティックスの名監督だったレッド・アウアバックは、ギロビッチの研究を伝え聞いてこう言ったという。「誰だ、そいつは。学者先生が何を言おうと、関係ないね」。ランダム分布にパターンを見出す傾向は、これほどまでに深く根付いている——少なくとも得体の知れない学者の主張より強固であることは、まちがいない。

ホットハンドの誤謬は、バスケットボールに限らず、私たちの生活にさまざまな影響を与えている。たとえば何年儲けが続いたら、投資アドバイザーを凄腕だと認めていいだろうか。何件買収を成功させたら、取締役会はCEOがこの方面で有能だと評価していいだろうか。もしあなたが直感に従って答えるなら、ランダムな事象を系統的なものと誤解して、必ず誤りを犯すだろう。私たちは、人生で遭遇する大半のことはランダムであるという事実を、どうしても認めたくないのである。

本章では、アメリカにおける腎臓ガンの出現率の話を最初に取り上げた。この例は、もともとは統計学の先生向けの本に載っていたもので、私はウェイナーとツワリングの愉快な論文を読んで知った。彼らの論文では、ゲイツ財団が行った一七億ドルもの巨額の投資に多くのページを割いている。この投資が行われた背景は、こうだ。多くの研究者は、よい教育とは何か、その秘密を探ろうと長年努力してきた。そして高成績の学校を突き止め、他の学校とどこがちがうのかを見つけようとした。この種の研究で得られた結論の一つが、よい学校は平均的に小さいという興味深い「事実」である。たとえばペンシルバニア州の一六六二の学校を調べたところ、成績上位五〇校のうち六校が小さかった。これは、通常の四倍の出現率である。こうしたデータを見たゲイツ財団が、小さな学校をつくるために多額の投資に踏み切ったという次第である。ときには大きな学校を小さな学校に分割することまで行った。アネンバーグ財団やピュー慈善信託など、著名な財団少なくとも五、六団体が追随している。おまけにアメリカ教育省も、小規模学習コミュニティ・プログラムを掲げて加勢している。

この話には、おそらくあなたも直感的に同意できるだろう。小さい学校のほうがよい教育を提供でき、したがって優秀な生徒を輩出できる理由はすぐに思い浮かぶ。大きい学校に比べて生徒一人ひとりに注意が行き届き、勉学意欲を高められる、等々。だが残念ながら、そのような原因分析は的外れである。なぜなら、「事実」がまちがっているからだ。ゲイツ財団に報告書を提出した統計専門家が、成績の最も悪い学校の特徴を訊ねられたら、やはり平均より小さいと答えただろう。小さい学校の成績は、平均を上回るわけではない。単にばらつきが大きいだけだ、というのが真実である。さらに付け加えるなら、ウェイナーとツワリングは、どちらかと言えばむしろ大きい学校のほうが、成績がよいという。とくに学年が上になるほどカリキュラムに多様な選択肢を設けられるので、それが効果を上げると彼らは指摘している。

認知心理学の最近の発展のおかげで、エイモスと私がかつてかすかに感じとっていたことがいまでは明確になってきた。脳の働きに関する次の二つの説明に、少数の法則は含まれるのである。

・小さい標本に対する過剰な信頼は、より一般的な錯覚の一例にすぎない。その錯覚とは、私たちはメッセージの内容に注意を奪われ、その信頼性を示す情報にはあまり注意しないことである。その結果、自分を取り巻く世界を、データが裏付ける以上に単純で一貫性のあるものとして捉えてしまう。結論に飛びつくのは、想像の世界でならかまわないが、現実の世界ではやらないほうがよい。

・統計学は、因果関係で説明できそうな観察結果を数多くもたらすが、統計学自体はそうした説明は行わない。現実の世界で見られる事実の多くは、標本抽出の偶然など、偶然の結果であることが多い。偶然の事象を因果関係で説明しようとすると、必ずまちがう。

少数の法則を話題にするときは

「たしかにこのスタジオは、新ＣＥＯが就任してから映画を三本立て続けにヒットさせた。だからと言って、彼がホットハンドを持っていると結論するのは時期尚早ではないかな」

「新入りのトレーダーが本物の天才かどうかは、統計の専門家に相談するまで何とも言えないね。もしかしたら、彼の連戦連勝は単なる偶然だと言われるかもしれない」

「観察例が少なすぎるから、これでは何も推定できない。少数の法則に従うのはやめよう」

「十分に大きい標本を得られるまでは、この実験結果は秘密にしておきたい。さもないと、早く結論を出せと圧力をかけられる羽目になるだろう」

第11章　アンカー

――数字による暗示

宝くじの当たり番号を決めるときなどに使う、数字を書いた回転式の円盤をご存知だろうか。エイモスと私は、一度それを作ったことがある。円盤には0から100までの数字が書かれているが、一つの円盤は必ず10で、もう一方は必ず65で止まる仕掛けにした。そしてオレゴン大学で参加者を集め、二つのグループに分け、円盤を回し、止まったときの数字をメモするように指示した。当然ながら片方のグループでは10で、もう一方のグループでは65で止まる。その後に私たちは二種類の質問をした。

国連加盟国に占めるアフリカ諸国の比率は、あなたがいま書いた数字よりも大きいですか、小さいですか？

国連加盟国に占めるアフリカ諸国の比率はどのぐらいでしょうか？

抽選用の円盤（たとえ仕掛けのない本物だとしても）の示す数字が何かに役立つことなど、どう考えてもあり得ない。だから、実験参加者はその数字を無視すべきだった。だが彼らは無視できなかった。10を見せられたグループの答えた比率の平均は二五％、65を見せられたグループは四五％だったのである。

私たちが研究した現象は、日常的によく見られ、かつ重要でもあるから、ぜひ名前を知っておいてほしい。この現象は、「アンカリング効果（anchoring effect）」または「係留効果」という。ある未知の数値を見積もる前に何らかの特定の数値を示されると、この効果が起きる。これは、実験心理学の分野ではきわめて信頼度と頑健性の高い結果で、あなたの見積もりはその特定の数値の近くにとどまったまま、どうしても離れることができない。これが、アンカー（錨）と名付けられた所以（ゆえん）である。

たとえば「ガンジーは亡くなったとき一一四歳以上だったか」と質問されたら、「ガンジーは亡くなったとき三五歳以上だったか」と訊かれたときよりも、あなたははるかに高い年齢を答えることになるだろう。住宅を買うときも、最初の提示価格に影響される。同じ住宅でも、提示価格が低いときより高いときのほうが、立派な家に見えてしまう。相手の言い値には惑わされないぞ、と心に決めていても無駄だ。こうしたわけで、日常的に見られるアンカリング効果は枚挙にいとまがない。何らかの推定や見積もりをするときに、可能な選択肢として提示された数字は、すべてアンカリング効果を持つことになる。

この効果を最初に発見したのは私たちではないが、そのばかばかしさを最初に示したのは、私たちの円盤実験である。あの実験は、人間の判断が明らかに無関係の数字に左右されうることを実証した。円盤の数字によるアンカリング効果に影響されるのは、どうみても合理的とはいえない。エイモスと私は実験結果をサイエンス誌に発表し、私たちの発見の中ではきわめて知名度の高いものの一つとなった。

とはいえ、一つだけ困ったことがあった。アンカリング効果の心理メカニズムについて、エイモスと私が完全には一致していなかったことである。彼が支持する解釈と私が支持する解釈とはどうしても折り合いがつかなかった。この問題は数十年後になって、他の多くの研究者の努力によりとうとう解決され、いまではエイモスも私もどちらも正しかったことがわかっている。二種類のメカニズム、すなわちシステムごとに異なるメカニズムがアンカリング効果を形成していたのだった。第一は慎重な調整を伴うアンカリング効果で、システム２が働く。第二はプライミングによるアンカリング効果で、システム１が自動作動している。

調整プロセスとしてのアンカリング

エイモスは、未知の数値を見積もるときに調整＋アンカリングというヒューリスティックが働くと考えていた。つまり、アンカーとなる数字を起点として、それが多すぎるか少なすぎるかを評価し、妥当と思う数字に徐々に近づけていく。頭の中で、アンカーを出発点に見積もり数字を動かすわけだ。しかし大方の人は、これ以上動かしてよいことに確信が持てなくなる時点で動かすのをやめるので、だいたいは調整の打ち止めが早すぎる結果となる。

私たちの意見相違から数十年後、エイモスの死から数年後になって、このプロセスに関する説得力のある証拠が、二人の心理学者から別々に提出された。エルダー・シャフィールおよびトーマス・ギロビッチとその教え子たちである。この二人は若い頃にエイモスと一緒に研究をしたことがあるから、その教え子はエイモスの教え孫と言えるだろう。

彼らの考え方は、紙に線を引くことを思い浮かべると理解しやすい。紙の下辺から五センチのところまで垂直に、定規を使わずに線を引く。次にもう一枚の紙を用意し、今度は上辺から線を垂直に書き下ろし、下から五センチのところで止める。するとかなりの確率で、最初の紙の五センチのほうが短いだろう。理由は、五センチがどのくらいか、あなたにははっきりわかっていなかったことにある。つまり、不確実な範囲が存在した。そこで、下から出発したときには不確実範囲の下寄りで止め、上から出発したときには上寄りで止めた。ロビン・ルブーフとシャフィールは、このメカニズムの例を日常体験の中から多数発見している。

たとえば高速道路から一般道に下りたとき、とくに同乗者としゃべっていたりするとなぜスピードを出しすぎるのかは、この「不十分な調整」という考え方でうまく説明できる。不十分な調整は、大音響で音楽を聴きたがるティーンエイジャーと苛立つ親との軋轢の原因にもなる。ルブーフとシャフィールによれば、子供は親の要求を聞き入れて「妥当」な水準までボリュームを下げる[*1]が、もともとのアンカーが大音量なので、十分な調整ができることはめったにないという。一般道に下りたドライバーも、両親の言うことを聞くよい子供も、細心の注意を払って調整するのだが、それでも十分ではない。

では、次の質問を考えてほしい。

ジョージ・ワシントンが大統領になったのはいつでしょうか？
エベレストの山頂でお湯を沸かしたら、沸騰するときの温度は何度ですか？

質問を読むとまず、あなたの頭の中にはアンカーが出現する。あなたはこのアンカーが正解ではないことを知っているし、正しい答を出すやり方もわかっている。ジョージ・ワシントンが大統領になったのは、独立宣言が採択された一七七六年より後に決まっている。またエベレスト山頂での沸騰温度は、当然ながら摂氏一〇〇度以下である。そこであなたはアンカーから離れる根拠を考えながら、正しい方向へと調整していくことになる。紙に線を引いたときのように、これ以上進んでいいとは確信が持てなくなったとき、あなたは止まる。そこが、不確実領域の境界に近い地点である。

またニック・エプリーとトーマス・ギロビッチは、調整が意識的な試みであることを示す証拠を発見した。彼らの実験では、アンカーとなる数字を聞いたときに、あたかも拒否するように首を振ることを指示された被験者は、アンカーから離れた数字を見積もった。[*2] 逆に肯定するように頷くことを指示された被験者は、強いアンカリング効果を示した。エプリーとギロビッチは、調整が努力を要する作業であることも発見している。数字を覚えていなければならないなど記憶に負荷がかかっているとか、少々アルコールが入っているなど認知資源が消耗しているときには、調整幅が小さくなる（すなわち、アンカーに近いままになる）。[*3]

不十分な調整は、怠け者のシステム2が働かなかったことを意味する。
以上のように、少なくともアンカリング効果の一部についてはエイモスが正しいことがわかった。アンカーを起点にして一定の方向へとシステム2が慎重な調整を行うケースが、これに該当する。

プライミング効果としてのアンカリング

アンカリングについてエイモスと議論しているとき、場合によって調整が行われることに私は同意したが、いまひとつ釈然としなかった。調整というのは注意を要する意識的な行動である。だがアンカリングが出現する大半のケースでは、そのような意識を伴わないものだ。たとえば、次の二つの質問を考えてみてほしい。

ガンジーが亡くなったとき、一四四歳より上でしたか、下でしたか？
ガンジーは何歳で亡くなりましたか？

第二の質問に答えるとき、あなたは一四四歳から調整を始めるだろうか。たぶん、そんなことはしないだろう。こんな途方もない数字は、あなたの判断に何ら影響を与えないはずだ。私には、アンカリングというのは暗示の一種ではないか、という勘がしていた。暗示というのは、何かを示唆するだけで、それを見たり聞いたり感じたりした気にさせることである。たとえば「いま左足にしびれを感じていませんか」と訊ねたら、かなりの人が「ああ、左足がちょっと変だなと思っていたんです」と答えることだろう。

この勘について、エイモスは私より慎重だった。そして、暗示をどう説明するのかがわかっていない以上、暗示というアイデアに訴えるのは、アンカリングを理解する助けにはならないと指摘した。これはまったく正しい。そこで私は、彼が正しいと認めざるを得なかった。それでも私は、不十分な調整がアンカリング効果の唯一の原因であるという考えに、全面的に賛成する気にはなれなかった。私たちはアンカリング効果を解明しようと何度も実験を重ねたが、どれも決定的とはいえず、とうとう私たちはそれ以上このテーマについて論文を書くことを断念した。

私たちを挫折させたこの難問は、いまでは解明されている。暗示というアイデアは、もはや曖昧ではない。私が暗示と考えていたのは、プライミング効果だったのである。この効果は、アンカーと一致するイメージを選択的に想起させる。あなたは、ガンジーが一四四歳まで生きていたとは一瞬たりとも信じなかっただろう。だが連想マシンはまちがいなく、非常に年をとった人という印象を形成したはずだ。こうして、どんな文章にも意味を持たせて理解したがるシステム1と、選択的に活性化された印象とが重なって、一連の系統的なエラーを引き起こす。私たちがだまされやすく、「こうだ」と思ったことを頑固に信じ込むのはこのためだ。アンカリング効果が二種類あることにエイモスと私が気づかなかったのは、当時は必要な調査テクニックや理論がまだ存在していなかったからだった。私たちが挫折した後に、他の研究者が調査手法の開発に成功した。暗示に似たプロセスは実際に多くの状況で起きており、システム1は、アンカーが現実の数字になるような世界を構築しようとする。これは、第1部で述べたように、連想活性化が一貫性を保つ現象の一種と言える。

ドイツの心理学者トーマス・マスワイラーとフリッツ・ストラックは、アンカリングにおけるこうした連想一貫性を示す非常に説得力のある実験を行った。[*4] そのうちの一つでは、温度のアンカリング質問として、参加者に「ドイツの年平均気温は摂氏二〇度より高いでしょうか、低いでしょうか」または「ドイツの年平均気温は摂氏五度より高いでしょうか、低いでしょうか」と訊ねる。

その後に全員にいくつかの単語をほんの一瞬だけ見せ、どんな単語があったかを答えてもらう。すると、「摂氏二〇度……」と訊かれたグループは夏を想起させる単語（太陽、海岸など）をすぐに思い出し、「摂氏五度……」と訊かれたグループは冬を想起させる単語（霜、スキーなど）を思い出した。このようにアンカーと一致する記憶を選択的に活性化する働きは、アンカリング効果によるものと言える。つまり、高い気温と低い気温は、記憶の中のそれぞれ別の観念を活性化させたのである。その後に年平均気温を予想させると、このバイアスのかかった観念に基づいて見積もられるため、最終的な答もバイアスがかかることになる。

同じ研究者によるもう一つのエレガントな実験では、参加者はドイツ車の平均価格を質問される。このとき高いアンカーは選択的に高級ブランド（メルセデス、アウディ）のプライム（先行刺激）となり、低いアンカーは大衆ブランド（フォルクスワーゲン）のプライムとなることが確かめられた。すでに述べたように、あらゆるプライムは、それと一致する情報を想起させる。以上のように、暗示とアンカリングは、どちらもシステム1の自動的な反応で説明できる。思いついた時点では検証方法がわかっていなかったが、アンカリングと暗示に関する私の勘は正しかったのだった。

アンカリング率

心理現象の多くは、実験で存在を明らかにすることはできても、実際に計測できるものはごくわずかしかない。アンカリング効果は、その数少ない例外の一つである。アンカリングは計測され、驚くほど強い効果であることが確かめられている。サンフランシスコ科学教育センターを見学すると、次の二つの質問が出される。*5

世界一高いアメリカ杉は、一二〇〇フィートより高いでしょうか、低いでしょうか？
世界一高いアメリカ杉の高さはどれぐらいだと思いますか？

この質問の一二〇〇フィートは「高いアンカー」である。「一八〇フィートより高いでしょうか、低いでしょうか？」と質問される見学者もいる。この一八〇フィートは「低いアンカー」となる。二つのアンカーの差は、一〇二〇フィートである。

さて予想通り、二つのグループの推定値はかなり隔たりがある。第一のグループの推定値は八四四フィート、第二のグループは二八二フィートで、両者の差は五六二フィートだ。ここで、単純に二つの差を比率（五六二／一〇二〇）で表したものがアンカリング率で、この場合には五五％である。アンカーをそのまま自分の推定値に採用した場合（たとえばアンカーが一二〇〇フィートで、木の高さを一二〇〇フィートと見積もった場合）にはアンカリング率は一〇〇％、アンカーを完全に無視した場合には〇％となる。この例の五五％という数字は、アンカリング率としてはごく平均的なものであり、他の多くの問題で同じような水準の数字が記録されている。

アンカリング効果は単なる研究対象ではない。現実の世界で相当な威力を発揮しうる。数年前に行われた実験では、本物の不動産仲介業者に、実際に売り出されている住宅の価格を見積もってもらった。彼らは物件を見に行き、売り手の提示価格などさまざまな情報が掲載された資料を入念に調べた。しかしじつは、仲介業者の半数に見せた提示価格は正規のカタログに記載された価格よりかなり高めで、残り半数に見せた提示価格はかなり低めになっている。[*6]こうして十分な調査をした後に、自分が買う場合の妥当な価格水準と、自分が売る場合に譲歩できる最低価格を言ってもらった。

その後、判断をする際に考慮した要素は何かという質問にも答えてもらったが、売り手の提示価格を挙げた人はいなかった。そんなものに左右されるのはプライドが許さない、というわけである。彼らは、自分たちの見積もりは提示価格に一切左右されていないと言い張った。しかし実際には、大いに左右されていた。仲介業者のアンカリング率は四一％に達したが、この数字は、不動産知識をまったく持っていないビジネススクールの学生とさして変わらない。学生たちのアンカリング率は四八％だった。両者のちがいは、学生たちはアンカーに影響されたことを認めたが、仲介業者は頑として認めなかったという点だけである。

アンカリング効果は、いくら寄付するかを決める場合など、お金に関する意思決定に強く現れる。この効果を明らかにするために、私たちは科学教育センターの見学者を対象に調査を行った。太平洋でのタンカー原油流出事故による環境汚染を調査中だとして、「被害を食い止める方法が見つかるか、タンカーの所有者が賠償金を払うまでの当面の措置として、太平洋沿岸の海鳥五万羽を救うためにいくら寄付しますか？」という質問に答えてもらった。これは、レベル合わせを必要とする質問であり、回答者は苦境に陥った海鳥に対する自分の気持ちに見合った寄付額を考えることになる。このとき一部の見学者には、「いくら」ではなく、「五ドル以上寄付するつもりはありますか？」または「四〇〇ドル以上寄付するつもりはありますか？」とアンカーを含む質問をした。

アンカーが提示されない場合、見学者はもともと環境問題への関心が高いこともあり、平均して六四ドル寄付すると答えている。アンカーが五ドルだと、寄付額の平均は二〇ドルになる。一方、かなり高額の四〇〇ドルがアンカーだった場合には、平均は一四三ドルに達した。

高いアンカーを示されたグループと低いアンカーのグループとの差は一二三ドル、アンカリング率は三〇%だった。これは、最初に一〇〇ドルというアンカーを提示すれば、三〇ドルの上乗せが得られることを意味する。

お金を出す意思などを問うさまざまな調査では、同程度かさらに大きいアンカリング効果が観察された。たとえば、大気汚染のひどいマルセイユに住む人々に、空気のきれいなところに住むためなら生活費がどのぐらい嵩んでもいいかと質問したところ、アンカリング率は五〇%を上回った。インターネット通販サイトでは、同じ商品に異なる「即売価格」がつけられていることが多いので、アンカリング効果を簡単に観察することができる。また美術品のオークションで示される「予想落札価格」も、札入れ価格に影響を与える。

いくつかの状況では、アンカリングが起きるのも無理はないと言えそうだ。難しい質問をされた人が藁をつかもうとするのは理解できるし、アンカーはその藁になると考えられるからだ。カリフォルニアの木について何も知らない人が、アメリカ杉の高さが一二〇〇フィートより高いかどうか訊ねられたら、この数字は実際からかけ離れてはいないものと考えたくなるだろう。正解を知っている人がこの質問を考案したのだろうから、アンカーはよいヒントになる、と判断しておかしくない。だが、アンカリング効果に関する研究で重要な発見の一つは、明らかにでたらめなアンカーであっても、手がかりとなりうるアンカーとほぼ同じ効果をもたらすことである。

国連加盟国に占めるアフリカの比率を推定してもらう調査で、私たちは抽選用円盤などという代物を使ったにもかかわらず、アンカリング率は四四％に達した。これは、アンカーが妥当なヒントと受け止められた場合のアンカリング率の範囲に収まっている。同程度のアンカリング効果が観察された実験としては、回答者の社会保障番号の末尾数桁をアンカーに使ったものが挙げられる（市内の開業医の数を推定する問題で、この数字をアンカーにした）。これらの点から、結論は明らかだ。アンカーは、ヒントとして有用だと受け手が感じるから効果を持つわけではない、ということである。

でたらめなアンカーの威力は、いささか穏やかならぬ方法でも確認されている。平均一五年以上の豊富な経験を持つドイツの裁判官たちに、万引きで逮捕された女性の調書を読んだうえで、二個のサイコロから一個を選んで振ってもらう。[*7] サイコロにはおもりがついていて、三か九しか出ないようになっている。サイコロが止まった時点で、刑期（月単位）は出た目より長くすべきか短くすべきかを答える。最後に、自分が裁判を担当した場合にその女性に申し渡す刑期を答える。すると、九が出たグループの平均刑期は八カ月、三が出たグループは五カ月という結果になり、アンカリング率は五〇％に達した。

アンカーの利用と濫用

いまやあなたは、アンカリング効果が、プライミングによるものであれ、不十分な調整によるものであれ、どこにでも見られることに気づいたと思う。アンカリングを生む心理メカニズムは、大半の人を好ましくないほど暗示にかかりやすくしてしまう。そこで当然ながら、このだまされやすさにつけ込もうと考える輩や、実際にそれをやってのける輩が多数出現することになる。

たとえば、意図的な数量制限が効果的なマーケティング手法になることは、アンカリング効果で説明できる。数年前、アイオワ州スーシティーのスーパーマーケットがキャンベル・スープのセールを行い、定価から約一〇%引きで販売した。数日間は「お一人様一二個まで」の張り紙が出され、残り数日間は「お一人何個でもどうぞ」の張り紙に変わった[*8]。すると、制限されていた日の平均購入数は七缶で、制限なしの日の二倍に達したのである。もちろん、アンカリング効果だけが原因ではない。数量制限を設けることで、品物が飛ぶように売れていく様子が想像され、買い物客は急いで買い溜めしなければ、という気にさせられたことだろう。だが、「一二個」という表示が、たとえいい加減に選ばれたとしても、アンカリング効果をもたらしたこともまちがいない。

住宅価格の交渉でも、売り手がまず価格を提示し、先手を打つことによって、同じ効果が働く。先手を打つことは多くの勝負で有利であるが、争点が一つしかない交渉（たとえば買主と売主の間で決着すべき問題が価格だけであるような交渉）でも、先手は有利になる。バザールのような市場で値切り交渉をしたことのある人なら知っているように、最初のアンカーは絶大な効果を持っている。そこで私は交渉術のクラスで、次のように教えている。相手が途方もない値段を吹っかけてきたと感じたら、同じように途方もない安値で応じてはだめだ。値段の差が大きすぎて、交渉で歩み寄るのは難しい。それよりも効果的なのは、大げさに文句を言い、憤然と席を立つか、そうする素振りをすることだ。そうやって、そんな数字をもとにして交渉を続ける気はさらさらないことを、自分にも相手にもはっきりと示す。

心理学者のアダム・ガリンスキーとトーマス・マスワイラーは、交渉におけるアンカリング効果に対抗する方法として、もう少し高級なやり方を提案している。[*9]アンカーに対抗する論拠を見つけるために、注意を集中し、記憶を探索する方法である。たしかに、こうすればシステム2を活性化できるので、効果がありそうだ。たとえば、相手が受け入れそうな最低値はいくらぐらいかを考えるとか、交渉決裂となった場合に相手が被る損失を計算するといったことに集中すれば、アンカリング効果は薄れるか、消えるはずである。一般に、意図的に「反対のことを考える」戦略は、バイアスのかかった思考を排除することにつながるので、アンカリング効果に対するよい防衛策となる。

最後に、アンカリング効果が公共政策におよぼす影響について考えてみよう。

ここでは、個人に障害を負わせた場合の賠償金を取り上げる。この種の賠償金はとかく巨額になりやすい。そこで、病院や化学メーカーなどこうした訴訟のターゲットになりがちな企業は、賠償金額に上限を設けるよう、ロビー活動をしてきた。アンカリング効果について知る前の読者なら、上限を設けるのは被告側にとって有利だと考えていたかもしれない。だがいまでは、そうとは言い切れないはずだ。たとえば、上限を一〇〇万ドルに設定したとする。こうすればたしかに、それ以上の賠償金を払うことは防げるが、本来ならもっと少額ですんだはずの賠償金まで押し上げることになりかねない。[*10]この措置では、重大な法律違反を犯した被告や大企業が、些細な違反者や中小企業よりはるかに大きな恩恵を被ることになる。

アンカリングと二つのシステム

ランダムなアンカー効果は、システム1とシステム2の関係について多くを教えてくれる。アンカリング効果の研究は、判断と選択というタスクに関して行われてきた。これらのタスクを最終的に実行するのはシステム2である。だがシステム2は記憶から呼び出したデータに基づいて働くのであり、こちらはシステム1が意識せず自動的にこなす。このときアンカーは特定の情報を呼び出しやすくするので、システム2は、アンカーによるバイアスの影響を受けることになる。でたらめなアンカーや途方もないアンカー（たとえばガンジーの死亡年齢が一四四歳）を示された実験参加者は、「こんな無用の情報から影響は受けない」と自信満々で言い張ったけれども、実際には受けていた。

また少数の法則を取り上げたときに指摘したとおり、すべての情報は、すぐに嘘とわかって却下されるもの以外、連想システムに等しく影響をおよぼす。連想システムは情報の信頼性に拘泥しないからだ。大事なのはストーリーであり、それは何であれ、入手できた情報からこしらえられる。たとえ情報の量が乏しく、質が疑わしくても、問題にされない――見たものがすべてである。怪我をした登山家が英雄的な救助活動によって助けられた話を読んだ場合、それが新聞記事であっても、映画のあらすじであっても、連想記憶には同じ効果をもたらし、この連想活性化からアンカリング効果が形成される。そのストーリーが真実かどうかは、まったくとは言わないまでも、ほとんど問題にならない。ランダムなアンカー（たとえば抽選用の円盤）が、明らかに何も役立つ情報を提供しないにもかかわらず強力な効果を持つのは、こうした現象の極端なケースと言える。

プライミング効果が驚くほど多様であり、こちらが何の注意も払わず、気づいてもいない刺激によって思考や行動が影響を受けることは、すでに述べたとおりである。プライミングに関する研究から得られた貴重な教訓は、私たちの思考や行動がその瞬間瞬間の状況に、自分が気づいている以上に、あるいは望む以上に左右される、ということである。多くの人が、主観的な経験と相容れないという理由から、プライミングの影響を信じようとしない。また、自立した主体としての主観的感覚を脅かされると感じて、動転する人も少なくない。たまたま目にしたコンピュータのスクリーンセーバーに影響されて、しかもそのことに気づかないままに、見知らぬ人を助けるかどうかの意志が左右されるとしたら、自分は自由だと言えるのか、というわけだ。アンカリングも、同じような危険をはらむ。仮にあなたがつねにアンカーを意識し、それに注意を払ったとしても、アンカリングがあなたの思考をどう導きどう制限するのかは、あなたにはわからない。なぜなら、アンカーが変わったりなくなったりしたら自分の考えがどう変わるのか、想像することは不可能だからだ。

とはいえ、あなたにもできることはある。何らかの数字が示されたら、それがどんなものでもアンカリング効果をおよぼすのだ、と肝に銘じることである。そして懸かっているものや金額が大きい場合には、何としてもシステム2を動員して、この効果を打ち消さなければならない。

アンカーを話題にするときは

「買収を検討している企業から、事業計画書を送ってきた。そこには売上予想が記入されている。しかし、この数字に影響されてはまずいから、見ないことにしよう」

「この計画は、ベストケース・シナリオだ。実際の結果を予測するに当たって、このシナリオのアンカリング効果を受けるのは好ましくない。そのための一つの方法として、計画通りに行かなかったらどうなるかを考えるとよい」

「今回の交渉の眼目は、相手方にとってこの数字をアンカーにしてしまうことだ」

「はっきり言おう。相手が本気でこんな提案をしてきたのなら、交渉は打ち切りだ。こんなものを交渉の出発点にすることはできない」

「被告の弁護人は、まったく根拠のない資料を作成し、被害総額をばかばかしいほど低く見積もっている。連中はこの数字を裁判官のアンカーにしようとしているのだ[*11]」

第12章　利用可能性ヒューリスティック

──手近な例には要注意

一九七一年から七二年にかけて、エイモスと私はオレゴン州ユージーンにあるオレゴン研究所で、客員研究員として研究に取り組んだ。この研究所には判断、意思決定、直感的予測などの分野で将来有望な研究者が招かれており、ここでの二年間は私たちにとって最も生産的な時期だった。ホスト役はミシガン大学でエイモスと同級だったポール・スロビックで、彼とはいまでも親交がある。ポールはリスク分野の第一人者であり、多数の賞を得るなど高い評価を得ていた。ポールと妻のローズがユージーンの社交生活に暖かく迎え入れてくれたおかげで、ほどなく私たちもジョギングだのバーベキューだのバスケットボール観戦だの、ここに来たら誰もがやることに夢中になったものである。その一方で研究にも熱を入れ、数十種類の実験を行い、判断のヒューリスティクスに関する論文を量産した。夜は夜で『注意と努力』の執筆にいそしんだ。じつに充実した一年だった。

この頃に取り組んだテーマの一つが、「利用可能性ヒューリスティック（availability heuristic）」である。このヒューリスティックを思いついたのは、たとえば「六〇歳以上で離婚する人」や「毒を持つ植物」といったカテゴリーの頻度を見積もるときに、多くの人は実際に何をやっているのだろうか、と自問したときである。

答はすぐに出た。記憶から同種の例を呼び出し、それがたやすくスムーズに呼び出せるようなら、そのカテゴリーは規模が大きいと判断するのである。「事例が頭に思い浮かぶたやすさ」で頻度を判断することから、私たちはこれを利用しやすさ、すなわち利用可能性ヒューリスティックと呼ぶことにした。[*1] 当時この定義は十分に明確に思えたが、「利用可能性」の概念はその後に修正されている。利用可能性の研究を始めた頃はまだ二つのシステムというアプローチをとっておらず、したがってこのヒューリスティックが熟考型の問題解決戦略なのか、それとも自動処理なのか、わかっていなかった。現在では、両方のシステムが関与しているとわかっている。

私たちが最初に考えた問題は、いくつぐらい例が思い浮かべば、たやすく呼び出せたという印象が得られるのだろうか、ということである。いまでは答はわかっている――ゼロだ。たとえば次の二組の文字列を見て、これらの文字を使って作れる単語の数はどちらの列のほうが多いか、考えてほしい。

XUZONLCJM
TAPCERHOB

あなたは実際の単語を呼び出すまでもなくすぐに答がわかり、左の列のほうがたぶん一〇倍以上たくさん単語を作れると感じたことだろう。同じように、ベルギー、中国、ニカラグアなどの国名を示され、去年一年間でニュースに登場した頻度を比較するように言われても、具体的なニュースを思い浮かべるまでもなく、迷わず答えられるにちがいない。

利用可能性ヒューリスティックは、他の判断のヒューリスティクスと同じく、訊ねられた質問を別の質問に置き換える。あるカテゴリーのサイズやある事象の頻度を見積もるべきときに、その例が頭に思い浮かぶたやすさを答えているのである。しかしこのような置き換えをすれば、系統的なエラーにつながることは避けられない。このヒューリスティックがどのようにバイアスを形成するのかは、ごく簡単な手順を踏めばすぐにわかる。頻度そのもの以外で、すぐに思い浮かぶ具体例を書き出してみればいい。そこに書き出したものすべてが、バイアスの原因になりうる。いくつか例を挙げておこう。

・注意を引きつけるような目立つ事象は、記憶から呼び出しやすい。たとえば、ハリウッドのセレブの離婚や政治家の浮気スキャンダルなどはこれに当たる。そこであなたは、映画スターの離婚や政治家の浮気の頻度を多めに見積もりやすくなる。

・世間の耳目を集めるような事象は、一時的にそのカテゴリーの利用可能性を増大させる。たとえば飛行機事故は大々的に報道されるので、あなたはしばらくの間飛行機の安全性を過小評価しがちになる。また路上で炎上している自動車を見た直後などは、その事故を鮮明に覚えているので、危険全般に用心深くなる。

・個人的に直接経験したこと、写真、生々しい実例などは、他人に起きた出来事、報道、統計などよりも記憶に残りやすく、利用可能性が高まる。たとえばあなた自身の訴訟で不当な判決があったら、そうした事件を新聞で読んだ場合よりも、司法制度に対する信頼は大きく揺らぐだろう。

このように、利用可能性ヒューリスティックが形成しうるバイアスはきわめて多い。この種のバイアスを防ぐことは不可能ではないが、かなり骨が折れる。印象や直感を鵜呑みにしないようにするためには、次のような質問を自分に発してみなければならない。「最近このあたりで起きた二、三の事件だけを理由に、一〇代の若者の窃盗が大きな社会問題だと言い切ってしまっていいのだろうか」、あるいは「自分の知り合いで去年インフルエンザにかかった人がいないからといって、予防接種を受ける必要がないと考えてよいのだろうか」など。バイアスを防ぐために自分を監視し続けるのは、たしかに面倒だ。だが高い代償を伴うエラーを防げることを考えれば、この努力はする価値がある。

利用可能性に関するある著名な研究によれば、自分自身のバイアスを意識することで、結婚生活は平和になるし、おそらくは他のさまざまな共同プロジェクトもうまくいくようになるという。

この研究では、夫と妻それぞれに「家の掃除・整理整頓へのあなた自身の貢献度はどのぐらいですか?」と質問する。回答者はパーセンテージで答える。このほか「ゴミ出し」や

「社交的な行事」などについても同様の質問をする。夫と妻が答えた貢献度を合計すると、ちょうど一〇〇%になるだろうか、それとも上回るだろうか、下回るだろうか。ご明察のとおり、貢献度の合計は一〇〇%を上回る。*2 その理由は、単純な利用可能性バイアスで説明がつく。夫も妻も、自分のやっている家事は、相手のやったことよりはるかにはっきりと思い出すことができる。この利用可能性の差が、そのまま貢献度の判断の差として現れるのだ。

このバイアスは、必ずしも自分に都合のよい方向にばかり働くわけではない。喧嘩の原因に関しても、夫と妻はどちらも自分に非がある可能性を多めに見積もっている。ただしその度合いは、掃除やゴミ出しといった「よいこと」に比べるとかなり小さい。このバイアスは、一般的な共同作業でも観察される。すなわちチームで仕事をする場合、自分のほうが他のメンバーよりがんばっており、他のメンバーの貢献度は自分より小さいと考えがちである。

バイアスを自分の力でコントロールする可能性に関して、私はおおむね悲観的なのだが、この利用可能性バイアスは例外である。というのも、バイアスを排除する機会が存在するからだ。たとえば報奨を分け合う場合などは、露骨にちがいが出るため、複数の人が「自分の貢献は適切に評価されていない」と感じると、チーム内で軋轢が起きやすい。そんなときには、各自の自己評価に従ったら貢献度の合計が一〇〇%以上になってしまうことを示すだけで、問題が解消することがよくある。あなたはもしかすると、自分に配分された報奨以上の貢献をしたのかもしれない。だがあなたがそう感じているときは、チームのメンバー全員も同じ思いをしている可能性が高い。このことは、誰もが肝に銘じておくべきである。

利用可能性の心理学

利用可能性ヒューリスティックに関する理解が大きく進歩したのは、一九九〇年代前半のことである。この頃、ノーバート・シュワルツが率いるドイツの心理学者グループが、おもしろい質問を提起した。[*3] それは、カテゴリーの頻度に関する印象は、それに関する具体例を書き出してもらったときに影響を受けるだろうか、という質問である。読者も被験者になったつもりで考えてみてほしい。

まず、あなたが何かを強く主張した例を六つ書き出してください。
次に、自分はどの程度自己主張が強いか、自己評価してください。

自己主張をした具体例を一二書き出してくださいと言われたら、どうだろう（たいていの人はそれだけの数は思いつかない）。自分の自己主張の強さに対する評価は変わってくるだろうか。

シュワルツのチームは、具体例を挙げることによって、被験者の判断は次の二つのルートを介して強化されると考えている。

・思い出した例の数

・それらの例の思い出しやすさ

一二の例を挙げるよう指示した場合、この二つの決定因は対立することになる。自分が強く主張した印象的な例はすぐに思い出せるが、最初三つか四つはすぐに思い浮かんでも、残りはなかなか出てこない。すなわち、一二も思い出すのはたやすくはない。すると、どちらの重みが大きいだろうか。思い出せた数だろうか、それともたやすさだろうか。

実験の結果は明白だった。やっとのことで一二例を思い出したグループは、自分の自己主張の度合いを、六例のグループより低く評価したのである。さらにおもしろいことがある。「自己主張をしなかった例を一二書き出してください」と言われたグループは、自分はとても自己主張が強いと評価したのだ。自分がおとなしく人の意見に従った例をなかなか思い出せなかった人は、自分は全然おとなしくないと結論する可能性が高い、ということである。このように自己評価は、具体例を思い出すたやすさに左右される。たやすく思い出せたという感覚は、思い出せる例の数より強力なのである。

たやすさが果たす役割をより直接的に示す実験も行われている。*4 被験者は全員、自己主張を強くした例（または主張しなかった例）を六つ書き出す作業の間、指定された表情をしていなければならない。「笑顔」グループは頬の筋肉をゆるめて微笑を浮かべるよう指示され、「しかめ面」グループは眉間にしわを寄せるよう指示された。読者はすでにご存知のとおり、しかめ面をすると認知的負荷が高まるし、認知的負荷が高まればしかめ面になる。しかめ面をするよう言われたグループは、例を思い出すのに相当がんばらなければならず、大きな認知的負荷を感じた。すると研究チームの予想通り、なかなか例を思いつかなかったしかめ面グループは、自己主張の度合いを低く評価した。

心理学者にとって、こんなふうに通説と逆の結果が出る実験は楽しい。シュワルツの発見は、さまざまな実験で応用されている。たとえば、

・自転車の利用頻度を訊ねる質問では、具体例をたくさん思い出してもらうときのほうが、少ないときより、頻度を過小評価した。

・自分の選択について、その根拠を多く挙げさせるときのほうが、少ないときより、選択の正しさに自信が持てなくなる。

・事故の回避について、そのための方法を多く挙げさせるときのほうが、少ないときより、事故は避けられたはずだと思えなくなる。

・ある車の長所を多く挙げるよう指示すると、その車にさほど魅力を感じなくなる。

カリフォルニア大学ロサンゼルス校のある教授は、利用可能性バイアスを利用する巧みな方法を考え出した。学生たちに講座の改良点を挙げさせたのだが、このとき、クラス別に挙げてもらう数を変えた。すると予想通り、改善点を多く挙げるように指示したクラスほど、

講座に高い評価をつけた。

この種の調査でおそらく最も興味深い発見は、必ず逆説的な結果が出るとは限らないことである。ときには、思い出しやすさよりも、思い出した内容で判断するケースがあった。ある行動パターンを正確に理解したと言うためには、その行動がなぜ逆転するのかをわかっていなければならない。シュワルツのチームはこの難題に挑戦し、どのような場合に逆パターンが起きるのかを調べた。

被験者が頭の中に自己主張した例を思い浮かべるたやすさは、その進行に伴って変化する。最初の数例は容易に思い浮かぶが、やがてなかなか思い出せなくなる。もちろん被験者本人も、思い出しやすさ（流暢性）がだんだん減っていくことは予想していたはずだが、六例と一二例との間での落ち込みは予想より急激だと感じられる。このことから、被験者は推論を行う。すなわち、自分が自己主張した例を思い出すのは思ったより大変である。これほど大変だとすると、自分はあまり自己主張が強いほうではないのだ、というふうに。この推論が、予想していたほどたやすくは思い出せない、という意外感に基づいている点に注意してほしい。この点を踏まえると、被験者が使った利用可能性ヒューリスティックは、「予想外の非利用可能性」ヒューリスティックと表現するほうが適切だろう。

シュワルツのチームは、思い出しやすい（または思い出しにくい）のはなぜか、その理由を被験者に説明すれば、ヒューリスティックを打破できると考えた。そこで被験者に対し、「具体例を思い出している間にＢＧＭを流すのでそれを聴くように。その音楽が記憶を呼び出す作業に影響を与える」と話した。このとき、第一グループには音楽を聴くと作業能率が上がると伝え、第二グループには能率が下がると伝えた。すると予想通り、思い出しやすい（思い出しにくい）理由がすでに「説明されていた」ため、被験者はそれをヒューリスティックとしては利用しなかった。すなわち、音楽を聴くと作業能率が下がると言われたグループは、一二例を思い出したときも、六例を思い出したときも、自己主張について同程度の自己評価を下した。音楽以外でも、他のもっともらしい理由、たとえば記入欄がまるいとか四角いとか、スクリーンの背景色が明るいとか暗いとか、とにかく実験者が思いついた適当な説明をつければ、自己評価は思い出しやすさに左右されなくなった。*5

こうしてみると、利用可能性ヒューリスティックを使って判断に至るまでのプロセスには、かなり複雑な推論連鎖が絡んでいるように見える。おさらいしてみよう。被験者は、だんだんと具体例が思い浮かばなくなることに気づく。もちろん被験者は、思い出すのが次第に困難になることは、あらかじめ想定している。ところがこの想定は不十分で、当初考えていた以上に早く困難さの度合いが高まる。とりわけ、一二例を思い出すよう指示された被験者は、思い出すのが意外に難しいと感じ、自分は思ったほど自己主張の強い人間ではない、と判断を下す。しかし偽の説明によって意外感が取り除かれていれば、思い出すのがどれほど困難でも、判断に影響はおよぼさない。以上のプロセスは、一連の高度な推論で構成されているように見える。となると、自動処理型のシステム1に、こんな作業をこなせるのだろうか。

実際には、複雑な推論は一切いらない。システム1の基本的な機能には、予想を立てる能力や予想が外れたときに意外だと驚く能力が含まれているからだ。システム１はまた、最近予想外で驚いたことを記憶の中から見つけ出し、考えられる原因を呼び出すこともできる。さらにシステム２がシステム１の予想を途中でリセットし、ふだんなら驚く出来事もあまり意外でないように変えてしまうこともできる。たとえば、「お隣に住んでいる三歳の男の子は公園で遊ぶときにシルクハットをかぶっている」と言われたとしよう。するとあなたは、この男の子が実際にシルクハットをかぶって遊んでいるのを見かけても、事前予告がなかったときほどには驚かないはずだ。シュワルツの実験では、「ＢＧＭが思い出す邪魔をする」という説明が、この事前予告の役割を果たし、一二例をなかなか思い出せなくても、とくに意外ではなくなる。そこで、自己主張の度合いを自己評価するときに、そのことに左右されなくなった。

シュワルツのチームは、判断に個人的な思い入れがある場合には、思い出しやすさよりも思い出した例の数を重んじる傾向があることにも気づいた。そこでチームは、心臓病のリスクを評価する調査に、二種類の学生を集めた。学生の半分は、身内に心臓病になった人やそれで亡くなった人がいて、ふつうの人より調査に身が入ると期待された。残り半分は、そうした経験のない学生である。

学生は全員、自分たちの生活習慣の中で、心臓病に影響すると思われるものを三例または八例挙げるよう指示された。半数は心臓病になりやすい危険な習慣、残り半数は心臓病予防に効果的な習慣の例を挙げる。*6 身内に心臓病患者のいない学生はこのタスクに気楽に臨み、利用可能性ヒューリスティックに従った。すなわち、自分の生活習慣で危険なものを八例思い出すのは難しいと感じた学生は、自分は心臓病リスクとは無縁だと答え、予防に効果的な習慣を思い出すのは難しいと感じた学生は、自分は危ないと答えた。しかし身内に心臓病患者のいる学生は、まったく逆のパターンを示した。すなわち、予防に効果的な習慣を多数思い出した学生は、自分は安全だと感じ、危険な習慣を多数思い出した学生は、自分は危険だと感じた。またこのグループの多くが、このリスク評価をしたことによって将来の自分の行動は変わってくるだろうと答えた。

以上から、次の結論を導き出すことができる。具体例を思い出すたやすさは、システム1のヒューリスティックとなる。システム2が関与して、たやすさよりも思い出した例の内容に注意を集中するようになれば、このヒューリスティックは排除される。さまざまな実験データから、システム1にうかうかと従う人は、システム1を厳しく監視している人よりも、利用可能性バイアスがかかりやすいことがわかっている。次のような条件の下では、人間は流れに身をまかせやすく、思い出した例の内容よりも、思い出しやすさに強く影響される。

・努力を要する別のタスクを同時に行っている。*7
・人生の楽しいエピソードを思い出したばかりで、ご機嫌である。*8
・気分が落ち込んでいる。*9
・タスクで評価する対象について生半可な知識を持っている。*10 ただし本物の専門家は逆の結果になる。[*11]

・直感を信じる傾向が強い。[*12]

・強大な権力を持っている（またはそう信じ込まされている）。[*13]

最後の条件は、とりわけ興味深く感じる。この点を指摘した論文では、ある有名な発言が引用されている。自分の考えたことが正しいと確かめるために、全世界で世論調査をするような手間はかけない」——これは、ジョージ・W・ブッシュ大統領が二〇〇二年一月に行った発言である。この論文によれば、直感を信じる傾向に占める性格的な要因はごく小さい。権力を持っていた時期のことを思い出させるだけで、その人は自分の直感にひどく自信を持つという。

利用可能性を話題にするときは

「先月たまたま飛行機事故が二件重なったせいで、彼女は電車で行きたがっているんだ。ばかばかしい。リスクが変わったわけじゃない。あれは、利用可能性バイアスだよ」

「屋内空気汚染があまりニュースにならないので、彼はそのリスクを過小評価している。これは、利用可能性の効果と言えるだろうね。彼は統計データを見るべきなんだ」

「彼女は最近スパイ映画を立て続けに見たらしい。あれも陰謀だとか、これも謀略だとか、うるさいんだ」

「CEOはこのところ続けざまに商談を成功させた。そのおかげで、失敗した案件のことはとんと思い出せないらしい。この利用可能性バイアスがCEOの自信過剰につながっている」

第13章　利用可能性、感情、リスク
——専門家と一般市民の意見が対立したとき

リスクの研究者は、利用可能性という概念が自分たちの専門分野と関係があることにすぐに気づいた。私たちの論文が発表される前にすでに、経済学者のハワード・クンルーサーは、利用可能性の影響を使うと災害後の保険購入や予防行動のパターンをうまく説明できることを知っていた。ちなみにクンルーサーはリスクと保険が専門で、当時はまだ研究生活を始めたばかりだった。

災害が起きると、被災者はもちろん、その周囲の人も、直後は非常に心配になるものである。たとえば大きな地震が起きるたびに、カリフォルニアの住民は積極的に保険に加入し、予防策や防衛手段を熱心に講じる。ボイラーを固定したり、洪水対策として一階のドアを防水仕様にしたり、防災用品を持ち出しやすいように整頓したりするわけだ。だが災害の記憶が時とともに薄らいでくると、心配や警戒心も薄れてくる。この記憶の変化が、災害→心配→油断というサイクルの繰り返しに表れる。こうしたサイクルは、大規模災害の研究者にとってはおなじみのものだ。

クンルーサーは、興味深い指摘もしている。災害対策は、個人であれ政府であれ、実際に体験した最悪の事態を想定して設計される、ということである。エジプトのファラオ時代にも、毎年のように起きる河川の氾濫の最高水位が記録され、それに対する予防策が講じられていた。これは、過去の最高水位を上回る洪水は起きない、と前提されていることを意味する。最悪より悪い事態のイメージはなかなか思い浮かばないからだ。

利用可能性と感情

利用可能性バイアスに関して最も影響力のある研究は、オレゴン研究所のポール・スロビックと長年の共同研究者サラ・リキテンシュタイン、さらに私たちの同僚だったバルーク・フィッシュホフが加わって行ったものである。これは、リスクに関する一般の認識を覆すような画期的な研究だった。研究には利用可能性バイアスの実験も含まれている。いまやこの分野の標準となっているこの実験では、被験者に二種類の死亡原因を並べた問題（糖尿病と喘息、脳卒中と事故など）を数題出してどちらの頻度が高いかを予想させ、その後に原因ごとの頻度を見積もってもらう。被験者の判断結果は、死亡統計と比較して検証する。実験結果の一部をここで紹介しよう。

・脳卒中による死亡数は事故（あらゆる事故の合計）の死者の二倍に達するにもかかわらず、被験者の八〇％は事故死のほうが多いと答えた。

・竜巻で死ぬ人は喘息より多いように見えるが、実際には喘息による死亡数は竜巻の二〇倍に達する。
・雷で死ぬ人は集団食中毒で死ぬ人より少ないと判断されたが、実際には五二倍も多い。
・病死は事故死の一八倍に達するが、両者は同程度と判断された。
・事故死は糖尿病の死亡数の三〇〇倍と判断されたが、実際には糖尿病が事故死の四倍である。

ここから学べる教訓は明らかだ。被験者の判断は報道によって歪められているということである。そもそも報道されるニュースには、新奇性があるとか感情に訴えかけるといったバイアスがかかっている。メディアは大衆の関心を形成するだけでなく、大衆の関心によって方向づけられる。メディアとしては、ある種のニュースや意見はもっと長くもっとくわしく報道してほしい、という大衆の要望を無視することはできない。そこで、めったにない出来事（たとえば集団食中毒）は過大な注意を引き、実際以上にひんぱんに起きるような印象を与える。私たちの頭の中にある世界は、現実の世界の複製ではない。私たちの頻度予想は、受け取るメッセージの頻度や期間、あるいは感情に訴える強さによって歪められる。

死亡原因の推定は、連想記憶で活性化された観念がほぼそのまま反映されているという点で、置き換えの好例と言える。だがスロビックらはそこで満足せずにさらに踏み込んだ分析を行い、リスクが思い浮かぶたやすさと、そのリスクに対する感情反応とが密接に結びついていることを発見した。ぞっとするような考えやイメージがすぐに思い浮かぶときには、流暢性と鮮明性が危険を強調するため、恐怖感が一段と募る。

こうしてスロビックは、すでに述べたように、最終的に感情ヒューリスティックという概念を開発する。このヒューリスティックでは、人々は感情に従って判断や意思決定を行う。平たく言えば、好きかきらいか、あるいは感情反応が強いか弱いかでものごとを決めてしまうのである。

スロビックによれば、私たちが生活の多くの場面で抱く意見や行う選択には、感情や危険選好が気づかぬうちにもろに表れているという。感情ヒューリスティックは置き換えの一種であり、難しい質問（それについて自分はどう考えるか？）の代わりに、やさしい質問（自分はそれを好きか？）に答えている。スロビックらは、こうした見方を神経科学者のアントニオ・ダマシオの研究と関連づけた。

ダマシオは、結果に対する感情的評価だけでなく、身体の状態やそれに伴う危険選好も、意思決定の指針として重要な役割を果たすと述べている。ダマシオらが注目したのは、脳の損傷などが原因で決定前にしかるべき感情が湧いてこない人たちは、感情による重みづけができないため、よい決定を下す能力が乏しいことだった。[*1] 悪い結果を見越して「健全な恐れ」を抱くことができないのは、我が身を危うくする欠陥と言える。

スロビックのチームは感情ヒューリスティックのメカニズムを調べる実験を行い、水道水へのフッ素添加、化学プラント、食品防腐剤、自動車などさまざまな技術について個人的な好き嫌いを言ってもらったうえで、それぞれのメリットとリスクを書き出すよう参加者に指示した。[*2] すると、二つの答はあり得ないほど高い負の相関を示した。すなわち、ある技術に好感を抱いている場合はメリットを高く評価し、リスクはほとんど顧慮しない。逆にある技術をきらいな場合はリスクを強調し、メリットはほとんど思い浮かばない。参加者の頭の中では、好きな技術からきらいな技術まできれいに順位づけがなされているので、メリットとリスクのトレードオフを苦労して考える必要が生じないのだろう。時間制限をきびしくした実験では、負の相関性は一段と強まった。さらに驚くべきは、英国毒物学会の会員まで、同様の回答をしたことである。[*3] 彼らは、自分が危険だと考えている物質や技術にはほとんどメリットを見出さず、その逆も成り立った。このような感情の一貫性は、連想一貫性と私が呼ぶものの中心的な要素である。

さてこの実験のハイライトは、じつはこの先にある。この第一段階を終了した後、参加者は調査対象の技術について好意的なメッセージを聞かされる。第一のグループにはある技術のさまざまなメリットを強調し、第二のグループにはリスクの低さを強調した。これらのメッセージは、その技術に対する感情反応を見事に変えた。その後に改めてメリットとリスクを評価してもらうと、衝撃的な結果が出た。メリットを強調するメッセージを聞いた参加者は、その技術に対するリスク評価まで変えてしまうのである。リスクに関して何か新たな情報を知ったわけでもないのに、いまや前より好きになった技術は、前ほど危険には感じられなくなった。同様に、リスクの低さを強調するメッセージを聞いた被験者は、その技術のメリットを前より高く評価するようになる。このことが示す意味ははっきりしている。心理学者のジョナサン・ハイトが別の文脈で言ったことだが、「感情というしっぽは合理的な犬を振り回す」のである。[*4] 感情ヒューリスティックは、白黒のはっきりした世界をこしらえ上げて、私たちの生活を単純化する。その想像上の世界では、よい技術はリスクを伴わないし、悪い技術には何のメリットもないのだ。そうなれば、あらゆる意思決定は簡単である。しかしもちろん現実の世界では、私たちはしばしば費用と便益の間で悩ましいトレードオフに直面する。

市民と専門家

ポール・スロビックは、人間のリスク判断の特徴に関しては誰よりもくわしい専門家だと言って過言ではあるまい。彼の研究は、ありのままの人間像を描き出す。それは、理性よりも感情に従い、本筋とは関係のないことに簡単に惑わされ、低い確率と無視できるほど低い確率の差を正しく見分けられない、ふつうの人々である。スロビックは専門家についても研究しており、それによれば、数字や合計の扱いに関する限り、専門家は素人よりすぐれているという。ただし専門家も、程度こそ弱いものの、ふつうの人々と同じバイアスに多々惑わされる。ところがリスクの問題になると、専門家の判断や選好は、ふつうの人とはかなりちがう。

専門家とふつうの人とのちがいは、裁判員に見られるバイアスなどでも説明できるが、スロビックが注目するのは、両者のちがいに価値観の対立が表れているようなケースである。たとえば、専門家は死亡数や生存年数の喪失でリスクを計測しがちだが、ふつうの人はもっと繊細な区別をする。一例を挙げれば、「よい死に方」と「悪い死に方」や、たまたま遭遇した事故による死と、スキーなど好き好んでやった危険な活動中の事故死とを区別しようとする。こうした区別をしたくなるのはもっともだと思えるが、統計では往々にして無視され、数だけがカウントされる。これらの点からスロビックは、ふつうの人のリスクの見方は専門家よりゆたかだと指摘する。そして、専門家の意見が一般市民の意見や願望と衝突した場合に、最終決定を下すのは専門家であるべきだとか、専門家の意見を無条件に受け入れるべきだといった見方には、強く反対している。両者が衝突した場合には、「どちらの側も相手の知識と知性を尊重すべきだ」とスロビックは主張する。

スロビックは、リスク政策を専門家が一手に握っている現状を変えたいと考えており、「リスクは客観的に計測可能である」という専門家の大前提に挑戦状を突きつける。

「リスク」とは、感情や文化とは無関係に「そこ」に存在して、計測されるのを待っているわけではない。人間が「リスク」という概念を発明したのは、生活の中で遭遇する危険や不確実性を理解し対処するためだ。そうした危険は、たしかに存在する。しかし「現実のリスク」や「客観的なリスク」といったものは存在しない。[*5]

この主張を明確にするために、スロビックは有毒ガスが大気中に放出された場合の死亡リスクを定義する九つの方法を提案している。具体的には、「一〇〇万人当たりの死亡数」から「国内総生産一〇〇万ドル当たりの死亡数」までの九通りである。彼が言いたいのは、リスク評価は計測方法次第で変わってくるのであり、その計測方法の選択は、結果の選好やその他の事情に左右される可能性がある、ということだ。したがって、「リスクを定義することとは権力を行使することにほかならない」と結論づけている。読者は、心理学実験の結果からよもやこんな厄介な政策問題にたどりつくとは、予想もしていなかったことだろう。だが政策とは究極的には国民のためのものであり、国民が望むこと、国民にとって最善のことをめざしている。したがってあらゆる政策立案は、人間とはどういうものかを仮定して立てることになる。より具体的には、国民がするであろう選択と、それが国民自身と社会にもたらす結果とを仮定している。

私が尊敬するもう一人の研究者で、かつ友人でもあるキャス・サンスティーンは、専門家と一般市民の見解が対立した場合のスロビックのスタンスに、真っ向から反対している。そして、「ポピュリスト」傾向のゆきすぎを食い止める狙いから、防波堤としての専門家の役割を擁護する。サンスティーンはアメリカでトップクラスの法学者であり、一流の研究者が誰でもそうであるように、自らの知的能力に対して不安をまったく持っていない。どんなこともすばやく完全に理解できると自信を持っているし、実際にも多くの学問分野を制覇してきた。その中には判断と選択の心理学も、規制やリスク政策も含まれている。そのサンスティーンの見方によれば、アメリカの現在の法規制では優先順位の設定がきわめて不適切であり、緻密かつ客観的な分析よりも、世論の圧力に屈した形になっているという。彼は、リスク軽減のための規制や政府介入は、合理的な費用便益分析を参考にして決めるべきだというところから理論を展開し、分析で扱うべき当然の単位は、救える命の数または生存年数（後者では若年層に重みをつける）および経済的コストだとしている。規制が不備であれば命もお金も失われるが、これはどちらも客観的に計測可能である。サンスティーンは、リスクもその計測方法も主観的だとするスロビックの主張を認めていない。リスク評価の多くの面に議論の余地はあるものの、科学と専門知識と熟考によって実現しうる客観性を信頼している。

サンスティーンは、リスクに対するバイアスのかかった反応が、公共政策における誤った順位づけの重要な原因だと考えている。議員や規制当局は、市民の不合理な懸念に過剰反応する傾向がある。その原因は、一つには政治的配慮からだが、もう一つは、彼ら自身もふつうの人と同じ認知バイアスを抱きがちだからだという。

サンスティーンと共同研究者の法学者チムール・クランは、バイアスが政策に入り込むメカニズムに「利用可能性カスケード（availability cascade）」という名前をつけた。[*6] 二人は、社会に関する文脈で「あらゆるヒューリスティックは平等だが、とりわけ利用可能性は平等である」と述べている。彼らが想定しているのは流暢性と利用可能性によって形成される広い意味でのヒューリスティクスであり、ある観念の重要性は思い浮かぶたやすさ（および感情の強さ）によって判断される、としている。

利用可能性カスケードは自己増殖的な連鎖で、多くの場合、些細な出来事をメディアが報道することから始まり、一般市民のパニックや大規模な政府介入に発展するという過程をたどる。また、リスクに関する報道が特定グループの注意を引き、このグループが不安に陥って騒ぎ立てるという経過をたどることもある。感情的な反応それ自体がニュースの材料となり、新たな報道を促し、それがまた懸念を煽り、大勢を巻き込んでいくわけだ。ときには、利用可能性の威力を心得ていて、不安を煽るニュースを流し続けようと画策する個人や組織が出現し、故意にこのサイクルが拡大することもある。

こうしてメディアが競って刺激的な見出しを打つにつれて、危険はどんどん誇張されていく。高まる一方の恐怖感や嫌悪感を和らげようとする科学者や評論家はほとんど注目されず、されたとしても敵視されるだけだ。危険が過大評価されていると口にしようものなら、誰によらず、「悪質な危険隠し」とみなされかねない。こうして問題が国民的関心事になると、政治家の反応は市民感情の強さに左右されるようになるため、事態は政治的重要性を帯び始める。かくして利用可能性カスケードが政策の優先順位を変えるにいたる。公共の利益を考えれば他のリスク対策や他の政策に予算を投じるほうが好ましくても、そんな意見はあっさり押しやられてしまう。

サンスティーンとクランが利用可能性カスケードの例として注目したのは、ラブ・キャナル事件とエイラー事件の二例で、どちらもいまだに議論の的となっている事件である。

ラブ・キャナル事件では、同名の運河に正規の許可を得て投棄され埋め立てられた有毒化学物質が、一九七九年頃になって雨が降るたびに漏れ出し、基準値を上回る水質汚染と悪臭が発生した。住民は怒りと恐怖に駆られ、中でもロイス・ギブスは、この問題に対する世間の関心を維持すべく、積極的に働きかけた。こうしてごく標準的な経過をたどって利用可能性カスケードが進行する。ピーク時にはラブ・キャナル事件が毎日のように報道され、危険は過大視されていると主張した科学者は無視されるか、怒号を浴びせられた。ABCニュースは「死の大地」と題する番組を流し、議会の前では赤ちゃんサイズの柩の隊列によるデモ行進が展開された。住民の多くが政府の費用負担で転居し、一九八〇年代には有毒廃棄物の規制が重要な環境問題の一つとなる。そして、有毒土壌の浄化を投棄企業に義務づける包括的環境対処・補償・責任法（通称スーパーファンド法）が制定された。[*7] このファンドの設置は、環境法規におけるめざましい成果と考えられている。しかしこのような措置は高いコストを伴っており、同額の予算をほかに回せばもっと多くの命を救うことができたはずだと主張する向きもある。ラブ・キャナルで実際に何が起きたのかについては、いまなお意見は真っ向から対立しており、現実の健康被害はさほどではなかったという見方も絶えない。サンスティーンとクランは内実を伴わない出来事としてラブ・キャナル事件を扱っているが、環境運動家の間ではいまなお「ラブ・キャナルの惨劇」が語り継がれている。

サンスティーンとクランが取り上げた利用可能性カスケードの第二の例、エイラー事件のほうも、いまだに見方が割れている。環境懸念を軽視する人たちは、この事件を「エイラー茶番」と呼ぶ。エイラーは化学物質の名称で、リンゴの生長をコントロールして見映えをよくする効果があり、正規の許可を得てリンゴに散布されていた。それがパニックになった発端は、ネズミにこの物質を大量に摂取させたところ、ガン性腫瘍が発生したとの報告が報道されたことである。この報告は当然ながら世間を震え上がらせ、この恐怖を受けて報道は一段と過熱した。利用可能性カスケードのお決まりのパターンである。

この話題はニュースを独占し、女優のメリル・ストリープの議会証言という劇的なシーンまで出現する。リンゴも、リンゴジュースやジャムなどの加工品もみんな怖がって買わなくなり、リンゴ産業は大打撃を被った。サンスティーンとクランによれば、市民からは次のような問い合わせがあったという。「リンゴジュースは排水口に流しても安全ですか、それとも有毒物質専用の集積場に捨てるべきでしょうか」。メーカーは製品を回収し、食品医薬品局（ＦＤＡ）は販売を禁止する騒ぎとなった。その後の調査で、エイラーは発ガン物質としての危険性はきわめて小さいことが確認されており、エイラー事件は大山鳴動して何とやらの典型例だったと言える。この事件のせいで健康によいリンゴの消費量が減ってしまったのだから、結果的には公衆衛生に好ましくない影響を与えたことになる。

エイラーの一件は、小さなリスクへの対応能力が私たちに欠けていることをはっきりと示した。[*8] 私たちはリスクを完全に無視するかむやみに重大視するかの両極端になり、中間がない。パーティーからの帰りが遅いティーンエイジャーの娘を寝ずに待っている両親には、この感情がよくわかるだろう。実際には心配するようなことは（ほとんど）ないとわかっているにもかかわらず、最悪の事態をイメージしてしまうのをどうすることもできない。スロビックが指摘したとおり、どれだけ心配するかは、起きる確率と釣り合うわけではないのだ。両親がイメージするのは、確率計算の分子だけ。たとえばニュースで見聞きした悲劇的な事件だけである。そして分母のほうは考えない。サンスティーンはこのパターンを「確率の無視」という言葉で説明する。この確率の無視に、利用可能性カスケードという社会的なメカニズムが重なったら、ささいな不安が巨大に膨れ上がることはもはや避けられない。そしてときには、重大な結末を招くことになる。

今日の世界で利用可能性カスケードを引き起こす技を実践し、重大な影響を与えることに成功しているのは、テロリストである。9・11同時多発テロのような大規模テロは別として、テロ攻撃による死者数は、他の死亡原因に比べるときわめて少ない。執拗なテロ攻撃の標的になっている国、たとえばイスラエルでも、一週間のテロの犠牲者数が交通事故の死者数に近づいたことさえ、ほとんどないのである。ただしこの二種類のリスクは、一方はたやすくひんぱんに思い浮かぶという点で、利用可能性に差がある。身の毛のよだつ光景と際限なく繰り返される報道とが相まって、テロには誰もが敏感になっている。私にも経験があるが、怯える人に落ち着くよう理屈で説得するのは難しい。テロはシステム1に直接訴えかけるからである。

さて、では私は、二人の友人の論争でどこに身を置くのだろうか。利用可能性カスケードは現実の現象であり、これが公共予算配分の優先順位を歪めていることはまちがいない。キャス・サンスティーンは、政策立案者を世間の圧力から遮断し、予算配分を中立な専門家が決める仕組みを作りたいと考えているのだろう。この専門家は、あらゆるリスクを勘案する広い視野を持ち、リスクを減らす手段に精通していなければならない。一方ポール・スロビックは、専門家をサンスティーンほど信用しておらず、ふつうの人をサンスティーンよりずっと信頼している。スロビックは、専門家を市民感情から遮断したら、結局は市民から拒否されるような政策を立てるだけだと指摘する。これは、民主主義ではあってはならない状況である。どちらの主張もまことにもっともであり、私はどちらにも同意する。

不合理な不安や利用可能性カスケードが公共政策に影響をおよぼしている現状について、サンスティーンが抱く不快感は私にもよくわかる。その一方で、市民の間に不安が拡がっているときには、たとえそれが不合理なものであっても、政策立案者は無視すべきでないというスロビックの主張も正しいと思う。合理的であれ、不合理であれ、不安は苦痛をもたらし活力を失わせる。だから政策立案者は、市民を現実の危険から守るだけでなく、不安からも守るべく努力しなければならない。

選挙の洗礼を経ておらず責任もとらない専門家に重大な決定を任せることに、市民が抵抗するのは当然であり、スロビックがそう主張するのは正しい。加えて利用可能性カスケードには、さまざまなリスクに対する関心を呼び覚まし、リスク対策予算の総額を増やさせるという点で、長い目で見ればメリットがあるとも考えられる。

ラブ・キャナル事件は、有毒廃棄物の管理に過大な予算を配分させる結果を招いたかもしれないが、環境問題全般の優先順位が上がるというプラス効果もあった。民主主義は、どうやってもそうすっきりとは割り切れないものである。その一因は、市民の考えや行動が大筋では正しい方向を向いていても、利用可能性ヒューリスティックや感情ヒューリスティックによって不可避的にバイアスがかかってしまうことにある。心理学は、専門家の知識に一般市民の感情と直感を組み合わせてリスク政策の設計に貢献しなければならない。

利用可能性カスケードを話題にするときは

「彼女ときたら、あるイノベーションを激賞して、メリットはたくさんあるのに欠点は一つもないと言うんだ。あれは感情ヒューリスティックじゃないだろうか」

「なんでもない出来事が報道や世間の評判によっておおごとになり、しまいにはテレビで毎日取り上げられるようになって、誰もが話題にし始める。これは典型的な利用可能性カスケードだ」

第14章　トム・Wの専攻
――「代表性」と「基準率」

いきなりだが、まず簡単な問題に答えてほしい。

トム・Wは、あなたの州にある有名大学の大学院生です。さて彼は、何を専攻しているでしょうか？　次の九つの分野に、可能性が高いと思う順に番号を振ってください。最も可能性が高いと思う分野を1、最も低いと思う分野を9とします。

経営
コンピュータ・サイエンス
工学
教育学
法律
医学
図書館学

物理学・生物学
社会学

この問題は、さほど難しくない。あなたはすぐに、各学部の相対的な学生数が問題を解くカギだと気づくだろう。あなたの知っている限りでは、トム・Wは大学院生の中からランダムに抽出したのだから、壺からおはじきを一個取り出したのと同じことである。おはじきが赤である確率と緑の確率とどちらが高いかを決めるには、赤なり緑なりがもともと何個壺に入っていたのかを知る必要がある。このもともとの比率を「基準率（base rate）」と言う。この問題では、たとえば教育学部の基準率は、全学生数に占めるその学部の学生数の比率ということになる。あなたはトム・Wについてとくにくわしい情報を持ち合わせていないので、基準率に従い、教育学のほうがコンピュータ・サイエンスや図書館学より可能性が高いと考えるだろう。たいていは、教育学部の学生数のほうが多いからである。ほかに何も有用な情報がないとき、基準率に頼るのはよい戦略である。

では、次の問題に進もう。こちらは、基準率とは関係がない。

「トム・Wはとても頭がよいが、創造性には欠ける。秩序や明晰さを好み、あらゆる細かい要素までしかるべき場所におさまっていて、万事がきれいに説明できるシステムを愛する。彼の書く文章はかなり単調で機械的であり、たまに陳腐な駄洒落やSFもどきの想像力が発揮されるにとどまる。彼は能力向上にはきわめて熱心である。他人のことにあまり関心がなく、同情心は薄いように見える。人付き合いを楽しむタイプではない。自己中心的ではあるが、倫理観はしっかりしている。」

以上の説明を読んだうえで、トム・Wは先ほどの九つの分野の典型的な大学院生にどのくらい似ているか考え、似ていると思う順に番号を振ってください。最も似ている分野を1、最も似ていない分野を9とします。

この問題をやってみると、本章から得られるものがきっと多いはずだ。だからぜひ、トム・Wの人物描写をよく読んでから判断を下してほしい。

この問題も、そう難しくない。あなたはさまざまな分野の大学院生のステレオタイプを記憶から呼び出すか、自分で大急ぎでこしらえる必要がある。この実験が最初に行われたのは一九七〇年代前半のことだが、平均的な順位は次のとおりだった。たぶんあなたの答もそうちがわないと思う。

1　コンピュータ・サイエンス
2　工学
3　経営

4　物理学・生物学
5　図書館学
6　法律
7　医学
8　教育学
9　社会学

おそらくあなたもコンピュータ・サイエンスを一番にしたのではないだろうか。これは、トム・Wの人物描写にオタクらしさを示すヒント（陳腐な駄洒落やSFもどきの想像力）が含まれているからだ。事実この文章は、ステレオタイプを想起させるように計算されている。多くの回答者が上位にランクしたのは、このほかに工学（万事がきれいに説明できるシステム）である。その一方で、あなたのイメージする社会学には向いていないと感じられただろう（他人のことにあまり関心がなく、同情心は薄い）。私がトム・Wを創作してから四〇年経つが、学問や職業のステレオタイプはほとんど変わっていないようである。

九つもの順位をつけるのはそれなりに複雑な作業なので、システム２による規律と組織的作業が必要になる。だが文中に埋め込まれたヒント（駄洒落その他）は、ステレオタイプにまつわる連想を活性化する狙いがあり、こちらはシステム１の自動作業の範疇になる。

この似たもの探しのタスクで必要なのは、トム・Wの人物描写と各専攻分野のステレオタイプとを比較することである。この目的に関する限り、描写が正確かどうか、つまりトム・Wの忠実なポートレートになっているかどうかは問題ではない。また、専攻分野の基準率をあなたが正確に知っているかどうかも問題にはならない。ある人間があるグループのステレオタイプに似ているかどうかは、グループのサイズには影響されないからだ。それどころか、仮に大学院に図書館学科がないとしても、あなたはトム・Wの説明を図書館学科の学生のイメージと比べることができる。

さてここでトム・Wをじっくり見直してみると、彼が学生数の少ない集団（コンピュータ・サイエンス、図書館学、工学）にはよく当てはまるが、学生数の多い集団（教育学、社会学）にはうまく当てはまらないことに気づくだろう。事実、回答者はほぼ必ず、この二つの大きな集団を最低順位にランクする。なぜならトム・Wは、意図的に基準率に反する性格づけをされているからだ。つまり、専攻する学生の少ない分野に当てはまり、人気分野には当てはまらないように設計されている。

代表性ヒューリスティック

さて続いては、トム・Wシリーズで三番目の問題である。これこそが眼目の実験で、心理学専攻の大学院生を対象に行われた。

被験者はさきほどのトム・Wの人物描写を読んでから、彼の専攻分野を予想し、可能性の高い順にランクづけする。この作業を行う被験者は、必要な統計学の知識を身につけているし、さまざまな分野における基準率にもくわしく、さらにトム・Wの人物描写の情報源がかなりいかがわしいことも承知している。それでも私たちは、彼らがステレオタイプとの類似性（これを私たちは「代表性（representativeness）」と呼んでいる）にだけ着目し、基準率のことも、人物描写の信頼性に対する疑念も忘れてしまうだろうと予想した。そうなれば、代表性が高いのはコンピュータ・サイエンスなので、専攻人数が少ないという事実を忘れて、こちらを高いランクにするはずだ。

ユージーンにいた頃、私は研究室で徹夜をすることがよくあった。そんなときによくやっていた作業の一つは、基準率その他を頭から追い払ってしまうような代表性のひっかけ問題作りである。このときの努力の成果がトム・Wというわけだ。夜が明ける頃にようやく創作を終えたのだが、その日の朝一番にやって来たのは、同僚で友人でもあるロビン・ドーズだった。彼は一流の統計学者で、直感的判断の有効性につねづね疑念を呈している人物である。基準率の妥当性を真に理解している人物がいるとしたら、それはロビンを措いてない。しめしめとばかり私はロビンを呼び、ちょうど書き上げたばかりのトム・Wの人物描写を見せて、「こいつの職業を当ててくれないか」と言った。彼がいたずらっぽく笑いながら「コンピュータ科学者だよね？」と答えたときのことはいまも忘れられない。やった——統計学の権威でさえまちがえたのだ。もちろんロビンは、私が基準率のことを口にした瞬間に、自分の誤りに気づいた。だが彼は、自分からはそれを考えつかなかった。ロビンは、予測において基準率が果たす役割を誰よりもよく知っていたにもかかわらず、人物描写を目の前に出されたら、それを忘れてしまった。彼が訊ねられたのは確率の問題なのに、予想通りそれを代表性の判断で置き換えたのである。

エイモスと私は、一流大学三校で心理学を専攻する大学院生一一四人にこの質問に答えてもらった。全員が統計学の講義をとっている。彼らも、期待を裏切らなかった。心理学専攻の大学院生が九つの分野につけた順位は、ステレオタイプとの類似性につけられた順位とそっくり同じだった。つまり、完璧に置き換えが行われたわけである。回答者が代表性の判断しかしなかったことは、明らかだった。確率（可能性）を見積もるのは難しいが、類似性を判断するのはたやすい。そこで代わりにこちらに答えたのである。類似性の判断と確率判断を規定する論理ルールは同じではないのだから、これは重大な誤りと言わざるを得ない。類似性を判断するときに基準率や説明の正確性が無視されるのは、完全に容認できる。だが確率判断をするときに、基準率や証拠の妥当性を無視すれば、必ず誤りを犯すことになる。

「トム・Wがコンピュータ・サイエンスを専攻している確率」という概念は、じつはそう単純ではない。論理学者と統計学者は、確率の意味を巡って対立しており、中にはこの言葉には意味がないと主張する向きまである。多くの専門家にとって、確率とは、信じ込んでいる度合いを主観的に表したものに過ぎない。たとえばあなたは、「今朝太陽が昇る」などは絶対に確実だと考え、「太平洋がいっぺんに凍る」などは絶対にあり得ないと考えるだろう。だが「隣人はコンピュータ科学者である」になると、絶対にそうだとは言えないが、絶対にちがうとも言えまい。これが、そのことに関するあなたの確率ということになる。論理学者と統計学者による確率の定義は、対立するとはいえどちらもきわめて正確だが、素人にとっては、確率（日常用語では「可能性」が同義語として使われている）は曖昧な概念で、不確実性、傾向、妥当性、意外性にも近い。このような曖昧さは確率に限ったことではないし、それがとりたてて厄介な問題を引き起こすわけでもない。私たちは、たとえば「民主主義」とか「美人」といった言葉を使うとき、自分が何を意味しているのかだいたいのところはわかっているし、相手もこちらの意味するところをだいたいは理解しているだろうと考えている。私は事象の確率について何年も教えてきたが、「先生、確率をどういう意味で使っているんですか」と質問した学生は一人としていない。たとえば私がグローバビリティのような妙な概念を持ち出したら、彼らはまちがいなく質問したはずだ。そこで私たちは、学生たちが確率の意味を知っているものとしてふるまってきた――実際には、彼らがこの言葉の意味を完全には理解していないとわかっていたのだが。

それでも、確率を推定せよと言われたとき、大方の人はべつに途方に暮れたりはしない。なぜなら、統計学者や哲学者が言う意味で、確率を判断しようとはしないからである。確率や可能性を尋ねられると、メンタル・ショットガンが始動し、より簡単な質問への答を引っ張り出す。この簡単な答の一つが代表性の評価である。代表性は、言語理解のための定型的な手順として自動的に評価されている。「エルビス・プレスリーの両親は、エルビスを歯医者にしようと思っていました」という（嘘の）説明は、なんだかおかしい。これは、プレスリーと歯医者のイメージの食いちがいが自動的に検知されるからである。システム1は、そうと意識しなくても、類似性の印象を絶えず生み出している。「彼女は今度の選挙で当選するだろう。成功する政治家のタイプだ」とか「あんなにタトゥーを入れていたら、彼は学界では出世しないよ」といった発言には、代表性ヒューリスティックが絡んでいる。私たちが、候補者の指導力を顎の形だとか演説のうまさといったことで判断しがちなのも、代表性に依存するからである。

だが、こうしたやり方がどれほど一般的だとしても、代表性に基づく予測は、統計学的にみて最適とはとても言えない。野球に関する統計を題材にしたマイケル・ルイスのベストセラー『マネー・ボール』（中山宥訳、ハヤカワ文庫）でも、このタイプの予測の不備が指摘されている。プロのスカウトは伝統的に、選手の体格と外観や目立つ数字（打点、防御率など）から将来性を占ってきた。だが『マネー・ボール』の主人公であるオークランド・アスレチックスのゼネラル・マネージャー、ビリー・ビーンは、スカウトを差し置いて誰もやっていなかった決断を下し、能力を端的に示す過去の実績データに基づいて選手を選ぶ。彼が目をつける選手は、他球団では選ばれないため、割安である。おかげでチームは、少ない予算ですばらしい成績を上げられるようになった。

代表性の罪

とはいえ代表性でもって確率を見積もることには、メリットもある。じつは代表性に基づく直感的な印象は、しばしば（と言うよりたいていは）確率予想より精度が高いのである。

・多くの場面で親切にふるまう人は、実際にも親切である。
・非常に背が高くて痩せているプロスポーツ選手は、サッカー選手よりもバスケットボール選手である可能性が高い。
・博士号を持っている人は、高卒者より、ニューヨーク・タイムズを購読している可能性が高い。
・若い男は高齢の女性より荒っぽい運転をしがちである。

これらすべてのケースで、そして他にも多くのケースで、ステレオタイプには一面の真実があり、それが代表性の判断を支配している。そしてこのヒューリスティックに基づく予測が正しいときもある。だがステレオタイプが誤解に基づいていて、代表性ヒューリスティックが判断を誤らせることもよくある。とりわけ、基準率が代表性とはちがうことを示唆しているときに、基準率情報を無視するのは、誤判断につながりやすい。ヒューリスティックがいくらか有効な場合でも、それだけに頼るのは、統計理論に対する重大な背信行為と言わねばならない。

代表性の第一の罪は、起こりそうにない（すなわち基準率の低い）事象を、きっと起こると思い込むことである。たとえば、あなたがニューヨークの地下鉄の中で、ニューヨーク・タイムズを読んでいる人を見かけたとしよう。この人は、次のどちらである可能性が高いだろうか。


博士号を持っている。

大学を出ていない。


代表性からすれば博士号を選ぶことになるが、その選択は必ずしも賢明とはいえない。ニューヨークで地下鉄に乗る人は大学を出ていない人のほうがはるかに多いのだから、あなたは二番目の選択肢を真剣に考えるべきである。では、「内気で詩が大好き」な女子学生が中国文学と経営学のどちらを専攻していると思うか、と訊ねられたら、どうだろう。[*1]この場合、あなたはぜひとも経営学を選ぶべきだ。たとえ中国文学を学ぶ女子学生が全員内気で詩が好きだとしても、はるかに人数の多い経営学専攻の女子学生の中には、そういう乙女が中国文学科よりずっとたくさんいるはずである。

統計学を学んだことのない人でも、ある種の条件下では上手に基準率を使って予測をすることができる。トム・Wシリーズの最初の問題を思い出してほしい。この問題では、トム・

Wに関する補足情報が一切提供されていなかった。このため、トム・Wの専攻を推定するに当たって、各学部の学生数の基準率しか頼れるものがないことは、誰にとっても明らかだった。ところがトム・Wの人物描写が提供されたとたんに、回答者はそろいもそろって基準率を忘れてしまったのである。

エイモスと私は、初期の実験結果から、具体的な固有情報が提供されると基準率は必ず無視されると考えていた。だがこの結論は、いきすぎであることがわかった。基準率情報を問題の一部として明示的に提供する実験が数多く行われた結果、被験者の多くは基準率にも影響されることが判明したからである。ただし被験者はほぼ必ず、単なる統計的事実よりも固有情報のほうを重視した。[*2] ノーバート・シュワルツらの実験は、被験者に「統計学者になったつもりで考えてください」と指示すると基準率情報が活用されやすいこと、「子供になったつもりで考えてください」と指示すると逆の結果が出ることを示した。[*3]

数年前にハーバード大学の学生を対象に行った実験では、意外な結果が出て驚かされた。システム2の活性化を促すと、トム・W問題の予測精度が大幅に向上したのである。この実験は、昔ながらのトム・W問題に、新たに発見された認知容易性を組み合わせたものと言える。学生の半数は実験中に息を頬にためるように、残り半数はしかめ面をするように指示された。[*4] 読者もすでにご存知のとおり、しかめ面をするとシステム2による監視が強化され、直感を過信したり頼ったりする度合いが減る。息を頬にためた（これはニュートラルな感情表現である）学生のグループの予測精度は当初の結果と同じだった。すなわち代表性に依存して基準率は無視した。一方、私たちの見込み通り、しかめ面のグループは基準率をある程度は考慮した。これはなかなか示唆に富む結果と言えよう。

まちがった直感的判断が下されたとき、システム1とシステム2はどちらも有罪である。システム1はまちがった直感を提案し、システム2はそれを是認し判断に組み入れたからだ。ただし、システム2が判断を誤った原因は二通りある。一つは無視、一つは怠慢である。つまりトム・W問題で言えば、人物描写という固有情報が提供されているのだから基準率はもはや関係ない、と考えて無視する人もいれば、真剣に取り組まなかったせいで同じ誤りを犯す人もいる。もししかめ面で結果にちがいが出るなら、少なくともハーバードの学生の場合には、怠慢が原因で基準率を無視したことになる。彼らのシステム2は、たとえ問題文に明示されていなくても、基準率が推定に役立つことを「知って」はいた。だがせっかくのその知識も、タスクにとりわけ熱心に取り組んだ場合しか活かされなかった、ということである。

代表性の第二の罪は、固有情報のクオリティに無頓着になりがちなことである。システム1が「自分の見たものがすべて」になりやすいことを思い出してほしい。トム・W問題で言えば、あなたの連想マシンを動かすのはトム・Wの人物描写である。しかしその描写は、どこまで正確なのかわからない。ところがトム・Wが「他人のことにあまり関心がなく、同情心は薄い」というだけで、あなたは（他の大勢の読者と同じく）彼が社会科学専攻ではないと決めつけてしまう。トム・Wの人物描写を鵜呑みにしないようはっきり注意されていても、である。

無価値の情報は、その情報がまったくないものとして扱わなければならない。この原則は、あなたもよく知っているはずだ。ところが「自分の見たものがすべて」になるせいで、この原則を守ることは困難になる。受け取った情報をただちに却下する（たとえば情報提供者が嘘つきだとわかっている）のでない限り、あなたのシステム1は手元の情報を正しいものとして自動的に処理するからだ。情報の信頼性に疑念を抱いたときにあなたがすべきことはただ一つ――確率の見積もりを基準率に近づけることである。ただし、この原則を守るのは生易しいことではなく、自己監視と自己制御にかなりの努力を払わなければならない。

トム・W問題（三問目）の正しい答え方は、できるだけ一問目（固有情報なし）の答の近くにとどまったまま、学生数の多い分野（教育学、社会学）に与えた当初の高い確率を少しだけ引き下げ、学生数の少ない分野（図書館学、コンピュータ・サイエンス）に与えた低い確率を少しだけ引き上げることである。あなたは、トム・Wについてまったく何も知らなかったときにやった通りにはできないだろう。だが提供されたわずかな情報が信頼できないとなれば、基準率を拠りどころとすべきである。

どうやって直感を制御するか

明日が雨になる確率をあなたが見積もるとき、それは、あなたの主観的な思い込みの度合いを表したにすぎない。だが、ふと頭に浮かんだことを信じ込むのは感心しない。主観的な思い込みを抑えるには、確率のロジックを知っておくことが有効である。たとえばあなたは、明日のうちに雨が降る確率は四〇％だと考えているとしよう。ということは、雨が降らない確率は六〇％あると考えていることになる。また、雨が降る確率が五〇％あるとも思っていないことになる。あるいはまた、候補者Xが大統領に選ばれる可能性は三〇％あり、もし選ばれれば八〇％の確率で再選されると考えているなら、あなたは、Xが二回連続で大統領に選出される確率を二四％とみていることになる。

トム・W問題のようなケースに適用される「ルール」は、ベイズ統計学に拠っている。一八世紀イギリスの牧師トーマス・ベイズの名を冠した近代的な統計理論で、後世に大きな影響を与えた。ベイズは、新たな証拠を与えられたときに判断をどう変えるべきかという大きな問題に、初めて多大な貢献をした人物として高く評価されている。ベイズ・ルールは、事前確率（本章の例では基準率がこれに該当する）に証拠の診断結果（相反する仮説が実現する見込み）を加味する手順を定めている。たとえばあなたは、大学院生の三％（基準率）がコンピュータ・サイエンス専攻だと考えているとしよう。そしてトム・Wの人物描写（＝証拠）を読んだ後に、コンピュータ・サイエンス専攻の可能性は他分野より四倍高いと考えたとする。するとベイズ・ルールにより、トム・Wがコンピュータ・サイエンス専攻の確率（事後確率）は一一％になる。もし基準率が八〇％なら、事後確率は九四・一％になる。[*5]

数学的なこまかい点には本書では立ち入らないが、ベイズ推定について、またこの理論を巡る誤解について、読者には二つのことを覚えておいてほしい。第一は、推定対象に関する証拠が山ほど与えられても、やはり基準率は重要だということである。これは、直感的には理解しにくいのであるが。第二は、直感的な印象は、証拠の診断結果を過大評価しがちだということである。「自分の見たものがすべて」に連想一貫性が重なると、自分がこしらえたストーリーを信じやすくなる。したがって、きちんとベイズ推定を行う基本は、次のように簡単にまとめることができる。

・結果の確率を見積もるときは、妥当な基準率をアンカーにする。
・証拠の診断結果をつねに疑う。

じつに単純にして明快である。だが、この基本をどうやって実行したらいいのか、自分は一度も教わったことがない。しかもいまだに、よほど努力しないとこの基本を守れない。このことに気づいたとき、私は愕然としたものである。

代表性を話題にするときは

「芝生はきちんと刈り込まれているし、受付嬢は有能そうで、家具はすばらしい。だがだからと言って、この会社の経営状態がいいことにはならない。取締役会が代表性に眩惑されないことを祈るよ」

「このベンチャー企業は順風満帆に見える。だがこの業界で成功する企業の基準率はきわめて低い。この会社が例外だとどうしてわかるんだ?」

「彼らは相変わらず同じまちがいを繰り返している。あやしげな情報に基づいて、ありそうもないことを予測しているんだ。情報が信用できないときは、基準率に依拠すべきだ」

「この報告書がきわめて批判的であることは承知している。おそらくは確たる証拠に基づいているのだろうが、ほんとうに信頼できるのか? 不確実性の存在は念頭に置くべきだろう」

第15章　リンダ
――「もっともらしさ」による錯誤

私たちが行った中で、最もよく知られていて最も物議をかもした実験には、リンダという架空の女性が登場する。エイモスと私がこの実験を設計したのは、判断においてヒューリスティクスが果たす役割と、ヒューリスティクスと論理との不整合性について、決定的な証拠を集めるためだった。*1 件のリンダの人物描写は、次のとおりである。

リンダは三一歳の独身女性。外交的でたいへん聡明である。専攻は哲学だった。学生時代には、差別や社会正義の問題に強い関心を持っていた。また、反核運動に参加したこともある。

一九八〇年代にこの人物描写を読まされた人たちは、みんな笑い出したものだ。というのも、リンダがカリフォルニア大学バークレー校の学生にちがいない、とピンときたからである。当時同校は、政治に首を突っ込む過激学生の牙城として有名だった。一連の実験の一つでは、リンダの現在の姿を予想し、次の八つの選択肢から順位をつけるよう参加者に指示した。トム・W問題のときと同じように、一部の参加者にはステレオタイプとの類似性（代表性）の順位をつけてもらい、一部の参加者には確率で順位をつけてもらった。リンダ問題はトム・W問題と似ているように見えるが、じつは一つひねりが入っている。

リンダは小学校の先生である。
リンダは書店員で、ヨガを習っている。
リンダはフェミニスト運動の活動家である。
リンダは精神医学のソーシャルワーカーである。
リンダは女性有権者同盟のメンバーである。
リンダは銀行員である。
リンダは保険の営業をしている。
リンダは銀行員で、フェミニスト運動の活動家でもある。

この問題にはいくらか時代が反映されている。女性有権者同盟はもはや当時ほど目立つ存在ではないし、フェミニスト運動という観念自体が古くさくなった。これは、ここ三〇年ほどで女性の社会的地位が大きく変わった証拠と言えるだろう。それでも参加者の判断は、今日でもおそらくほぼ完璧に一致するはずだ。すなわちリンダは、フェミニスト運動の活動家にぴったりなのである。また、書店に勤めながらヨガを習う女性のイメージにもよく一致する。そして、銀行員や保険のセールスには全然似合わない。

では、問題の肝心要の部分に移ろう。「リンダは銀行員か、それともフェミニスト運動に熱心な銀行員か、どちらだと思いますか」──こう質問すると、全員が口をそろえて、ただの銀行員ではなく「フェミニスト銀行員」だと答える。銀行員のステレオタイプは、フェミニスト運動なんぞに参加しないことになっている。そこで回答者はこまかい描写を加えて、リンダのストーリーにより一貫性を持たせる、という次第である。

ひねりが入っているのは、この確率判断である。「ただの銀行員」と「フェミニスト銀行員」の間には、論理的な関係性が成り立つ。ベン図（円の重なりで集合の範囲を視覚的に表した図）を思い浮かべてほしい。フェミニスト銀行員の集合は、銀行員の集合にすっぽり収まる。なぜなら、フェミニスト銀行員は全員が銀行員だからだ。したがって、リンダがフェミニスト銀行員である確率は、銀行員である確率を必ず下回る。起こりうる事象をくわしく規定するほど、その確率は下がるのである。そこで、代表性にこだわる直感と、確率の論理との間に確執が起きることになる。

私たちの最初の実験は、被験者間計画（実験条件ごとに異なる被験者を割り当てる実験計画）だった。被験者は、「銀行員」か「フェミニスト銀行員」のどちらかしか含まれていない七つの選択肢を示される。そして一部の被験者にはステレオタイプとの類似性（代表性）で順位をつけてもらい、一部の被験者には確率でつけてもらう。するとトム・W問題のときと同じように、両者の平均ランキングは一致した。そしてどちらの場合にも、「フェミニスト銀行員」はただの「銀行員」より高めのランクになった。

次に私たちは、被験者内計画（すべての実験条件を同一被験者に割り当てる実験計画）で実験を実施することにし、冒頭に紹介したように、ただの「銀行員」と「フェミニスト銀行員」を同じリストに含めた。前者は六番目、後者は八番目（最後）である。とはいえ私たちは、被験者は両者の関係に気づくだろう、だから論理的な順位づけをするにちがいないと確信していた。実際、あまりにその点に確信があったものだから、わざわざ実験をするにはおよばないとさえ考えていた。たまたま助手が別の実験を担当しており、それが終わって被験者が参加費をもらうためのサインをしている間に、ついでにリンダの新たな質問（つまり「銀行員」と「フェミニスト銀行員」が同じリストに含まれている質問）をやっておいてくれた。

一〇人分ほどの回答が無造作に助手のデスクトレイに積み上げられているのを、ちょうど通りかかった私が手に取った。そして、「フェミニスト銀行員」が「銀行員」より上位にランクづけされているのを発見したのである。あまり仰天したものだから、グレーのスチールデスクや、そこに載っていた品物の記憶がいまだに鮮明に残っているほどだ。私は興奮してエイモスに電話し、大発見のことを伝えた。私たちは論理と代表性を戦わせ――勝ったのは代表性だった。

本書の用語を使って言うなら、私たちはシステム2の失敗を見つけたことになる。「フェミニスト銀行員」も「銀行員」も同じリストに含まれていたのだから、被験者には論理ルールの妥当性を思い出すチャンスがちゃんと与えられていたにもかかわらず、そのメリットを活かそうとしなかった。実験をさらに重ねた結果、被験者となった学部生の八九％が確率理論を無視した。そこで私たちは、統計学を専門に学んだ回答者ならましな結果が出るだろうと考え、スタンフォード経営大学院で意思決定科学コースに在籍する博士課程の大学院生を対象に同じ質問をした。全員が確率、統計、意思決定理論の上級課程を履修している。ところがその彼らの八五％が、リンダが「フェミニスト銀行員」である可能性を「銀行員」より上位にランクしたのである。私たちは唖然とした。

そして何とかエラーを排除しようと躍起になり（あとになってこれは絶望的な試みであることが判明したが）、今度は大勢の参加者を集めてリンダの人物描写を読ませ、ごくごく単純な質問をしたものである。

次のうち、どちらの可能性が高いと思いますか？

リンダは銀行員である。

リンダは銀行員で、フェミニスト運動の活動家でもある。

この鮮明な対比のせいか、リンダは一部の人の間でひどく有名になってしまい、私たちは数年にわたって論争に巻き込まれることになった。ともかくも、複数の主要大学の学部生を対象に実験を行ったところ、八五〜九〇％が、確率の論理に反して二番目の選択肢を選んだのである。しかも呆れたことに、この連中はとんと恥じる様子がなかった。あるとき自分のクラスで「君たちは、初歩的な論理ルールに反していることに気づかなかったのかね」と怒ってみせたところ、大教室の後ろのほうで、誰かが「それが何か？」と言い放ったものである。またある学生は、「私、ただ自分の意見を聞かれたのだと思ったんです」と言い訳した。

かくして私たちは、二つの事象が重なって起きること（銀行員かつフェミニスト運動の活動家）と単一の事象（銀行員）を直接比較したうえで、前者の確率が高いと判断する錯誤を「連言錯誤（conjunction fallacy）」と命名した。錯誤とは、明らかに妥当とわかっている論理ルールの適用を怠ったときに使う言葉である。

ミュラー・リヤー錯視の場合と同じく、たとえ錯誤であるとわかってからでも、やはり錯誤は魅力的に見える。博物学者のスティーヴン・ジェイ・グールドは、リンダ問題で悩む自分を次のように表現している。彼はもちろん正解を知っているのだが、それでも「頭の中の小人がぴょんぴょん跳ねながら私にこう叫ぶんだ。だけど、彼女がただの銀行員のはずがないじゃないか、ちゃんと説明文を読めってね」[*2]。しつこく叫び続けるこの小人は、言うまでもなく、グールドのシステム1である（グールドがこれを書いた頃には、二システムの考え方はまだ登場していなかった）。

二項目だけを比べるリンダ問題で、正解が過半数を超えたのは一度しかない。スタンフォード大学とカリフォルニア大学バークレー校の社会学専攻の大学院生に質問したところ、六四％が「銀行員」を「フェミニスト銀行員」より上位にした。ただし前出の八項目に順位づける問題の場合には、同種の大学院生グループで「銀行員」を上位にしたのは一五％にすぎなかった。このちがいはなかなか示唆的である。八項目問題では、「銀行員」と「フェミニスト銀行員」の間に別のもの（保険の営業）がはさまっていたため、おそらく回答者は両者を比較せず、個別に扱ったのだろう。これに対して二項目問題は両者の直接比較であるため、システム2が動員され、統計にくわしい学生は錯誤を防げたのだと考えられる。しかし残念ながら、十分な知識を持っている大学院生のかなりの比率（三六％）が誤った選択をした理由は、ついにわからず終いだった。

トム・W問題とリンダ問題で回答者が行った確率判断は、代表性（ステレオタイプとの類似性）の判断とぴたりと一致する。代表性は、システム1による日常モニタリングの結果と密接に関連づけられている。最も代表的に見える結果と人物描写が結びつくと、文句なしにつじつまの合ったストーリーができ上がる。つじつまの合うストーリーの大半は、必ずしも最も起こりやすいわけではないが、もっともらしくは見える。そしてよく注意していないと、一貫性、もっともらしさ、起こりやすさ（確率）の概念は簡単に混同してしまう。

「もっともらしさ」を無批判に「起こりやすさ（確率）」に置き換える行為は、そのもっともらしいシナリオに基づいて予測をしようというときには致命的である。ではここで、二つのシナリオを考えてみよう。次のシナリオ1と2を別々のグループに提示し、確率を予測してもらった。

1　来年、北米のどこかで、死者数一〇〇〇人以上の大規模な洪水が発生する。
2　来年、カリフォルニア州で地震が発生し、死者数一〇〇〇人以上の大規模な洪水を引き起こす。

北米で大規模な洪水が起きるよりは、カリフォルニアで地震が起きるシナリオのほうがもっともらしい。ただし、後者の確率はまちがいなく低い。回答者は予想通り、確率理論に反して、よりくわしくて具体的なシナリオのほうが確率は高いと判断した。これは、予想する側にとっても、予想を依頼する側にとっても、一つの罠だと言える。くわしい情報を加味すればシナリオはもっともらしくなるが、起きる確率は下がってしまうのだから。もっともらしさが果たす役割を理解するために、次の問題を考えてみてほしい。

どちらのほうが可能性が高いと思いますか?
マークには髪の毛がある。
マークは金髪である。

どちらのほうが可能性が高いと思いますか?
ジェーンは学校の先生である。
ジェーンは学校の先生で、歩いて出勤する。

どちらの問題も、論理構造はリンダ問題とまったく同じである。だがこの二問の場合には、錯誤は起きない。なぜなら、付け加えられた情報が単にくわしいだけで、もっともらしくもなければ、一貫性もなく、説得力もないからである。このような場合には、もっともらしさや一貫性に気を取られて確率を判断してしまうことはない。邪魔な直感が働かないときには、論理が勝つ。

過ぎたるは及ばざるがごとし

シカゴ大学のクリストファー・シーは、ある地元店の在庫一掃セールで売られているディナーセットに値段をつけてもらう実験を行った。そのディナーセットは、通常は定価三〇～六〇ドルで販売されている。参加者は三つのグループに分けられ、以下に掲げるのは第一グループに示されたセット内容である。このグループは、セットAとBを並べて比較する「並列評価(joint evaluation)」を行う。残り二つのグループは、それぞれAかBどちらかのセットに値段をつける。こちらは「単独評価(single evaluation)」である。並列評価は被験者内実験、単独評価は被験者間実験に相当する。

セットA(40ピース)　セットB(24ピース)

大皿	8枚、すべて良好	8枚、すべて良好
スープ／サラダ用深皿	8枚、すべて良好	8枚、すべて良好
デザート皿	8枚、すべて良好	8枚、すべて良好
コーヒーカップ	8個、内2個傷あり	
ソーサー	8枚、内7枚傷あり	

皿類はどちらも良好で条件は同じだから、残りを比べればよいわけで、この質問はやさしい。セットAにはセットBに含まれている食器がすべて入っているうえに、無傷のコーヒーカップとソーサー合わせて七個が入っているのだから、必ず価値は高い。実際、第一グループの被験者はセットAを三二ドル、Bを三〇ドルと、わずかとはいえセットAに高い値段を付けた。

ところが単独評価では、結果は逆転する。セットBが三三ドル、Aが二三ドルと、Bのほうが大幅に高くなった。なぜか。セットというものは、ディナーセットも含め、きちんと数が揃って見本通りのものだと認識されている。そこで、セットAに欠けたカップやソーサーが入っているとわかったとたんに、欠けた食器に金は出したくないというので、食器の平均価値が下がってしまう。平均値が評価を決めるのであれば、セットBが高くなるのも頷ける。シーはこのパターンを「過ぎたるは及ばざるがごとし」だと表現している。カップとソーサー八組を、無傷のものまで含めてそっくりセットAから取り除いてしまえば、このセットの値段は上がるからだ。

シーの発見は、実験経済学者ジョン・リストの調査で再現された。これは実際の市場でベースボールカードを使って行った調査で、リストは価値の高いカード一〇枚セットと、同じ一〇枚にあまり価値のない三枚をプラスした一三枚セットをオークションに出した。するとディナーセット実験とまったく同じように、並列評価では一三枚セットのほうに高値がついたが、単独評価では値打ちが下がった。経済理論の観点からすれば、この結果は承服しがたい。ディナーセットにせよ、ベースボールカードにせよ、その経済価値は合計で決まる変数である。プラスの価値を持つ品物がセットに加われば、価値は増えこそすれ減るはずがない。

リンダ問題とディナーセット問題は、じつはまったく同じ構造をしている。確率も、経済価値と同じで、合計に似た変数なのだ。それは、次の例を見てもらえばわかる。

確率（リンダは銀行員である）＝確率（リンダはフェミニスト銀行員である）＋
確率（リンダはフェミニストでない銀行員である）

このことは、ディナーセット問題と同じく、リンダ問題の単独評価が「過ぎたるは及ばざるがごとし」になった理由でもある。システム1には、合計の代わりに平均する癖があるので、フェミニストでない銀行員がセットから除外されているときには、主観的な事前確率は高くなる。ところが、確率が合計に近い性質を持つ変数であることは、金額の場合ほどはっきりしない。その結果、ディナーセット実験では並列評価でのエラーはなかったが、リンダ実験では、並列評価でもエラーが起きたというわけである。

並列評価においても連言錯誤が露呈されるのは、リンダ問題だけではない。同じような論理ルール違反は、他の多くの判断でも見受けられる。たとえば、次回のウィンブルドン選手権の結果を予想してもらう実験もその一つだ。参加者は四通りの結果を示され、起こりそうな順にランク付けをするよう指示された。なお当時は、スウェーデン出身のビヨン・ボルグ選手の全盛期である。

A　ボルグが試合に勝つ。
B　ボルグは第一セットを落とす。
C　ボルグは第一セットを落とすが試合には勝つ。
D　ボルグは第一セットをとるが試合には負ける。

この調査の眼目は、BとCである。Bのほうが大きい集合で、Bには完全にCが含まれているのだから、Bの確率は必ずCより高い。ところが論理に反して、ただし代表性やもっともらしさには従って、参加者の七二％がCの確率をBより高くした。これまた、直接比較における「過ぎたるは及ばざるがごとし」現象である。いかにも起こりそうなシナリオと判断されたのは、ここでもまた、世界最高のテニス選手についてみんなが知っていることに一致し、疑問の余地なく「もっともらしい」ストーリーだった。

「連言錯誤が起こるのは、確率問題ではないと誤解しているからだ」という反論が起きることを想定して、そうした批判をかわすための実験も行っている。明らかに確率判断を必要とするが、確率事象であるとは言葉で説明せず、かつ「確率」という用語が一度も出てこないような問題を作成した。そして参加者には、正六面体のサイコロを使って実験を行うこと、サイコロの四つの面は緑、残り二面は赤で塗ってあること、サイコロは二〇回振ることを説明した。そして緑と赤が出る順番を三通り示し、一番起きそうな順番を一つだけ選ぶように指示した。選んだ順序通りになったら、二五ドルもらえる（ということにした）。

1　赤緑赤赤赤
2　緑赤緑赤赤赤
3　緑赤赤赤赤赤

サイコロは緑の面が赤の倍あるのだから、1はあまり代表的には見えない。ちょうどリンダがただの銀行員だという選択肢のようなものである。2はサイコロを六回振っているが、緑が二回含まれているので、こちらのほうがありそうに見える。だがよく見ると、2は1の頭に緑をくっつけただけである。したがって、1より起きる確率は低い。つまりこれは、「リンダはフェミニスト銀行員である」という選択肢と、位置づけはまったく同じである。

ブリティッシュコロンビア州で、すべての年代、職業の成人男性から標本抽出し、健康調査を行いました。次の確率を予想してください。	ブリティッシュコロンビア州で、すべての年代、職業の成人男性から100人を抽出し、健康調査を行いました。次の確率を予想してください。
——調査対象の男性のうち、1回以上心臓発作を起こしたことのある人のパーセンテージ	——100人のうち、1回以上心臓発作を起こしたことのある人の数
——調査対象の男性のうち、55歳以上で1回以上心臓発作を起こしたことのある人のパーセンテージ	——100人のうち、55歳以上で1回以上心臓発作を起こしたことのある人の数

表2

そしてまさにリンダ問題と同じく、被験者は代表性にとらわれ、三分の二が1でなく2を選んだ。しかし確率の論理を説明すると、大半の人が、その論理（これに従えば1の確率が高くなる）は正しい、と言ったものである。

さて次に掲げるのは、連言錯誤を大幅に減らす方法をついに発見した記念碑的問題である。二つの被験者グループに、同じ問題を少しだけ表現を変えて示した。

左欄の問題を出された被験者グループでは、連言錯誤をした人が六五％いた。だが右欄のほうはわずか二五％だったのである。

なぜ「一〇〇人のうち何人」と訊くほうが、パーセンテージを訊ねるより正答率が高いのだろうか。考えられる説明は、こうだ。「一〇〇人」と言われると、空間的なイメージが思い浮かぶのではないだろうか。たとえば、大勢の人をグループ分けするときの様子を想像してほしい。名字がア行からナ行で始まる人は教室の前のほうに来てもらう。次には、前のほうに集まった人をさらに仕分けする。すると、名字が「サ」で始まる人は、この中の下位集合であることがイメージできるだろう。同じように健康調査では、心臓発作を起こしたことのある人が部屋の前方に集められる。するとその中には、五五歳以下の人もいるはずではないか。誰もがこのように鮮明なイメージを持つとはいえないが、その後に行った実験でも、頻度表示と呼ばれる形にすると、ある集合が別の集合にそっくり含まれることが理解されやすくなった。したがって連言錯誤を防ぐには、「いくつ？」「何人？」にするとよい。同じ内容の質問でも、「何％？」にすると誤りが多くなる。

以上の実験から、私たちはシステム２の働きについて何を学べただろうか。あまり新鮮味のないことではあるが、結論の一つは、システム２はたいして用心深くない、ということである。

連言錯誤の実験に参加した学部生や大学院生は、ベン図のことはよく「知っている」はずである。だが、目の前に必要な情報がすべて差し出されたときでさえ、その知識を正しく適用しなかった。「過ぎたるは及ばざるがごとし」パターンの不合理性は、ディナーセット実験でとりわけ顕著に表れた。その一方で、「いくつ？」「何人？」という質問形式にすれば、回答者がその不合理に気づきやすいこともわかった。だがこの不合理は、最初のリンダ問題や同種の問題では認識されず、数千人の回答者が連言錯誤を犯している。これらの場合には、二つの事象が同時に起きる連言事象のほうが「もっともらしく」見え、それだけでシステム２はゴーサインを出してしまったのである。

原因の一部は、システム２の怠け癖である。もし回答の出来次第で次の休暇を取り消すと脅され、かつ無制限に時間を与えられ、論理を考えろと念を押され、絶対確実と思えるまで何度も見直せと言われたら、回答者の大半は連言錯誤を避けられただろう。だが休暇は懸かっていなかったし、ほんのわずかな時間しか使わなかったし、「ただ自分の意見を聞かれた」だけのようにあっさり自分の答えに満足してしまった。システム2が怠け者だということは紛れもない事実である。そして、明らかに論理的なルールの適用が代表性に阻まれるという実験結果は、興味深い。

リンダ問題の注目すべき点は、ディナーセット問題との顕著な対比である。二つの問題は同じ構造なのだが、異なる結果をもたらした。欠けた皿の入ったディナーセットを見せられた被験者は、ひどく安い値段をつけたが、これは直感に従った行動である。欠けた皿入りだが全体の点数は多いセットと点数の少ないセットを比較した被験者は、点数の多いほうが合計は大きくなるという論理ルールを正しく適用した。つまり単独評価（被験者間実験）では直感が幅を利かせ、並列評価（被験者内実験）では論理が勝ったわけである。これに対してリンダ問題では、並列評価の場合でも直感が論理に勝つことが多かった。ただし、論理に勝たせるための条件がいくつかあることはわかってきている。

エイモスと私は、明白な問題で観察された確率の論理のあからさまな無視は、じつに興味深いし発表する価値があると考えた。また、これらの実験結果は、判断のヒューリスティクスの影響に関する私たちの論拠を強化するものであり、これで懐疑論者を説得できるだろうとも考えた。だが私たちは完全にまちがっていた。リンダ問題は、論争を巻き起こす実験の典型として、ケーススタディの格好の材料になってしまったのである。

リンダ問題は高い関心を集めたが、同時に、私たちのアプローチには批判が集中した。私たちもすでに検証したように、実験の指示の出し方やヒントの与え方によって錯誤は大幅に減る。このことに気づいた研究者の中には、リンダ問題の文脈を取り上げ、被験者が「確率」を「もっともらしさ」と取りちがえたのは妥当だと主張する人が出てきた。それだけでなく、私たちの取り組み全体が回答者をミスリードしているとまで言い出す人もいた。一つの顕著な認知的錯覚を弱めるとか、事前説明で解消してやる、といったことは十分に可能であり、そうすれば他の錯覚もなくなるはずだというのである。[*3] この論法は、直感と論理の衝突という連言錯誤固有の特徴を無視している。

一方、被験者間実験（リンダ問題の実験も含む）から私たちが提示したヒューリスティクスの証拠のほうは、攻撃されなかった。というより、問題にもされなかった。連言錯誤にばかり関心が集まり、ヒューリスティクスの重要性はかき消されてしまった格好である。結局リンダ問題は、一般の人々の間で私たちの研究の知名度を高める一方で、この分野の研究者の間では、私たちの手法の信頼性をいくらか損なう結果となった。これは、まったく予期していなかったことである。

法廷では、弁護士は二通りのスタイルで反論を展開する。一つは相手の主張を粉砕する正攻法で、この場合には相手の最強の論拠に疑念を提出する。もう一つは相手の証人の信用を傷つける手法で、この場合には証言のいちばん弱い部分を突く。相手の弱点を突くやり方は政治の場でもよく用いられるが、学術的な論争でこれが適切なやり方だとは、私は思わない。だが社会科学における議論の規範は、とくに重大な問題が絡んでいるほど、政治家スタイルを容認しているらしい——それを厳然たる現実として受け入れるほかなかった。人間の判断がこれほどバイアスに侵されているとなれば、たしかに重大な問題にはちがいない。

数年前、リンダ問題を執拗に批判してきたラルフ・ヘルトウィヒと、私は友好的に言葉を交わした。彼とはそれ以前に対立を解消しようと試みたが無駄に終わっている。*4 私たちの評価を高めることになった発見はほかにもたくさんあるのに、連言錯誤だけをとくに問題視したのはなぜか、と私は訊ねてみた。するとヘルトウィヒはにやりと笑って「みんなの興味を引くからだ」と答え、さらに、リンダ問題があれだけ世間の関心を集めたのだから、文句を言う筋合いはないだろう、と付け加えたのである。

「過ぎたるは及ばざるがごとし」を話題にするときは

「彼らはひどく込み入ったシナリオをこしらえて、それが起こる可能性が高いと言い張っている。そんなはずはない。そのシナリオは、単にもっともらしいだけだ」

「高価な商品に安物のおまけを付けたところ、そのせいで、全体が安っぽくなってしまった。これはまさに、過ぎたるは及ばざるがごとし、というやつだ」

「ほとんどの状況では、直接比較を行うときに人間は注意深く論理的になるものだ。だが、いつもではない。ときには正解が目の前にあるのに、直感が論理を打ち負かすこともある」

第16章　原因と統計

――驚くべき事実と驚くべき事例

次の問題をよく読み、質問に直感的に答えてほしい。

問題1

夜、一台のタクシーがひき逃げをしました。この市では、緑タクシーと青タクシーの二社が営業しています。事件とタクシー会社については、次の情報が与えられています。

・市内を走るタクシーの八五％は緑タクシーで、一五％が青タクシーである。

・目撃者は、タクシーが青だったと証言している。裁判所は、事件当夜と同じ状況で目撃者の信頼性をテストした結果、この目撃者は青か緑かを八〇％の頻度で正しく識別し、二〇％の頻度でまちがえた。

では、ひき逃げをしたのが青タクシーである確率は何％でしょうか？

これは、ベイズ推定の標準的な問題である。ここには二種類の情報が提示されている。一つは基準率、もう一つは完全には信頼できない目撃者の証言である。目撃者がいなければ、ひき逃げをしたのが青タクシーである確率は一五％で、これが起こりうる結果の基準率となる。もし二社のタクシー会社が同等のシェアを持っていたら、基準率には意味がなくなり、あなたは目撃証言の信頼性だけを考えればよい。すると、青タクシーである確率は八〇％になる。この二種類の情報をベイズ・ルールに従って計算すると、正解（犯人が青タクシーの確率）は四一％になる。[*1] だがたぶんあなたは、この問題を出された大勢の人がやったのと同じことをするだろう。つまり、基準率を無視して証言だけに注目する。この場合、最も多い答は「八〇％」になる。

因果関係のステレオタイプ

では、同じ問題の別バージョンを考えてみよう。この問題では、基準率の表現方法だけを変えてある。

問題2
事件とタクシー会社については次の情報が与えられています。
・二つのタクシー会社が走らせている車の台数は等しい。ただし、過去に起きた事故の八五％には緑タクシーが関与している。
・目撃証言は最初の問題と同じ。

タクシー問題の二つのバージョンは、数学的には同じだが、心理学的にはまったく意味がちがってくる。問題1を読んだ被験者は、基準率をどう活用すればよいのかわからず、あっさり無視してしまうことが多い。対照的に問題2では、回答者は基準率を非常に重視する。その結果として、ベイズ推定に近い結論に達する。[*2] これはなぜだろうか。

問題1では、青タクシーの基準率は市内を走るタクシーの統計的事実にすぎない。因果関係が大好きな脳は、統計的事実から何の感銘も受けない。市内に何台緑タクシーと青タクシーがいたところで、ひき逃げをした運転手と何の関係があるのか、というわけである。

ところが問題2になると、緑タクシーの運転手は青タクシーの運転手の五倍も事故を起こしていることがわかる。するとすぐさまあなたは、「緑タクシーの運転手は無謀で危険だ」と決めつける。こうして緑タクシーの運転手は無謀だというステレオタイプが形成され、あなたは緑の運転手全員にこのステレオタイプを当てはめる。無謀というのはタクシー運転手が事故を起こす原因として妥当な要素なので、このステレオタイプは因果関係にぴたりとはまる。ただし問題2では、原因を示すシナリオが二通り示されているので、両方をうまく組み合わせるか、一致させる必要がある。第一のシナリオはひき逃げで、こちらでは当然ながら無謀な緑タクシーの運転手が犯人だという構図が浮かび上がる。第二は目撃証言で、これによれば青タクシーの運転手が犯人であるらしい。二つのシナリオはタクシーの色に関して真っ向から対立しており、互いにほぼ打ち消し合っている。そこで、緑が犯人の可能性も青の可能性もほぼ等しい、という結論になる（ベイズ推定による四一％という数字は、緑タクシーの基準率が、青が犯人だとする目撃者の信頼性よりいくらか高いことに起因する）。

タクシー問題を見ると、基準率には二種類あることがわかる。一つは「統計的基準率」で、これは母集団に関する事実である。しかしこの数字は、個々の予測では無視されがちである。もう一つは「因果的基準率」で、こちらは個々の予測を変える効果がある。二種類の基準率情報は次のように扱われる。

・統計的基準率はおおむね過小評価され、ときには完全に無視される。予測するケースに固有の情報が提供されているときは、とくにその傾向が強い。

・因果的基準率はそのケース固有の情報として扱われ、他の固有情報と容易に関連づけられる。

問題2では、緑の運転手は危険だというステレオタイプが形成された。ステレオタイプとは、ある集団についての説明が構成員一人ひとりについての事実として（少なくとも一時的に）受け入れられている記述のことで、たとえば次の例はステレオタイプに当たる。

この都心部の高校では卒業生の大半が大学に進学する。

フランスではサイクリングに対する関心が高い。

こうした説明文は、集団に属す一人ひとりの傾向を表すと解釈され、因果関係を形成しやすい。この文章を読んだ人は、この都心部の学校で多くの卒業生が大学進学を希望し、実際にその能力を備えているのは、おそらくはこの学校に何らかの有利な特徴があるからだと考える。また、フランスの文化や社会生活には、多くの人をサイクリング熱にめざめさせる要因があるのだろうと考える。そしてあなたは、この学校のある特定の卒業生が大学に進学する可能性を推定するときに、この事実を思い出す。また、知り合ったばかりのフランス人と会話をするときに、ツール・ド・フランスを話題にしようなどと思案する。

ステレオタイプ化はアメリカではよくないこととされているが、本書ではニュートラルなものとして扱う。あるカテゴリーを標準的あるいは典型的な例で代表させるのは、システム1の基本的な特徴の一つである。たとえば馬、冷蔵庫、ニューヨークの警察官を考えるときがそうだ。私たちはそれぞれのカテゴリーを、一つか二つの「よくある」メンバーで代表させる。カテゴリーを社会的に見たとき、この代表メンバーをステレオタイプと呼ぶ。ステレオタイプの中にはまったくの誤解に基づく有害なものがあり、敵意のあるステレオタイプ化はおぞましい結果を引き起こすこともある。だが、当たっているにせよ当たっていないにせよ、ステレオタイプが私たちのカテゴリーの見方を表しているという心理学的な事実は変えられない。

ここで読者はいささか皮肉に感じたかもしれない。タクシー問題に関する限り、基準率情報を無視するのは認知的な誤りであり、ベイズ推定への裏切りであって、望ましいのは因果的基準率を活用することだった。言い換えれば、因果的基準率に基づく緑タクシー運転手のステレオタイプ化が、判断の精度を高めたことになる。だが他の状況、たとえば人材採用やプロファイリング（犯罪の性質や特徴から犯人の特徴を推定する手法）におけるステレオタイプ化は社会規範に反する行為であり、法律でも禁じられている。これは、当然そうあるべきだ。とりわけ微妙な社会的状況では、集団の統計に基づいて、まちがっているかもしれない結論を個人に当てはめることは好ましくない。私たちは倫理的な理由から、基準率を個人に関する推定事実としてではなく、あくまで集団に関する統計的事実として扱うことが望ましいと考えている。平たく言えば、因果的基準率は却下する、ということだ。

ステレオタイプ化に反対する社会規範は、プロファイリング反対論を含め、より公正で平等な社会を形成するうえできわめて好ましい。とはいえ、有効なステレオタイプまで無視すれば、必然的に最適でない判断を招くことになることは覚えておいてほしい。ステレオタイプ化に異議を唱えることは、倫理的に称賛に値する。しかしそれが代償を伴わないと考えるのは単純にすぎるし、まちがいでもある。よりよい社会を実現するために払うべき代償ではあるが、代償の存在すら否定し、心情的に満足し、ともかくも公正だからよしとするのは、学問的に擁護できる姿勢ではない。感情ヒューリスティックへの依存は、政治的な主張によく見受けられ、自分が賛成する案は一切代償を伴わず、反対する案にはメリットが一切ないと強弁する。私たちは、もっとよい議論ができるはずだ。

因果的基準率

エイモスと私は、タクシー問題のさまざまな発展形を考案したが、因果的基準率が主役になるような問題は作成しなかった。そこで、ここでは心理学者のアイセク・アズゼンの実験を拝借することにしたい。

アズゼンの実験では、数人の受験生がエール大学の試験を受ける様子を描写した動画を被験者に見せ、各人の合格する確率を推定してもらう。このとき第一の被験者グループには、いま見た受験生は七五％が合格したクラスから抽出したと話し、第二グループには二五％しか合格しなかったクラスから抽出したと話すことによって、直接的に因果的基準率を操作した。この操作の効果は強力で、二五％しか合格しないような試験はおそろしく難しいことがただちに推測される。そして試験の難易度は、受験生一人ひとりの合否を判断するうえで重要な要因の一つとなる。予想通り、被験者は因果的基準率を重視し、合格率の高いクラスの受験生には高い確率を、低いクラスのほうには低い確率を推定した。

次にアズゼンは、非常に巧妙な方法を使って、非因果的な基準率を示した。彼は被験者に対し、いまあなた方が見た受験生は標本から抽出されたが、その標本自体がすでに試験に合格（または不合格）だった受験生を選んで一定の合格率になるよう構成されている、と話したのである。たとえば、二五％しか合格しなかったクラスについての情報は次のようになっている。

調査担当者は不合格の原因に関心があるため、七五％が不合格者である標本を作成した。

ここで、最初のバージョンとのちがいに注意してほしい。第二のバージョンの基準率は、受験者を抽出した集団に関する純粋に統計的な事実である。この数字は、個々の受験生の合否を予想する質問では無関係とみなされやすい。予想通り、この統計的基準率は、判断にいくらか影響はおよぼしたものの、因果的基準率（統計学的には同等である）の影響よりはるかに小さかった。システム1は、因果関係が形成されるシナリオは扱えるが、統計的な推論にはとんと弱い。もちろんベイズ推定がわかっている人なら、二つのバージョンは同じだとすぐに気づくが。この結果を見ると、因果的基準率はちゃんと活用されるのであって、程度の差こそあれ無視されるのは統計的基準率だけだと結論づけたくなる。だが次の実験から、事態はそう単純ではないことが判明した。ちなみにこれは、私が大好きな実験の一つである。

心理学は教えられるか？

無謀なタクシー運転手と超絶的に難しいエール大学入試の実験は、人々が因果的基準率から導き出せる二種類の推論を示した。一つは個人に割り当てられたステレオタイプ的な特徴からの推論、もう一つは結果に影響をおよぼしうる状況要因からの推論である。実験参加者は正しい推論を行い、判断の質は向上した。だが残念ながら、いつもうまくいくとは限らない。次に掲げる古典的な実験は、たとえ被験者が基準率情報を与えられても、信念に反する推論は行わないことを示した。この実験はまた、心理学を教えるのはほとんど時間の無駄である、といううれしくない結論も裏づけた。

この実験を行ったのはミシガン大学の社会心理学教授リチャード・ニスベットと教え子のユージン・ボージダである。[*3] ニスベットとボージダは、ニューヨーク大学で行われた有名な「人助け実験」のことを講義で取り上げ、学生たちにくわしく説明した。この実験の参加者は個別のブースに入り、インターコムで自分の近況や悩みについて順番に二分ずつ話をするよう指示される。話をする人のマイクだけがオンになる仕組みである。参加者は各組六名だが、じつはこの中にはサクラが一人入っていて、必ずこのサクラが、実験者の用意した台本どおりに最初に話をする。サクラはニューヨークの生活になかなかなじめないなどと話し、さらに、緊張するとよく喘息の発作が起きると悩みを打ち明ける。次に別の参加者が話す。こうして一巡したところで、再びサクラのマイクがオンになる。このときサクラは突然ただならぬ様子を示し、支離滅裂な言葉を発し、発作がきた、助けてくれと叫ぶ。彼の最後の言葉はこんな具合だ。「だ、だ、だれか、た、た、たすけて（激しくむせる）……。し……しに……死にそう……だ……ほっ……ほっさ……が（喉が詰まるような音のあと、沈黙）」。この時点でマイクは自動的に次の人に切り替わり、死にかかったサクラのブースからはもはや何も聞こえない。

さて、実験の参加者はどうしただろうか。その時点で彼らにわかっているのは、仲間の一人が発作に襲われて助けを求めていることである。しかし、その場には他の参加者もいるから、そのうちの誰かが機敏に対応するかもしれない。とすれば、自分はブースにとどまっていても問題はなかろう、ということになる。実際の結果は、一五人の参加者のうちすぐさま行動を起こして助けを呼んだのはたった四人。六人は最後までブースから出てこなかった。残り五人は、サクラが明らかに窒息死した頃になって、ようやく重い腰を上げた。この実験は、助けを求める声を聞いた人がほかにもいるとわかっている場合には、人は自分の責任を感じないことを示している。*4

読者はこの結果にきっと驚いたことだろう。私たちの大半は、自分がそこそこ親切な人間だと自認しているし、ああいう状況ならすぐさま助けに駆けつけるだろうと自負してもいる。また、他の人も同じことをするだろうと期待する。先ほどの実験の眼目は、言うまでもなく、この期待が誤りだと示すことにある。ごくふつうのまっとうな人間でさえ、発作を起こした人を助けるなどというあまりぞっとしない仕事を他の人がやってくれそうだと思ったら、自分はすぐには行動しないのである。たぶん、あなたも。

あなたは次の文章を認めることができるだろうか。「人助け実験の手順を読んだとき、私ならすぐに発作を起こした人を助けに行くだろうと思いました。私自身が一人のときに発作に襲われたら、どんなに心細いだろうかと考えたからです。ですが、おそらくそれは思いちがいでした。もし私がその場にいて、他の人が率先して行動する可能性があると知っていたら、たぶん私は動こうとしないでしょう。他の人の存在が、当初私が考えた以上に自分の責任観念を弱めてしまうと感じます」。これこそが、心理学を教える立場として学生に学んでもらいたいことである。あなたは、あえて自らこの推論を行えるだろうか。

人助け実験を講義で取り上げた心理学の教授が期待したのは、基準率が低いのは何らかの原因があるのだ、と学生たちが気づくことである。先ほどのエール大学問題で、合格率が低いのだから試験は難しいと予想したように、失敗率があまりに高い場合には、そのタスクは難しいと推論することだ。そして学生には、十分に起こりうる特定の状況、たとえば責任が分散されているような状況では、彼らのようにごくまともで親切な人間でも驚くほど不親切になり得ることも、理解してほしかった。

人間観を変えるのは難しいことである。まして自分は思ったより下劣な人間だ、と考えを改めるのはますます難しい。ニスベットとボージダは、学生がこの不快な作業に耐えられるだろうか、と疑念を抱いた。もちろん学生たちは、人助け実験の詳細が試験に出されたら、思い出して書き連ねることはできるだろう。責任が分散された状況に置かれた場合の「建前上の」教訓だって書けるはずだ。だがほんとうに人間性に関する見方は変わったのだろうか。

この点を確かめるために、ニスベットとボージダは学生たちに短いインタビューのビデオを見せた。ニューヨーク大学の実験参加者二名に対するインタビューというふれこみである。

ごく穏当な短いインタビューで、二人とも感じがよく、まともで親切そうに見える。二人は趣味やレジャーや将来の計画について話したが、どれも平凡で、とりたてて変わったところはなかった。ニスベットとボージダはビデオを見終えた学生たちに、二人がすぐさま助けに行った確率を推定するよう指示した。

このタスクにベイズ推定を適用する場合には、まず、インタビューのビデオを見ていなかったらどうやって確率を推定するのかを考えなければならない。この質問に答えるには、基準率を参照する。すると、最初の助けを求める声に応じて駆けつけたのは一五人中四人だったのだから、未知の被験者がすぐさま人助けをする可能性は二七%ということになる。したがって、ある被験者についてとくに何の情報も持ち合わせていない場合には、その被験者は助けに行かないとまずは考えるべきである。次にベイズ理論では、個人についての関連情報に照らして判断を修正することになる。しかしインタビューのビデオは、助けに行くか行かないかの判断には何ら影響をおよぼさないよう注意深く設計されており、ビデオを見ても、当てずっぽう以上の確率で二人が親切であるとも不親切であるとも判断できないようになっている。有用な追加情報がない場合には、ベイズ理論では基準率にとどまることをもって最終解決とする。

ニスベットとボージダは、ビデオを見て確率を推定する学生を二つのグループに分け、第一のグループには人助け実験の概要だけを話し、結果は話さなかった。つまりこのグループの推定は、もともとの人間観と状況理解だけに基づいている。したがって予想通り、二人ともすぐに助けに行ったと全員が答えた。一方、第二のグループには、人助け実験の概要と結果（一五人中四人しか助けに行かなかった）を話した。二つのグループの推定を比較すれば、「学生は人助け実験の結果から、考え方を変えるような何かを学ぶことができたか」という重要な質問に答が得られる。答は明快そのものだった――学生たちは何も学んでいなかったのである。第二グループの推定は、統計的結果を知らされなかった第一グループとまったく同じだった。彼らは、インタビュー対象者が抽出された集団の基準率を知っていたにもかかわらず、「ビデオで見てあんな感じのよい人たちは、すぐさま助けに行ったにちがいない」という考えを、頑として変えようとしなかった。

心理学を教える身としては、この実験結果が持つ意味は重く、じつに意気消沈させられる。人助け実験における被験者のふるまいを学生に教えるのは、それまで知らなかったことを学んでほしいからだ。ある状況では人間はこう行動しがちだというふうに、見方を変えてほしいからである。この目的は、ニスベットとボージダの実験では達成できなかったし、別の心理学実験を試したところで異なる結果が出ると信ずべき理由は何もない。実際、ニスベットとボージダは、別の実験を学生に教えた結果も同様だったと報告している。この別の実験とは、わずかな社会的圧力を被験者にかけ、通常はとても想像もできないような苦痛に満ちた電気ショックを他人に与えさせる、という有名な実験である。だが状況が自分の行動におよぼしうる影響をいっこうに学ばなかった学生たちは、この実験からも何も教訓を学ばなかった。ランダム抽出された未知の被験者または自分自身が平然と電気ショックを与える確率を推定するに当たって、彼らは自分に対する見方を全然変えていないことを露呈した。ニスベットとボージダの表現を借りるなら、かなりの被験者が最後まで電気ショックを与え続けた実験結果を聞かされて、学生たちは驚きはしたものの「自分自身（および友人知人）はそういうことはしない、とあっさりと除外した」。

とはいえ、心理学の先生は絶望してはならない。ニスベットとボージダは、人助け実験から教訓を学ばせる方法も報告してくれている。それは、こうだ。彼らは新たな学生グループを準備し、人助け実験の概要だけを説明して結果は知らせずに、例のビデオを見せた。その後に、ビデオに出てきた二人の人物はどちらも助けに行かなかったと伝え、そのうえで実験結果を推定するよう指示した。結果は劇的だった──学生たちはきわめて正確に確率を推定したのである。

心理学のしの字も知らなかった学生たちに心理学を教えるときには、あまり驚かせてはいけない。だが中には、よく効く驚きもある。学生には、驚くべき統計的事実を示しても何も学ばない。だが驚くべき事例（あんなに感じのよい二人が助けに行かなかった）には反応し、ただちにそれを一般化して、人助けは自分たちが考えていたより難しいのだと推論することができた。ニスベットとボージダは、この結果を印象的な表現でまとめている。「被験者は全体から個を推論することには不熱心だが、まさにそれと釣り合うように、個から全体を推論することには熱心である」

これはきわめて重要な結論である。人間の行動について驚くべき統計的事実を知った人は、友人に話して回る程度には感銘を受けるかもしれないが、自分の世界観がそれで変わるわけではない。だが、心理学を学んだかどうかの真のテストとなるのは、単に新たな知識が増えたかどうかではなくて、遭遇する状況の見方や認識の仕方が変わったかどうかである。私たちは、統計を考えるときと個別の事例を考えるときとで、向き合い方が大きく異なる。因果的解釈を促す統計結果は、そうでないデータよりも、私たちの思考に強い影響をおよぼす。だが説得力の高い原因を暗示するような統計結果であっても、長年の信念や個人的経験に根ざした信念を変えるには至らない。その一方で、驚くべき個別の事例は強烈なインパクトを与え、心理学を教えるうえで効果的な手段となりうる。なぜなら信念との不一致は必ず解決され、一つのストーリーとして根づくからだ。読者に個人的に呼びかける質問が本書に多く含まれているのは、このためである。人間一般に関する驚くべき事実を知るよりも、自分自身の行動の中に驚きを発見することによって、あなたは多くを学ぶことができるだろう。

原因と統計を話題にするときは

「ただの統計データを見て、彼らがほんとうに意見を変えるとは思えないね。それより、一つか二つ、代表的な事例を示して、システム１に働きかけるほうがいい」

「この統計データが無視されるなんて心配は無用だ。それどころか、この情報に基づいてすぐさまステレオタイプが形成されるだろう」

第17章　平均への回帰
——誉めても叱っても結果は同じ

この仕事をしていて心から満足した経験の一つは、イスラエル空軍の訓練教官に、訓練効果を高めるための心理学を指導していたときのものである。私は教官たちを前にして、スキル強化訓練における重要な原則として、失敗を叱るより能力向上を誉めるほうが効果的だと力説した。この原則は、ハト、ネズミ、ヒトその他多くの動物実験で確かめられている。

私が感動的な講義を終えると、ベテラン教官の一人が手を挙げ、自説を開陳した。それはこうだ。うまくできたら誉めるのは、たしかにハトでは効果が上がるのかもしれないが、飛行訓練生に当てはまるとは思えない。訓練生が曲芸飛行をうまくこなしたときなどには、私は大いに誉めてやる。ところが次に同じ曲芸飛行をさせると、だいたいは前ほどうまくできない。一方、まずい操縦をした訓練生は、マイクを通じてどなりつけてやる。するとだいたいは、次のときにうまくできるものだ。だから、誉めるのはよくて叱るのはだめだ、とどうか言わないでほしい。実際には反対なのだから。

これは、長年教えてきた統計学の原則に新たな光が当たった喜ばしい瞬間だった。この教官は正しい——がまた、完全にまちがってもいた。彼の観察は鋭く、事実に即している。教官が訓練生の操縦を誉めたときは次回にへたくそになり、叱ったときは次回にうまくなる。そこまでは正しい。だが、誉めるとへたになり、叱るとうまくなるという推論は、完全に的外れだ。教官が観察したのは「平均への回帰（regression to the mean）」として知られる現象で、この場合には訓練生の出来がランダムに変動しただけなのである。教官が訓練生を誉めるのは、当然ながら、訓練生が平均をかなり上回る腕前を見せたときだけである。だが訓練生は、たぶんそのときたまたまうまく操縦できただけだから、教官に誉められようがどうしようが、次にはそうはうまくいかない可能性が高い。同様に、教官が訓練生をどなりつけるのは、平均を大幅に下回るほど不出来だったときだけである。したがって教官が何もしなくても、次は多かれ少なかれましになる可能性が高い。つまりベテラン教官は、ランダム事象につきものの変動に因果関係を当てはめたわけである。

このベテラン教官の指摘に答えるに当たって、確率予測の講義などをやっても誰も喜ばないだろうと私は考えた。そこで床にチョークで印をつけて標的とし、教官全員に的当てをやってもらった。一人ずつ標的に背を向けて立ち、結果を見ずにコインを二回続けて投げる。そして標的からの距離を測定し、各人の結果を表にして黒板に書き出した。その後に一投目の成績がよかった順に並べ替えてみると、一投目の成績がよかった人の大半が（全員ではない）二投目には悪くなり、一投目にお粗末だった人の大半が二投目にはよくなっていることがわかった。私は、教官たちにこう言った。黒板に書き出した結果は、曲芸飛行の連続的な訓練における成績と一致する。すなわち、不出来だったあとはよくなるし、上出来だったあとはまずくなるのであって、これは誉め言葉や叱責とは関係がないのだ、と。
この日私が発見したのは、訓練教官が不幸な偶然の罠に落ち込んでいる、ということだった。彼らは訓練生の出来が悪いとどなりつけ、その叱責は実際には効果がないにもかかわらず、次回はたまたま訓練生がうまくやるという見返りを手にする。そこで、「叱るのがよいのだ」と考えてしまう。こうした罠にはまっているのは、彼らだけではない。私は、人間の置かれた状況に関する重大な事実に気づいた――私たちの生活では、こうしたことがそこら中で起きているのである。私たちは、自分によくしてくれた人には親切にし、そうでない人にはいじわるをすることによって、親切に対しては統計学的に罰され、いじわるに対しては統計学的に報われている。

才能と幸運

数年前、オンライン・マガジン「エッジ」の編集長ジョン・ブロックマンが、科学者にめいめい「自分の好きな公式」を挙げてもらう特集を組んだ。私の挙げた公式は、次のとおりである。

成功＝才能＋幸運
大成功＝少しだけ多くの才能＋たくさんの幸運

成功には多くの場合運が味方しているというのはとくに驚くべき見方ではないが、これをプロゴルフトーナメントの一日目・二日目に当てはめると驚くべき結果になる。話を単純にするために、このトーナメントの平均スコアはパーと同じ七二だとしよう。そして、初日に六六という好スコアを出した選手に注目する。この見事なスコアから、どんなことが推測できるだろうか。すぐに思いつくのは、この選手がトーナメントの平均的な参加者よりも才能があるのだろう、ということである。また成功の公式からすると、この選手が平均以上の幸運にも恵まれていたと考えるのが妥当である。読者が私の成功の公式を認めてくれるなら、いい成績を上げる選手は、才能を持っていることと同じぐらい確実に幸運だと言える。

同じように、初日に五オーバーの七七を叩いてしまった選手については、この選手はへたくそであると同時に運が悪かったのだというふうに推論してよいだろう。もちろん、必ずそうだとは言えない。この選手は実際には実力があるのに、単におそろしく運が悪かったという可能性も、十分にある。しかし初日のスコアからは、以下の推論がもっともありそうで（しかし確かではないが）、かつ、まちがいであるよりは正しい可能性が高い。

初日に平均以上のスコアを出した選手＝平均を上回る才能＋一日目の幸運
初日に平均以下のスコアを出した選手＝平均を下回る才能＋一日目の不運

では次に、初日の成績を知ったうえで、二日目のスコアを予想してほしい。あなたはきっと、才能のレベルは一日目と二日目とで大きくは変わらないと考えるだろう。そこで、初日に好スコアを出した選手には「平均以上」の才能を、初日に不振だった選手には「平均以下」の才能を見込む。もちろん運が絡んでくることはわかっているが、あなたには二日目の運もそれ以外の日の運もまったく予想できないのだから、運に関しては幸運でも不運でもなく平均としておくのが最善の戦略になる。言い換えれば、他に有用な情報がない場合には、二日目に初日のスコアが再現されると考えるべきではない。あなたにできる最も妥当な予想は、次のとおりである。

・初日に好スコアを出した選手は、二日目もよいスコアを出す可能性はあるが、初日ほどの成績は期待できない。なぜなら、初日は非常に運がよかったと考えられるので、それが二日目も継続する可能性は低いからである。

・初日にスコアの悪かった選手は、二日目も平均を下回ると見込まれるが、初日よりスコアはよくなるだろう。なぜなら、初日は非常に運が悪かったと考えられるので、それが二日目も継続する可能性は低いからである。

この予想でも、第一の選手は第二の選手よりよいスコアを出すことになっているものの、両者の差は縮まると考えられる。

二日目の最も妥当な予想スコアが、その予想の根拠となっているデータ（初日のスコア）

より平凡になり、平均に近づくことを知ると、学生たちは一様に驚く。この平均に近づくパターンを指して平均回帰と呼ぶわけである。最初のスコアが極端によかったり悪かったりするほど、次のスコアは回帰の幅が大きくなる。なぜなら、極端によいスコアは極端な幸運の作用を暗示するからである。平均回帰を見込むのは妥当ではあるが、だからと言って的中するとは保証できない。初日に六六を出した選手が、次の日にはさらに幸運に恵まれ、もっといいスコアを出すことも稀にはあるだろう。ただし多くの場合には、二日目の運は平均を下回り、スコアは悪くなるだろう。

では今度は、時間の流れを逆から見てみよう。二日目の成績順に選手を並べて、初日の成績を遡ってチェックする。すると、まったく同じ平均回帰パターンが見られるはずだ。二日目に最もよいスコアを出した選手は、おそらくはその日の運がついていると考えられるので、初日にはそれほど幸運ではなく、したがってスコアも冴えないと推測するのが妥当である。そして、あとの事象から先の事象に遡ったときにも平均回帰が認められることから、回帰を因果関係で説明するのは誤りであることがわかる。

平均回帰パターンはどこにでも見られる現象であり、それを説明するために的外れの因果関係をこしらえようとする人が後を絶たない。よく知られている例が、「スポーツイラストレイテッドのジンクス」というものである。これは、同誌の表紙に登場した選手は翌シーズンには成績不振に陥るというジンクスである。その理由として、自信過剰になるからだとか、高い期待に応えようとしてプレッシャーがかかるからだ、などとまことしやかな理由が囁かれる。だが理由はもっと単純なことだ。『スポーツイラストレイテッド』誌の表紙を飾った選手は、そのシーズンに目を見張るような活躍をしたにちがいない。そこには幸運の後押しもあったと考えられる。そして運は気まぐれだということである。

エイモスと共同で直感的予測に関する論文を書いていた頃、冬季オリンピックのスキージャンプ競技を観戦したことがある。選手は二回試技を行い、合計点で順位を競う。このとき耳に入ってきたキャスターのコメントに私は思わず反応した。選手たちが二回目のジャンプの準備をしている間、こんなことを言っていたからだ。「このノルウェー選手は一回目にすばらしいジャンプをしました。このリードを保とうと緊張して身体が強ばり、二回目は飛距離が伸びないでしょう」とか「このスウェーデン選手は一回目に失敗ジャンプをしてしまいました。しかしこれで失うものはなくなったので、リラックスし、二回目はきっとうまくいくでしょう」。キャスター氏は明らかに平均回帰を察知し、何の証拠もない因果関係をでっち上げたのだった。彼の語ったストーリーが真実である可能性はある。選手の心拍数を試技前に測ったら、一回目に失敗した選手はリラックスしていることがわかるかもしれない。だが、そうでないかもしれない。ここで思い出してほしいのは、一回目と二回目のちがいには必ずしも因果関係は成り立たないことである。一回目の結果に運も作用していたという事実が、数学的に必然の結果を二回目にもたらす。因果関係を好む私たちにとってはあまりおもしろくないストーリーだが、二回の試技について言えるのは、それがすべてである。

回帰とは何か

回帰というのは、気づかれないにせよ、まちがって説明されるにせよ、人間の思考にとってはふしぎな現象である。そのせいか、回帰が初めて認識され説明されたのは、重力理論や微分計算が出現してから二〇〇年もあとのことだった。しかもこれを理解するには一九世紀イギリスで最高級の頭脳を必要としたし、その頭脳をもってしても、解明は非常に困難だったのである。

一九世紀末に平均回帰を発見して名前を付けたのは、サー・フランシス・ゴルトンである。ゴルトンは著名な博学者で、チャールズ・ダーウィンは従兄に当たる。一八八六年に発表された論文「身長の遺伝における平凡への回帰（Regression towards Mediocrity in Hereditary Stature）」を読んだら、読者はきっと発見の興奮を感じてわくわくすることだろう。この論文では、連続する世代の種子の大きさと、両親と子供の身長比較に関する計測結果が報告されている。種子については、ゴルトンは次のように書いている。

「調査が注目に値する結果をもたらしたため、これを報告すべく、私は一八七七年二月九日の英国王立科学研究所での講義を準備した。調査結果によると、種子の大きさに関して子世代が親世代に似る傾向は認められなかった。子はつねに親よりも並みになる。すなわち親が非常に大きければ子は親より小さくなるし、親が非常に小さければ、子は親より大きくなる。（中略）また、子の並みへの平均的な回帰幅は、親の平均との偏差に正比例することも確かめられた」

王立科学研究所は世界最古の独立系研究機関であり、その教養深い聴衆であれば、この「注目に値する結果」に非常な感銘を受けるだろう、とゴルトンは期待した。だがほんとうに注目に値するのは、空気のように当たり前の統計的規則性にゴルトンが驚いたことのほうである。回帰の影響はそこかしこで見られるにもかかわらず、私たちはそうと認識していない。回帰は見落とされやすい現象だと言えよう。ゴルトンにしても、子世代の種子の大きさが平均に回帰するという発見から、二種類の計測値の相関が完全でない場合には必ず平均回帰が起きるという普遍的な概念にたどり着くまでには、なお数年を要した。しかもその際に、当時の最も優秀な統計学者の助力も必要としたのだった。[*1]

ゴルトンが乗り越えなければならなかった障害物の一つは、異なる尺度で計測された変数の間で起きる回帰をどのように数値化するか、という問題だった。たとえば体重とピアノの腕前である。これは、参照標準として母集団を使うことで対処する。小学校の各学年から合計一〇〇人の子供を抽出して体重とピアノの腕前を測定し、体重、ピアノそれぞれについて上から順に並べたとしよう。もしジェーンがピアノで三位、体重で二七位なら、体重に比してピアノが上手だと言える。ここで話を単純化するために、次の前提を導入する。

どの年齢でも、

・ピアノの腕前は一週間の練習時間数だけに比例する。
・体重はアイスクリームを食べた量だけに比例する。
・アイスクリームの量とピアノの練習時間の間には、何ら関係性は存在しない。

すると、子供たちの順位（統計学者は「偏差値」[*2]という言葉を使う）から次の式を導き出すことができる。

体重＝年齢＋アイスクリームの消費量
ピアノの腕前＝年齢＋練習時間数

ここであなたが、ピアノの腕前から体重を推測するか、その逆を行おうとすると、平均への回帰が起こることに気づくだろう。たとえばあなたがトムについて、体重が一二位であることだけを知っているとしよう。この体重は平均をかなり上回っている。このことからあなたが（統計学的に）推定できるのは、トムが母集団の平均よりは上の年齢で、他の子供よりはアイスクリームをよく食べることだけである。また、バーバラについてピアノが八五位（平均を大幅に下回る）であることだけを知っている場合には、バーバラが平均よりは下の学年で、大半の子供よりは練習時間が少ないと推測できる。

二つの計測値の相関係数は、両者に共通する要因の相対的な重みを表し、〇から一の間で変化する。たとえば私たちは遺伝子を両親から半分ずつ受け継いでいる。環境要因の影響を比較的受けにくい身体的特徴、たとえば身長を例にとると、両親と子供の身長の相関係数は〇・五〇前後である。*3

相関係数の概念を理解するために、いくつか例を挙げておこう。

・ヤード・ポンド法で計測した寸法とメートル法で計測した寸法との相関係数は一である。計測に影響をおよぼす要因は両方に等しく作用するので、決定因は一〇〇％共有されている。

・アメリカの成人男性が自己申告した身長と体重の相関係数は、〇・四一である。*4 ここに女性と子供を含めたら、相関係数はもっと高くなるだろう。性別と年齢は身長と体重の両方に影響をおよぼすので、共通する要因の相対的な重みが増すからである。

・大学進学適性試験（ＳＡＴ）と大学でのＧＰＡ（成績評価点）との相関係数は、約〇・六〇である。だが、適性試験の点数と大学院での成績は、相関係数が大幅に低くなる。なぜなら、大学院に進学する集団では、適性試験の点数にばらつきがほとんどないからである。全員が同程度の適性を備えているなら、この数値の差は大学院での成績に大きく影響をおよぼす可能性は低い。

・アメリカの場合、所得と学歴の相関係数は約〇・四〇である。*5

・世帯収入と電話番号の下四桁の数字との相関係数はゼロである。

フランシス・ゴルトンは、数年におよぶ悪戦苦闘の末に、相関と回帰が別々の概念ではないということに気づいた。[*6] 両者は、同じ概念を別の角度から見たにすぎない。この単純明快な発見は、驚くべき結果をもたらした。二つの変数の相関が不完全なときは、必ず平均への回帰が起きるということである。ゴルトンの発見をわかりやすく説明するために、多くの人が興味津々の話題を取り上げよう。

非常に頭のいい女性は、自分より頭の悪い男性と結婚する。

この話題をパーティーで持ち出して「どうしてかしら」と訊ねたら、かなり盛り上がってみんなに感謝されるにちがいない。多少は統計学を学んだ人でさえ、一足飛びに因果関係で説明しようとするはずだ。たとえば、「同じくらい頭のいい男と競争したくないからだ」とか、「頭のいい男は頭のいい女と比べられるのをいやがるので、頭の悪い男で妥協せざるを得ないからだ」等々。いやいや、ノリのいいパーティーなら、もっと突拍子もない説明が飛び出すことだろう。では今度は、次の文章を考えてみてほしい。

夫と妻の知能指数の間には、完全な相関関係は認められない。

この文章は明らかに正しいが、少しもおもしろくない。そんなものに完全な相関を期待する人がいるだろうか。完全でないとしても、理由を考える気にもなるまい。だが、あなたが興味津々だった先ほどの文章と、このおもしろくない文章とは、数学的には同じことを言っている。夫と妻の知能指数が完全な相関関係を形成しない場合（かつ男と女は平均すれば知能に差がない場合）には、数学的必然として、非常に頭のいい女性は平均して自分より頭の悪い夫を選ぶことになるのである（もちろん逆もまた成り立つ）。いま観察された平均への回帰は、不完全な相関以上におもしろくなく、説明を探したくもない。

読者はきっと、回帰という概念と格闘したゴルトンに同情することだろう。統計学者のデービッド・フリードマンに言わせれば、刑事訴訟であれ民事であれ、裁判で回帰が問題になったときは、そいつを陪審員に説明しなければならない側が必ず負けるという。なぜそれほどわかりにくいのだろうか。主な理由は、本書で繰り返し取り上げてきたように、私たちの頭は因果関係を見つけたがる強いバイアスがかかっており、「ただの統計」はうまく扱えないからである。

ある事象に注意が惹きつけられた場合、連想記憶はさっそく原因を探し始める。正確に言えば、記憶の活性化が自動的に拡がり、すでに保存されている原因を手当り次第に刺激する。こうしたわけで、回帰が検出されると、ただちに理由付けが始まる。だがこれは誤りだ。平均回帰を説明することはできても、原因は存在しない。ゴルフトーナメントでは、初日にいいスコアを出した選手がだいたいは二日目にスコアを悪くする現象が認められた。その最も妥当な説明は、初日はとてもラッキーだった、というものである。だがこの説明は、私たちが大好きな因果関係を含んでいない。私たちは、回帰にもっともらしい説明をつけてくれる人を大歓迎する。もし評論家が「この企業は去年不振だったので今年はよくなるでしょう」と言ったら、早晩干されるにちがいない。

回帰という概念が理解しがたいのは、システム１とシステム２の両方に原因がある。統計学を専門的に学んでいない人は言うまでもなく、ある程度学んだ人の相当数にとってさえ、相関と回帰の関係はどうにもわかりにくい。システム２がこれを理解困難と感じるのは、のべつ因果関係で解釈したがるシステム１の習性のせいでもある。次の文章を読んでほしい。

鬱状態に陥った子供たちの治療にエネルギー飲料を用いたところ、三カ月で症状が劇的に改善した。

私はこの文章を新聞の見出しからこしらえたのだが、これは事実である。鬱状態の子供たちの治療として長期にわたってエネルギー飲料を与えたら、臨床的にみて症状は顕著な改善を示すだろう。しかしまた、子供たちが毎日逆立ちをしても、毎日二〇分猫を抱っこしても、やはり症状は改善するはずだ。こうしたニュースを知った読者は、エネルギー飲料や猫とのふれあいが功を奏したのだ、と自動的に推論するだろう。だがそのような推論はまったく正しくない。

鬱になった子供たちというのは、他のほとんどの子供たちに比べてひどく元気のない極端な集団であって、このように極端な集団は、時間の経過とともに平均に回帰する。継続的な検査値に完全な相関が成立しないのであれば、必ず平均への回帰が起きる。鬱の子供たちは、猫を抱かなくても、エネルギー飲料を一本も飲まなくても、時間経過とともにある程度はよくなるのである。エネルギー飲料または他の治療法に効果があったと結論づけるためには、何の治療も受けない「コントロール・グループ」という集団を設けなければならない（プラセボと呼ばれる偽薬の治療を受ける集団を設ければ、なおよい）。コントロール・グループは平均回帰によってのみ症状が改善すると考えられるので、治療がそれ以上に効果があるかどうかを確かめることができる。

回帰現象にまちがった因果関係を当てはめるのは、一般紙の読者だけではない。統計学者のハワード・ウェイナーが調べたところ、たくさんの著名な研究者が、単なる相関関係を因果関係と取りちがえるという誤りを犯していた。[*7] 回帰は、研究を邪魔する厄介物であり、経験豊富な研究者は十分な根拠のない因果的推論をしないよう、厳に戒めている。

最後に、私が気に入っている直感的予測のエラーの例を紹介しよう。マックス・ベイザーマンとドン・ムーアの名著『行動意思決定論――バイアスの罠』（長瀬勝彦訳、白桃書房）から拝借したものである。

あなたは、ある百貨店チェーンで売上予想を担当しています。各店舗の面積と品揃えはほぼ同じですが、立地条件、他店との競合その他ランダムな要因により売上げは異なります。あなたは二〇一一年の実績データを渡され、二〇一二年の各店舗の売上げを予想するよう指示されました。なお、専任のエコノミストの予想によれば総売上高は前年比一〇%増になるとのことで、この数字を前提として予想しなければいけません。あなたは各店舗の売上高をどのように予想しますか？

店舗	二〇一一年	二〇一二年
1	一一〇〇万ドル	――
2	二三〇〇万ドル	――
3	一八〇〇万ドル	――
4	二九〇〇万ドル	――
合計	八一〇〇万ドル	八九一〇万ドル

本章を読んだあなたには、各店舗の去年の売上高に一〇%ずつ上乗せするという単純な答はまちがいだとわかっているはずだ。あなたは回帰的な結果を予想しなければならない。すなわち、二〇一一年に売れ行きがぱっとしなかった店舗については一〇%より多めに上乗せし、好調だった店舗については一〇%より少なめにするか、売上高そのものを減らす必要がある。だがほとんどの人は一律一〇%上乗せすれば事足りると信じ込んでいるので、この問

題を出されたら、「どうしてそんなわかりきった質問をするのか」とうるさがるにちがいない。ゴルトンが気づいて落胆したように、回帰という概念は一般の人にとってまったくなじみがないのである。

平均への回帰を話題にするときは

「経験からすると、叱るほうが誉めるより効果的だ、と彼女は言い張っている。平均回帰ってことを全然わかってないんだな」

「彼の二次面接が一次面接ほど好印象でなかったのは、失敗しないように緊張していたせいかもしれない。だがそれよりも、一次面接が出来すぎだった可能性のほうが高い」

「当社の採用方式はなかなかよくできているが、完璧ではない。したがって、回帰が起きるものと考えておく必要がある。非常に優秀な応募者がひんぱんに期待を裏切っても、驚いてはいけない」

第18章　直感的予測の修正
——バイアスを取り除くには

日常生活では予測をする機会がたくさんある。エコノミストはインフレ率や失業率を予測し、金融アナリストは収益を、軍事専門家は死傷者数を、ベンチャーキャピタリストは収益性を、出版社は販売部数を、興行主は動員数を、請負業者は工期を、シェフはその日のメニューの皿数を、施工業者は建築工事に必要なコンクリートの量を、消防隊長は鎮火に必要な放水車の数を予測する。また家庭では、引越しを提案したら妻がどんな反応を示すか、自分は新しい仕事にどのくらいで慣れるかを予想する。

一部の予測的判断、とくに技術者が下す判断は、表や緻密な計算や類似のケースにおける結果の系統的分析などに基づいている。それ以外の予測は、直感とシステム1が頼りである。この種の予測は大きく分けて二通りある。第一は、長年の経験で培われたスキルや専門知識に基づく直感である。たとえばチェスの名人、消防隊長、そしてゲーリー・クラインの『決断の法則』に出てくるような物理学者は、瞬時に自動的に判断し選択する。これらは、熟練の技に基づく直感の代表例と言えよう。こうした人たちは、慣れ親しんだ手がかりを発見した瞬間に、解決が頭に閃く。

第二の直感は、解くべき難しい質問を簡単な質問で置き換えるヒューリスティクスの働きによる。この第二の直感は、熟練による直感と区別できないように見えることもある。直感的判断は、裏づけが乏しく回帰も無視しているにもかかわらず、自信満々で下されることがめずらしくない。言うまでもなく多くの判断、とくに仕事上の判断の多くは、分析と直感の両方の影響を受ける。

回帰を無視する直感

ここでは、前に出てきたおなじみの人物に再び登場してもらおう。

ジュリーは現在州立大学の四年生です。彼女は四歳のときに文字をすらすら読むことができました。いまのジュリーのＧＰＡ（成績評価点）は何点ぐらいでしょうか？

アメリカの教育制度を知っている人なら、すぐに数字が思い浮かぶだろう。だいたい三・七か三・八というところだろうか（満点は四・〇）。この答が出るまでには、システム１のいくつかの操作が関わっている。

・過去の情報（ジュリーの幼少時の読書能力）と予想対象（現在のＧＰＡ）との間に因果

関係を探す。因果関係は直接的でなくてもよいが、この事例では、幼少時の読書能力もGPAも知的能力を表している。因果関係にはこうした何らかの関連性が必要であって、ジュリーが高校時代に釣り大会で優勝したとか、重量挙げの有力選手だったといった情報がもしあったとしても、あなた（あなたのシステム２）は関係がないとして切り捨てるだろう。このプロセスは実質的にイエスかノーかの二者択一で、ある情報の重みを少し減らす、といった調整はシステム１にはできない。その結果、直感的予測では、そもそもその情報が予測の根拠として信頼できるのかどうかは、ほとんど問題にされない。ジュリーの幼少時の読書能力のように予測対象との関連性が見つかったとたん、「見たものがすべて」効果が発動し、あなたの連想記憶は入手できた情報だけに基づいて、考えられる限りで最善のストーリーを瞬時に自動的に組み立てる。

・次に、入手した情報を該当する標準と比較して評価する。四歳ですらすら字が読める子供というのは、どの程度早熟なのだろうか。この能力は、同年代の子供の中でどの程度の順位に当たるのか、あるいはパーセンタイル（データを小さい順に並べたときの順位をパーセンテージで表した値。たとえば中央値は五〇パーセンタイル）で言うとどのあたりなのだろう。比較対象となる集団（参照グループ）はきちんと特定されているわけではないが、日常的な会話ではそれはふつうのことだ。たとえば、相手が「あの大学生はとても賢い」と言ったとき、「とても賢いというのは、どの参照グループを念頭において言っているのか」などとは詰問しないだろう。

・続いては、置き換えとレベル合わせが行われる。質問されたのはジュリーのGPAだが、あなたはこれを、幼少時の読書能力というあやしげな情報の評価に置き換える。そして、早熟な読書能力と同じパーセンタイル値を予想GPAに当てはめる。
・質問はGPAの点数を答えるよう要求しているので、ジュリーの知的能力に対する漠然とした印象を、能力を表す点数に数値化するという別のレベル合わせも行わなければならない。このステップでは、ジュリーの相対的な知的能力を、それに釣り合うGPAに転換する作業を行う。

レベル合わせによって、依拠する情報と予測とが同程度のレベルに揃えられ、結果的にはまったく異なる次の二つの質問に、同じ答を出すことになる。

ジュリーの幼少時の読書能力はパーセンタイル値で表すとどのぐらいですか？

ジュリーの現在のGPAはパーセンタイル値で表すとどのぐらいですか？


いまでは読者は、これらの操作がすべてシステム1に特徴的なものだとすぐに気づいたことだろう。ここでは便宜上順を追って説明したが、言うまでもなく連想記憶の活性化は、こんなふうに順序立てて行われるわけではない。活性化が拡がるプロセスは、最初に与えられた情報と質問によって始まり、自動的にフィードバックが行われ、考えられる限りで最も一貫性のある解決に落ち着く、というふうになる。

エイモスと私は、八人の大学新入生について、人物描写を読んでから能力評価をしてもらう実験をやったことがある。カウンセラーがインタビューをして書いた人物描写というふれこみで、どの人物にも次の五つの形容詞が使われている。

頭がよい、自信がある、よく本を読んでいる、勤勉である、知的好奇心に富む

私たちは参加者を二つに分け、第一グループには次の二つの質問に答えてもらった。

この文章を読んで、新入生の知的能力はどのくらい優秀だと感じましたか？
人物描写から、もっと優秀な印象を与える新入生は、全体の何％いると思いますか？

この質問に答えるには、「カウンセラーの人物描写に関するあなたの基準」に照らして、この人物描写がもたらす印象を評価する必要がある。そもそものような基準が存在することと自体が驚きであり、あなた自身もいったいどうしてそんなものを持っているのかさえ、わかっていないだろう。それでもあなたは、この人物描写が伝えるカウンセラーの感動の度合いをありありと識別するにちがいない。すなわち、カウンセラーはこの学生が優秀だとは思っているが、並外れて優秀とまでは思っていない。なぜなら、もっと強い形容詞を使う余地があるからだ。

「頭がよい」より「才気あふれる」「創造性ゆたか」のほうが上だし、「よく本を読んでいる」より「博学、博識である」「驚くほど教養がある」のほうが、「勤勉である」より「勉学意欲に燃える」「飽くことを知らぬ知識欲の持ち主である」のほうが強い。そこで、最終判断は次のようになる。この学生は上位一五％には入りそうだが、上位三％に入る可能性は低い。少なくとも同じ文化圏では、こうした印象は驚くほど一致する。

参加者の第二グループには、次の質問をした。

この学生は何点ぐらいのGPAを獲得できると思いますか？

この学生より高いGPAをとる新入生は、全体の何％でしょうか？

二組の質問の間の微妙なちがいを識別するためには、注意して読む必要がある。字面からちがいははっきりしているように見えるかもしれないが、実際にはそうではない。一組目の質問では、あなたは手元の情報（人物描写）を評価すればよいだけだった。しかし二組目の質問では、一年次終了時点でのGPAを予想しなければならないので、かなりの不確実性が入り込んでくる。インタビューが実施されてから一年の間に何が起きるかわかったものではないし、五つの形容詞で表現された短文から一年次の成績を数字で予想しなければならないのだ。カウンセラー本人でさえ、インタビューからGPAを正確に予想できるとは言えまい。

この実験の目的は、第一グループのパーセンタイル評価と第二グループのそれとを比較することにあった。結果は一言で要約できる――両者は完全に一致したのである。一組目は人物描写を評価してもらう質問であり、二組目は将来の成績を予想してもらう質問であるから、二組の質問の内容は大きくちがう。にもかかわらず、参加者はまるで同一の質問に答えたかのようだった。ジュリーの場合と同じく、将来予測と手元情報の評価とが区別されていない。というよりも、予測のほうを評価に一致させている。これはおそらく、置き換えの役割を示す証拠として、私たちが得られた中で最善のものだろう。第二グループの参加者は将来予測を要求されたにもかかわらず、それを手元情報の評価に置き換えた。しかも、自分たちの答が問われた質問に対する答でないことに、全然気づいていなかった。このようなプロセスは、まちがいなく系統的バイアスのかかった予測を形成することになる。なぜなら、平均への回帰が完全に無視されるからだ。

イスラエル国防軍で兵役に就いていた頃、私はある特殊な部隊に配属され、幹部養成学校に送り込む兵士の選抜を担当していたことがある。選抜は一連の面接と実地試験に基づいて行った。選抜が適切だったかどうかは、幹部養成学校での最終成績で判断できる。しかし私たちの選んだ兵士の成績は、あまり芳しくなかった（これについては後の章で取り上げる）。

さて私が教授に昇格し、直感的判断の研究をエイモスと共同で行うようになったときにも、この部隊は存在していた。そこで私は伝手をたどり、研究への協力を依頼した。通常の幹部候補選抜を行う際に、幹部養成学校に送り込まれてから一人ひとりがとる成績を予想してもらうことである。部隊は数百人分の予想を集めてくれた。予想をした幹部将校たちは養成学校の成績評価システムにくわしく、Aが何%でBが何%といった相対評価の比率をよく知っている。そして予想の結果は衝撃的だった。幹部養成学校での成績予想におけるAとBの相対的な比率は、選抜試験の成績におけるAとBの比率とほぼ完全に一致していたのである。

このことは、置き換えとレベル合わせが行われたことを雄弁に物語っている。予想を行った幹部将校たちは、次の二つのタスクをまったく区別していなかった。

・通常の仕事＝面接や実地試験における候補者の現在の成績の評価
・私が依頼した仕事＝候補者が将来養成学校でとるであろう成績の予想

幹部将校は主観的なレベル合わせを行って、受験者に対する自分たちの評価を、そっくりそのまま士官学校での評価システムに当てはめただけだった。ここでもまた、将来予想の（かなりの）不確実性を無視し、平均回帰をまったく考慮しない予想が行われている。

直感的予測の修正

では再び、四歳で字を読んだジュリーのGPAを予想する問題に戻ろう。ジュリーのGPAを予想する正しいやり方は、前章で紹介したゴルフトーナメントでの一日目・二日目のスコアや体重とピアノの腕前を予想したときと同じである。読書年齢と大学の成績を決定する要因は、次のような簡単な式で表すことができる。

読書年齢＝共通の要因＋読書年齢に固有の要因＝一〇〇％

ＧＰＡ＝共通の要因＋ＧＰＡに固有の要因＝一〇〇％

共通の要因とは、遺伝的に決まる適性や知的好奇心を促す家庭の雰囲気など、早くからの読書と高等教育における好成績の両方に共通する要因を意味する。だがもちろん、片方だけに影響をおよぼし、もう一方には無関係な要因もたくさんあるはずだ。たとえばジュリーは過度に教育熱心な両親に幼い頃から責め立てられていやいや読んでいた、学生時代に失恋して勉強に身が入らなくなった、スキー中の事故で脳に損傷を受けた、等々。

二つの計測値（この例で言えば読書年齢とＧＰＡ）の相関性は、決定因に占める共通因の比率に等しくなることを思い出してほしい。ではこの比率はどの程度だろうか。私の最も楽観的な推測では、約三〇％である。この数字を使うことにすれば、バイアスのかからない予想をするのに必要なデータはすべてそろったことになる。では、予想を行うための手順を紹介しよう。手順は四つのステップで構成される。

1　平均ＧＰＡを予想する。

2　手元情報（読書年齢）に対するあなたの印象に釣り合うＧＰＡ（＝暫定ＧＰＡ）を決

定する。

3　手元情報とGPAとの相関性を推定する（ここでは三〇％とする）。

4　相関係数＝〇・三〇として、平均GPAから三〇％だけ暫定GPAに近づいた数値を最終推定値とする。

ステップ1で決めるのは、基準値である。すなわち、ジュリーが四年生だという情報以外何も知らない場合に予想するGPAである。何も情報がないときは、平均がこれに該当する（これは、トム・Wについて何も知らないとき、基準率に従って専攻を予測したのと似ている）。ステップ2で行うのは直感的予測である。すなわち、手元情報に対するあなたの評価に釣り合ったGPAを決める。ステップ3では、基準値から直感的予測に近づいていくわけだが、近づく距離は、あなたが見積もった相関性に左右される。ステップ4では、この相関係数を〇・三〇として最終判断を下す。この判断はあなたの直感の影響を受けるものの、その度合いは大幅に薄められている。[*1]

このアプローチは、たいていの予測に応用がきく。定量的な変数、たとえばGPA、投資収益、企業の成長率などを予測するときに、このやり方が使える。このアプローチはあなたの直感に基づいてはいるが、平均へ回帰するので、直感の影響はかなり小さくなる。自分の直感的予測の精度を信じてよい十分な理由がある場合、すなわち手元情報と予測との相関性が強い場合には、回帰の幅は小さくなるだろう。

直感的予測は平均回帰を無視しており、したがって不可避的にバイアスがかかるので、必ず修正が必要である。たとえば私が、あるゴルフトーナメントの参加選手は、一日目と二日目に同じスコアを出すと予想したとしよう。この予想は、平均回帰を見込んでいない。平均回帰に従えば、一日目にスコアのよかった選手は二日目にはおおむねスコアを落とし、一日目に冴えなかった選手はおおむねスコアがよくなるはずである。回帰を含まない予想を実際の結果と比較したら、一日目によかった選手に対しては過度に楽観的で、一日目に悪かった選手に対しては過度に悲観的であるというふうに、バイアスがかかっていたことがわかるだろう。この場合、予測と依拠する情報（一日目のスコア）とが同程度に極端になっている。

同様に、平均回帰を考えずに幼少時の能力だけに基づいて大学の成績を予想したら、おそらくは早熟な子供の長じての成績不振にがっかりしたり、字を読むのが遅かった子供の長じての好成績にうれしい驚きを味わったりすることになるだろう。過大評価と過小評価の度合いがほぼ同程度になるように直感的予測を修正すれば、こうしたバイアスは排除される。たとえバイアスを排除しても予測を誤る可能性は残るが、誤差は小さくなるし、高めの予想だけが当たるとか、低めの予想だけが当たるといったことはなくなる。

極端な予測も悪くない？

第14章ではトム・W問題を使って、専攻分野や試験の成績など個別の結果の予測について論じた。このような問題では、それぞれの事象に確率を割り当てて（トム・W問題の場合には可能性の高い順に順位づけをして）予測を行う。このような個別事象の予測には、基準率の無視や情報の信頼性の軽視といったバイアスが入り込みやすく、それに対処する手順も説明した。

ＧＰＡや企業収益のように数字で表せるものを予測するときに入り込むバイアスも、事象の確率予想で見られるバイアスと同じようなものである。

したがって、バイアスの修正手順もよく似ている。

・どちらの予測も、何も情報がない場合に行う基準予測を含む。分類や帰属を予測する場合には、それは基準率だった。数値を予測する場合には、該当するカテゴリーの平均がこれに相当する。

・どちらの予測も、直感的予測を含む。これは、確率予測の場合も数値予測の場合も、あなたの頭に浮かんだ数字で表される。

・どちらの予測でも、最終的な予測が基準予測と直感的予測との間にくるようにする。

・役に立つ情報が何もないときは、基礎予測（基準率または平均）にとどまる。

・当初の直感的予測が維持される極端なケースもある。このようなケースが起こりうるのは、言うまでもなく、依拠する情報を厳しく吟味したうえでなお、あなたが自分の直感に一〇〇％の自信を持っている場合だけである。

・ほとんどの場合には、あなたは自分の直感的判断と真実とは完全には相関しないと考える。そこで、両者のどこかに位置づけられるような予測にたどり着くことになる。

この手順を踏めば、適切な統計分析がもたらしうる結果に近づくことができる。うまくいけば、あなたはバイアスのかかっていない予測、妥当な確率予測、偏りのない数値予測に近づくことができるだろう。確率にせよ数値にせよ直感的予測は自信過剰につながりやすく、また過度に極端になりやすいが、いま挙げた手順は、このバイアスを排除するのに役立つ。

直感的予測を修正するのはシステム２の仕事である。だが、該当する参照カテゴリーを見つけ出し、基準予測を行い、与えられた情報の信頼性を評価するには、相当の努力を要する。このような努力を払う価値があるのは、懸かっているものが大きいときや絶対に誤りを犯したくないときに限られるだろう。さらに、直感の修正は、あなたの生活を悩ましくすることも知っておかねばならない。バイアスのかかっていない予測では、よほど信頼性の高い情報が得られた場合しか、稀な事象や極端な事象を予測できないのである。言い換えれば、自分の予測に妥当な精度を期待する人には、稀な事象や平均からかけ離れた結果を予測することはできない。

つまり、あなたの予測にバイアスがかかっていないなら、極端なケースを的中させる満足感を味わうことはできない。ロースクールの優等生が最高裁判事になったときや、有望なスタートアップが大成功を収めたときに、「どうです、私の予想通りでしょう」と言うことはできないのだ。与えられた情報に制約がある以上、あなたは高校を優等で卒業した生徒であっても、プリンストン大学でオールAをとるなどと、おいそれと予想するわけにはいかない。同じ理由から、ベンチャーキャピタリストが、あるスタートアップが創業間もなく成功する確率は「きわめて高い」などと、うかつに言うことはできない。

直感的予測に修正を加える原則に対して異議を唱える声が強いことは、真剣に受け止めなければならない。なぜなら、バイアスの排除は必ずしも最優先事項ではないからだ。バイアスのない予測を優先してよいのは、あらゆる予測エラーが（つまり晴れの予報が外れでも雨が外れでも）同等に評価されるという条件の下に限られる。しかし世の中には、晴れを外すより雨を外すほうがはるかにまずいという状況や、その逆の状況がたくさんある。たとえば「次の大物」を探し求めているベンチャーキャピタリストにとっては、次のグーグルやフェイスブックを見落とすリスクは、最終的に倒産する平凡なスタートアップに投資してしまうリスクよりもはるかに大きい。したがってベンチャーキャピタリストの目標は極端なケースを的中させることであって、そのためなら他の凡庸なスタートアップを過大評価するコストもやむなし、ということになる。一方、安全志向の銀行が大型の融資をするときには、融資先が一社でも倒産するリスクのほうが、きちんと返済する優良顧客を見逃すリスクよりも大きいだろう。この場合には銀行は、与えられた情報の信頼性がさほど高くなくても、そこに極端な表現（「きわめて有望」「債務不履行の重大なリスクがある」など）があれば、それを手がかりに判断を下すことになるだろう。

合理的な人間にとって、バイアスのかかっていない穏当な予測が問題を起こすはずがない。どのみち合理的なベンチャーキャピタリストは、きわめて有望に見えるスタートアップであっても、成功のチャンスがさほど高くないことをよくわきまえている。彼らの仕事は持ち駒の中から最も有望そうな駒に賭けることであって、出資するスタートアップについて確実な見通しを持つ必要はさらさら感じていない。同様に、ある企業の収益を予測する銀行家も、一つの数字に絞り込む必要は感じていないだろう。最もありそうな結果を中心に、ある程度の不確実性の範囲を想定するはずだ。合理的な人間が失敗の可能性の高い企業に巨額の資金を投じるのは、成功時の見返りが十分に大きいときである。そんなときこの人は、成功のチャンスは大きいなどと自分を偽ったりはしない。もっとも、私たちはみんながみんな合理的なわけではない。中には、偏った予想を絶対確実と考えたがる人もいることだろう。だが、極端な予測を受け入れて自分で自分を欺くなら、自分の身勝手をよく承知しておかなければならない。

私が先ほど述べた直感的予測の修正手順が何かの役に立つとしたら、それはおそらく、あなたが予測対象をどれだけよく知っているのか、考えさせる効果を持つことだろう。

次に掲げるのは学界ではよく知られている例だが、現実の世界にきわめて近い話である。ある大学の学部が、若い教授を採用するとしよう。この学部では、研究面の生産性の高い人材を選びたいと考えている。採用委員会は、次の二人の候補者に絞り込んだ。さてどちらを選んだらよいだろうか。

キムは最近論文を完成した。すばらしい推薦状を携えており、面接では見事な話術で全員を魅了した。研究の生産性に関しては、過去に十分な実績はない。

ジェーンは過去三年間、ポスドク研究を行ってきた。生産性は高く、すぐれた研究実績を持つ。だが面接での印象はキムに劣る。

直感的に選ぶなら、キムだろう。彼女のほうが好印象を与える。ここに、「見たものがすべて」効果も働く。だがジェーンに比べると、キムに関する情報量は大幅に少ない。すると、「少数の法則」を考える必要が出てくる。ジェーンよりキムのほうが情報の標本が小さく、小さい標本ほど極端な結果が出る可能性が高い。小さい標本の結果では運が大きく作用する。となれば、あなたはキムの将来の業績を予測するに当たって、大幅に平均に回帰させなければならない。キムのほうがジェーンより回帰の幅が大きいという事実を認めるなら、たとえ印象が劣っても、最終的にはジェーンを選ぶべきだろう。純粋に学問的な選択としては、私はジェーンを選ぶ。だがキムのほうが有望そうだという直感を押さえつけるのにきっと苦労することだろう。直感に従うほうが、逆らうより自然だし、ある意味で楽しいものだから。

他の状況で同じような問題が発生することは、想像に難くない。たとえば二つのスタートアップのどちらに投資するか、悩めるベンチャーキャピタリストがいることだろう。この二社は市場が異なり、一方は需要がかなり確実に見込める製品を作っている。もう一方は直感的には有望そうで、わくわくするプランを持っているのだが、見通しということになると心許ない。それでも後者のほうがいいと言えるのは、不確実性を織り込んでもなお検討に値する場合に限られる。

二つのシステムから見た回帰

根拠薄弱な情報に基づいて極端に偏った予測やごく稀な事象を予測するのは、どちらもシステム1のなせる技である。連想マシンはごく自然に、予測の度合いを手元情報の印象の強さに釣り合わせる。こうして置き換えが起きる。そしてシステム1は、手元情報から作り出せるストーリーの筋が通っているときほど自信を持つので、ごく当然のように自信過剰な判断を下す。だからあなたは、よくよく注意しなければならない。直感は極端に偏った予測を立てやすいものだと肝に銘じ、直感的予測を過信しないよう気をつけることである。

回帰は、システム2にとっても厄介な問題である。平均回帰という概念自体になじみがなく、表現するのも理解するのも難しい。あのゴルトンですら、理解するまでにかなり苦労した。統計学の先生も平均回帰を教えるときはびくびくするし、生徒のほうはこの重要な概念をぼんやりとしか理解できないことが多い。平均回帰を理解するには、システム2を重点的に訓練する必要がある。私たちは予測を手持ち情報にマッチさせることを直感的にやってのけるだけでなく、それが合理的なやり方だとさえ考えている。たぶん私たちは、経験から回帰を理解することはできないだろう。そして回帰に気づいたときでさえ、飛行訓練の教官のようにそこに因果関係を見出そうとする。だがそれは、ほぼ確実にまちがいである。

直感的予測を話題にするときは

「あのスタートアップはこれまでのところ、ビジネスコンセプトのすばらしさを実証している。だが、将来も同じようにうまくいくと期待すべきではない。上場までの道のりは長いし、平均回帰の余地は大きいからね」

「われわれの直感によればきわめて有望にみえるが、おそらくこの予想は強気すぎるだろう。手持ち情報の信頼性を検討したうえで、平均に回帰させる必要がありそうだ」

「あのスタートアップに投資するのが悪いとは言わないよ。ただし、いずれ破綻するというのが最も妥当な予測だってことは理解しておくべきだ。第二のグーグルだなんて言うのはやめてくれ」

「あの製品にはレビューが一本投稿されていて、べた誉めしている。だが、まぐれ当たりということもあるからね。レビューの数が多い製品だけを検討対象にし、その中からいちばんよさそうなものを選ぶほうがいい」

第3部

自信過剰

第19章　わかったつもり
——後知恵とハロー効果

トレーダーであり、哲学者で統計学者でもあるナシーム・タレブは、心理学者とみなすこともできる人物である。タレブは『ブラック・スワン』の中で、過去についての誤ったストーリーが私たちの世界観や将来予測を形成することを指して、「講釈の誤り（narrative fallacy）」という概念を導入した。[*1] 私たちは自分の周りのさまざまな出来事を解明しようと絶えず試みており、そこから必然的に講釈の誤りが生まれる。私たちが納得できる説明やストーリーは、とにかく単純である。抽象的でなく具体的である。偶然よりも才能や愚かさや意志で説明したがる。そして起こらなかった無数の事象よりも、たまたま起きた衝撃的な事象に注意を向ける。最近起きた目立つ出来事は、因果関係をでっちあげる後講釈の題材になりやすい。タレブは、私たち人間は過去について根拠薄弱な説明をつけ、それを真実だと信じることによって、のべつ自分をだましているとほのめかす。

よいストーリーは、人々の行動や意志にシンプルで一貫性のある説明をつけてくれる。あなたはいつだって、行動にはその人の一般的な傾向や性格特性が反映されているのだと解釈したがる。こうすれば、容易に結果とマッチできるからだ。すでに取り上げたハロー効果も、この一貫性の形成に寄与する。ある人のたった一つの目立つ特徴についての判断に、すべての資質に対する評価を一致させるよう仕向けるのがハロー効果だからである。[*2] たとえばあるピッチャーが精悍な顔つきの大男だと、きっとすごい球を投げるだろうと考えやすい。[*3] ハロー効果はマイナス方向にも作用し、ある選手が軟弱な顔立ちだと感じると、運動能力まで過小評価しがちである。ハロー効果は、「よい人間のやることはすべてよく、悪い人間のやることはすべて悪い」という具合に、評価に過剰な一貫性を持たせる働きをする。そこで、講釈も単純で一貫したものになる。「ヒトラーは犬と小さな子供が大好きだった」という文章が何度聞いてもショッキングなのは、あれほど残酷な人間にこのような情愛の痕跡を認めることが、ハロー効果によって作り上げられた人物像に反するからである。こうした不一致があると私たちは落ち着かなくなり、自分の感覚に確信が持てなくなる。

説得力のある講釈は、不可避性という幻想を助長する。グーグルがＩＴ産業の巨人になったサクセスストーリーを考えてみよう。スタンフォード大学計算機科学科の博士課程にいた二人の創造性あふれる大学院生が、インターネットで情報を検索する高度な方法を思いついた。二人は資金調達に成功して起業し、一連の意思決定はどれもすばらしくうまくいった。数年後には同社の株はアメリカで最高値を付け、二人は世界でも有数の大富豪になる。彼らが非常に幸運だったことを示す印象的なある出来事が、このストーリーを一層感動的なものにしている。[*4] グーグル設立から一年が経った頃、二人は一〇〇万ドル足らずで身売りしようとしたのだ。ところが買い手は、高すぎると言った。たった一つの幸運な出来事を書き添えることで、偶然がほかにもさまざまな方法で結果に関わっていることは、見落とされやすくなる。

グーグル創業者の評伝といったものでは、二人の下した決定が逐一検証されるかもしれないが、私たちの目的に関する限り、彼らの選択のほとんどすべてがよい結果をもたらしたとされている、と言えば十分である。さらに完璧な講釈では、グーグルが打ち負かした企業の行動にも言及することになるだろう。不運な競合企業は、軒並み先見の明がなく、のろまであり、いずれは自分たちを破滅させる脅威への対応がまったくなっていなかった、と描写されるにちがいない。

私は意図的に素っ気なく書いたが、読者にはきっと、これがとても心地よいストーリーであることがおわかりいただけたと思う。くわしく細部を肉付けしたストーリーを読んだなら、あなたはきっと、なぜグーグルが成功したのかわかったと感じるはずだ。さらに言えば、どうすれば企業は成功するのか、貴重な教訓を学んだと感じることだろう。だが残念ながら、さまざまな理由から、あなたがグーグルについて学んだと感じたことの大半は幻想だと言わざるを得ない。ある説明を読んでその後の出来事が予測できるかどうかが、その説明の正しさを裏付ける究極の試験だとしたら、グーグルの成功を説明するストーリーはどれも、この試験に堂々と合格するだろう。なぜならどれも、結果を変えたかもしれない膨大な事象には言及しない（できない）からだ。人間の脳は、平凡な出来事、目立たない出来事は見落とすようにできている。現に起きた重要な出来事の多くが選択を伴っていたという事実を読むと、ますますあなたは能力の果たした役割を過大評価し、結果を左右した運の役割を過小評価するようになる。重大な決定はどれも正しかったことがわかっているのだから、結果から見れば、創業者には完璧な先見の明があったように思える。不運が紛れ込んだだけで成功への階段のどれかが崩れ落ちていたかもしれない、などとは考えもしない。そして最後の仕上げはハロー効果で、主役の二人に無敵のオーラが備わる。

熟練した筏師が次々に危険な箇所を避けながら急流を下っていくように、グーグルのストーリー展開にも絶えず破綻のリスクがあってスリリングだ。だが筏師とグーグルには、考えるべき大きなちがいが一つある。熟練した筏師は何百回も急流を下ったことがあり、逆巻く流れを読み、妨害物を予見する術を知っているし、ほんのわずかの操作で正しい姿勢を保つこつを会得している。これに対して若き創業者は、大企業を設立する方法を学ぶ機会も、水面下の岩（たとえばライバル企業のイノベーション）を避ける方法を知る機会も、はるかに少なかった。もちろん、グーグルのストーリーに才能とスキルがあふれていることはまちがいない。だが実際には、語られている以上に運が重要な役割を果たしていたはずである。そして運の役割が大きいほど、学べることは少なくなる。

ここでは、「見たものがすべて」効果が強力に働いている。あなたはどうしても、手持ちの限られた情報を過大評価し、ほかに知っておくべきことはないと考えてしまう。そして手元の情報だけで考えうる最善のストーリーを組み立て、それが心地よい筋書きであれば、すっかり信じ込む。逆説的に聞こえるが、知っていることが少なく、パズルにはめ込むピースが少ないときほど、つじつまの合ったストーリーをこしらえやすい。世界は必ず筋道が通っているという心楽しい信念は、磐石の土台に支えられている。その土台とは、自分の無知を棚に上げることにかけて私たちはほとんど無限の能力を備えている、という事実である。

私は、「二〇〇八年の金融危機は避けられないことを事前に知っていた」とのたまう御仁をたくさん知っている。この文章には、きわめて主観的な単語が含まれている。この単語は、重要な事象を論じるときには語彙から削除すべきだ。この単語とは、言うまでもなく、知るという動詞である。危機があるかもしれない、と事前に考えた人はたしかにいるだろう。だがこの人たちは、あると知っていたわけではない。いまになって「知っていた」と言うのは、実際に危機が起きたからだ。これは、重要な概念の誤用と言わざるを得ない。知るという言葉は、ふつうは、知っていたことが真実であって、かつ真実だと示せるときにだけ使う。つまり何かを知っていると言えるのは、それが真実であり、そうと知り得るときだけだ。だが危機が起きそうだと考えた人たち（しかもその数は、後からそう言い出した人より少なかった）は、当時それを決定的に示すことはできなかった。事情に通じた多くの知識人が経済の未来に強い関心を示してはいたが、災厄が差し迫っているとは考えていなかった。これらの点から推論すると、危機を知り得たとはいえない。このような文脈で知るという言葉を使うのは、重大な誤りである。私は、ありもしない予知能力に不相応な賞賛を獲得する連中がいることを、憂えているわけではない。世界が実際以上に知り得るとの印象を与え、有害な幻想の定着を助長しかねないことを、危惧するのである。

この幻想の中心にあるのは、私たちは過去を理解していて、だから未来も知り得るという思い込みである。だが実際には、私たちは自分が思うほど過去を理解していない。このような幻想を膨らませる言葉は、知るだけではない。よく使われる言葉の中では、直感や予感も、正しかったと判明した過去の推測についてだけ使われている。「この結婚は長続きしないだろうという予感がしていたが、結局私はまちがっていた」というような文章にはめったにお目にかからない。直感がまちがっていた、という文章もそうだ。白紙の気持ちで未来について考えるためには、過去の考えに使ってきたこの手の言葉を一掃するのがよろしかろう。

後知恵の社会コスト

後講釈をする脳は、意味づけをしたがる器官だと言える。予想外の事象が起きると、私たちはただちにそれに合わせて自分の世界観を修正する。過去の対戦成績が拮抗しているチームAとBがサッカーの試合をしたとしよう。意外や今回は、AがBに圧勝した。そこであなたは見方を修正し、AはBよりずっと強いと認識する。この新しい認識の下に、過去の印象も将来の予想も調整されることになる。意外な出来事から学ぶのは妥当ではあるが、危うい結果を招くこともある。

人間の脳の一般的な限界として、過去における自分の理解の状態や過去に持っていた自分の意見を正確に再構築できないことが挙げられる。新たな世界観をたとえ部分的にせよ採用したとたん、その直前まで自分がどう考えていたのか、もはやほとんど思い出せなくなってしまうのである。

人間が考えを変えるときには何が起きるのか、多くの心理学者が研究してきた。実験では、まだ賛否両論が相半ばしているような問題、たとえば死刑の是非などを取り上げ、被験者の意見を慎重に見きわめる。次に説得力のある死刑賛成論または反対論を聞かせ、その後に再び意見を確かめる。すると被験者の意見は、その説得力のある説に近づいていることが多い。そして最後に、自分が最初に抱いていた意見はどんなものだったかを報告してもらうのだが、このタスクは非常に難しいことがわかった。最初の信念を再構築するように指示された被験者は、結局のところ、現在の意見で間に合わせた（これまた置き換えの例である）。しかも多くの被験者が、自分が当初そう考えていなかったことを認めようとしなかった。[*5]

過去の自分の意見を忠実に再現できないとなれば、あなたは必然的に、過去の事象に対して感じた驚きを後になって過小評価することになる。この効果を初めて取り上げたのはバルーク・フィッシュホフで、エルサレムの大学生だったときのことである。彼はこれを「私はずっと知っていた」効果と呼んだ。すなわち「後知恵バイアス（hindsight bias）」である。フィッシュホフはルース・ベイス（やはり私たちの教え子である）と共同で、リチャード・ニクソン大統領の一九七二年の中国・ソ連訪問前に調査を実施した。ニクソン外交に関して起こりうる結果を一五項目挙げ、参加者にそれぞれの確率を推定してもらう、というものである。一五項目の中には「毛沢東はニクソンとの会談に応じる」「アメリカは中国を承認する」「数十年にわたり反目し合っていた米ソが何らかの重要事項で合意に達する」などが含まれていた。[*6]

この調査には続きがあり、ニクソンの帰国後に再び同じ参加者に対し、自分たちが一五項目それぞれに推定した確率を思い出してもらった。結果は明快だった。実際に起きたことについては自分がつけた確率を多めに見積もり、起きなかったことについては「そんなことは起こりそうもないと思っていた」と都合よく思いちがいをしたのである。その後に行った実験では、自分の当初の推定だけでなく、他人の推定まで、実際より精度を過大評価する傾向が認められた。また、O・J・シンプソンの殺人公判やクリントン大統領の弾劾など世間の注目を集めた出来事でも、同様の傾向が確認された。実際にことが起きてから、それに合わせて過去の自分の考えを修正する傾向は、強力な認知的錯覚を生む。

後知恵バイアスは、意思決定者の評価に致命的な影響を与える。評価をする側は、決定にいたるまでのプロセスが適切だったかどうかではなく、結果がよかったか悪かったかで決定の質を判断することになるからだ。[*7] たとえば、リスクの低い外科手術の最中に予想外の事故が起き、患者が死亡したとしよう。すると陪審員は、事後になってから、手術はじつはリスクが高かったのであり、執刀医はそのことを十分知っていたはずだと考えやすい。このような「結果バイアス（outcome bias）」が入り込むと、意思決定を適切に評価すること、すなわち決定を下した時点でそれは妥当だったのか、という視点から評価することはほとんど不可能になってしまう。

後知恵は、医者、ファイナンシャル・アドバイザー、三塁コーチ、CEO、ソーシャルワーカー、外交官、政治家など、他人の代わりに決定を下す人々に、とりわけ残酷に作用する。私たちは、決定自体はよかったのに実行がまずかった場合でも、意思決定者を非難しがちである。また、すぐれた決定が後から見れば当たり前のように見える場合には、意思決定者をほとんど賞賛しない。ここには明らかに、結果バイアスが存在する。結果が悪いと、ちゃんと前兆があったのになぜ気づかなかったのか、とお客は彼らを責める。その前兆なるものは、事後になって初めて見える代物であることを忘れているのだ。

ことが起きる前は慎重だと思えた行動が、ことが起きてからは得てして無責任で怠慢に見えたりする。たとえば大洪水が発生し、市の対応を巡って訴訟になったミネソタ州ダルースについての調査は、このことを雄弁に物語っている。この調査では、ミネソタ州の事情に疎いカリフォルニア州の大学生を対象に、ダルース市は専任の河川監督官を雇う費用を負担し河川の流量や堆積状況を常時監視すべきか、質問した。[*8]第一のグループには、市が決定を下した時点でわかっていた情報だけを教えたところ、雇うべきだと答えたのは二四%にとどまった。第二グループには実際に大洪水が起きたことを知らせると、後知恵で判断しないように念を押したにもかかわらず、五六%が雇うべきだったと答えている。

結果が重大であるほど、後知恵バイアスは大きくなる。たとえば9・11同時テロのように悲劇的な事件では、事前に予測できなかった政府高官を、怠慢か、でなければ無能だと決めつけやすい。中央情報局（CIA）は二〇〇一年七月一〇日に、アルカイダがアメリカに対して大規模な攻撃を計画しているらしいとの情報を入手した。テネット長官はこの情報をジョージ・W・ブッシュ大統領に報告しなかった――ただし、国家安全保障問題担当顧問のコンドリーザ・ライス大統領補佐官には伝えた。事後になってこの事実が判明すると、ワシントン・ポスト紙の伝説的な編集長ベン・ブラッドリーは、「歴史を変えるような情報を入手した場合には、ただちに大統領にも伝えるのが基本中の基本だと私には思える」と言ったものである。だが七月一〇日の時点では、この断片的な情報が歴史を変えることなど誰も知らなかったし、知る由もなかった。[*9]

標準的な業務手続きに従ってさえいれば後からとやかく言われる心配はない、というわけで、自分の決定が後知恵で詮索されやすいと承知している意思決定者は、お役所的なやり方に走りがちになり、リスクをとることをひどくいやがるようになる。[*10] 医療過誤訴訟がひんぱんに行われるようになるにつれ、医師は多くの面で手続きを変え、検査の回数を増やし、患者を専門医へ回すようになり、さほど役に立ちそうもなくても慣例通りの治療を施すようになった。これらは患者に恩恵をもたらすと言うよりは、医師の立場を守るものであって、利益相反の可能性は否めない。こうしたわけだから、説明責任を増やすことはよい面ばかりとは言い切れない。

後知恵バイアスや結果バイアスは、全体としてリスク回避を助長する一方で、無責任なリスク追求者に不当な見返りをもたらす。たとえば、無茶なギャンブルに出て勝利する将軍や起業家などがそうだ。たまたま幸運に恵まれたリーダーは、大きすぎるリスクをとったことに対して罰を受けずに終わる。それどころか、成功を探り当てる嗅覚と先見の明の持ち主だと評価される。その一方で、彼らに懐疑的だった思慮分別のある人たちは、後知恵からすると、凡庸で臆病で弱気ということになる。かくして一握りの幸運なギャンブラーは、大胆な行動と先見性のハロー効果によって、「勇気あるリーダー」という称号を手に入れるのである。

成功の処方箋

何にでも意味づけをしたがるシステム1の作用によって、私たちは世界を実際よりも整然として、単純で、予測可能で、首尾一貫したものとして捉えている。過去の認識の錯覚は、未来は予測できコントロールできるというもう一つの錯覚を生む。こうした錯覚は心地よい。事態がまったく予測不能だったら感じるはずの不安を和らげてくれるからだ。私たちはみな、勇気づけられるメッセージを必要としている。行動はきっとよい結果をもたらすとか、知恵と勇気は必ず成功で報われるとか。まさにこのニーズに応えてくれるのが、ビジネス書である。

経営者本人やその経営手法が、企業の業績に影響をおよぼすことはまちがいない。このことは、CEO個人の特徴や下した決定を客観的に評価した系統的な調査によって確かめられているし、その会社のその後の動向とも関連づけられている。たとえばある調査では、CE

Ｏ就任前の幹部職在任時に立てた戦略、就任後に導入した経営規則や手続きといったものでＣＥＯの特徴を把握している。[*11] だから、ＣＥＯが会社の実績に影響を与えていることはまちがいない。ただしその度合いは、ビジネス書に書かれているよりもはるかに小さい。

二つの変数の相関の強さは相関係数で表し、この係数は〇～一の数値をとる。平均回帰を取り上げたときに、相関係数は二変数に共通する要因に左右されることを説明した。共通要因が全要因に占める比率が高いほど、相関係数は高くなる。企業の成功とＣＥＯの手腕との相関係数をかなり甘めに見積もったとしても、〇・三〇がせいぜいだろう。すなわち両者に共通する要因は、あらゆる成功要因の三〇％程度ということである。この数字の意味を実感するために、次の質問に答えてほしい。

同種の企業を二社ずつ選んでペアを作るとします。どのペアでも二社は全体的に似ていますが、片方のＣＥＯはもう一方のＣＥＯよりすぐれています。この二社のうち、すぐれたＣＥＯの経営する会社がより高業績を挙げる確率はどのくらいでしょうか？[*12]

理路整然として予測可能な世界では、完全な相関が成り立ち（相関係数は一）、敏腕ＣＥＯは一〇〇％の確率でペアの相手よりよい業績を上げるだろう。逆に、似たような企業の相対的な成功がＣＥＯにはコントロールできない要因（あるいは運と呼んでもいい）だけで決まるとすれば、劣ったＣＥＯに率いられた会社でも、成功する確率は五〇％あることになる。

相関係数が〇・三〇だとすれば、すぐれたCEOの率いる会社が相手よりよい業績を上げる確率は約六〇％になる――これでは運頼みの場合より一〇％高いだけであり、ビジネス書にひんぱんに見受けられるCEO英雄神話を裏づける数字とは言い難い。

もしあなたがこの確率はもっと高いだろうと思っていたら（たいていの人がそう思っている）、それは、現実の世界の予測可能性を過大評価している証拠である。成功の確率が一対一から三対二に、つまり五〇％から六〇％に上がったら、ことが競馬であれビジネスであれ、これはものすごいことである。ところがビジネス書の観点からすると、自社の業績にこの程度の影響しかおよぼさないCEOなど、たとえその会社が大変順調でも、全然インパクトがない。全体として偶然よりちょっとましな程度だったCEOについて熱狂的に書き綴った評伝があったとして、空港の書店で人々が列を作って買うだろうか。消費者が飢えているのは、企業の成功と失敗を明快に一刀両断してくれる説明であり、原因をわかった気にさせてくれる物語なのだ。たとえそれが幻想であろうとも。

スイスの経営学教授フィリップ・ローゼンツヴァイクは、示唆に富む好著『ハロー効果（*The Halo Effect*）』の中で、ビジネス書を大きく二つのジャンルに分けている。[*13] 第一は、経営者あるいは企業の成功または失敗の物語である。言うまでもなく、成功が多数派、失敗は少数派である。第二は、成功した企業とさほどでない企業を比較分析するタイプである。そのうえでローゼンツヴァイクは、（幻の）確実性にすがろうとする読者の期待に、二つのタイプのビジネス書がどう応えているかを調べた。そして、どちらのジャンルのビジネス書もリーダーの個性や経営手法が業績におよぼす影響をつねに誇張しており、したがってほとんど役に立たないと結論づけている。

なぜそういうことになるのだろうか。この事情を理解するには、ある会社のCEOの評判を経営の専門家（たとえば他社のCEO）に訊ねたらどんな答が返ってくるか、想像するとよい。彼らはその会社の最近の調子を抜け目なく把握していることだろう。だがグーグルのケースで見たように、こうした知識自体がハロー効果を生む。うまくいっている企業のCEOは、臨機応変で理念と決断力があるように見えるのである。しかし一年後にその企業が落ち目になっていたら、同じCEOが支離滅裂で頑固で独裁的だとこきおろされるにちがいない。どちらの評価も、その時点ではもっともだと思える。成功している企業のリーダーを頑固で支離滅裂だと言うのはばかげているだろうし、不振企業のリーダーを理念と決断力があるなどと言うのもおかしいからだ。

ハロー効果はきわめて強力なため、同じ人間の同じ行動であっても、物事がうまくいっているときに「凡庸だ」と酷評したり、まずくなったときに「それでも優秀だ」と評価したりすることに、抵抗を感じるようになる。しかもハロー効果が作用するとき、私たちはそこに因果関係を見つけようとする。すなわち、CEOが頑固だからあの会社は破綻したのだ、などと考えがちである。こうして私たちは原因を見つけ、わかった気になってしまう。しかし実際には、会社が破綻したからCEOが頑固に見えるのである。これは理解の錯覚と言うべきだろう。

成功した企業を体系的に検証して経営規範を導き出そうとするビジネス書は世に多いが、こうした本の絶大なる魅力も、ハロー効果と結果バイアスであらかた説明がつく。この手の本で最も有名なのは、何と言ってもジェームズ・C・コリンズとジェリー・I・ポラスの『ビジョナリー・カンパニー――時代を超える生存の原則』（山岡洋一訳、日経BP社）だろう。[*14]この本はさまざまな産業のライバル企業を二社一組で一八組取り上げて分析しており、各ペアでは必ず一方がめざましい成功を収めている。分析は、企業文化、戦略、経営手法などさまざまな角度から行われている。「世界のあらゆる企業のCEO、マネジャー、そして起業家は本書を読むべきだと信じる」と著者は豪語する。「そうすればきっとビジョナリー・カンパニーを実現できるだろう」というわけだ。

『ビジョナリー・カンパニー』を始めとするこの種の本が発信するメッセージは、よい経営手法は学ぶことができるし、それを学べばよい結果がついてくるというものである。だがどちらのメッセージも、誇張がすぎる。多かれ少なかれ成功した企業同士の比較は、要するに、多かれ少なかれ運のよかった企業同士の比較にほかならない。読者は運の重要性をすでに知っているのだから、めざましい成功を収めた企業とさほどでない企業とを比較して、ひどく一貫性のあるパターンが現れたときには、眉に唾をつけなければならない。偶然が働くケースで出現する規則的なパターンは、蜃気楼のようなものである。

運が大きな役割を果たす以上、成功例の分析からリーダーシップや経営手法のクオリティを推定しても、信頼性が高いとはいえない。たとえCEOがすばらしいビジョンとたぐいまれな能力を持っているとあなたがあらかじめ知っていたとしても、その会社が高業績を挙げられるかどうかは、コイン投げ以上の確率で予測することはできないのである。[*15]『ビジョナリー・カンパニー』で調査対象になった卓越した企業とぱっとしない企業との収益性と株式リターンの格差は、おおまかに言って調査期間後には縮小し、ほとんどゼロに近づいている。トム・ピーターズとロバート・ウォータマンのベストセラー『エクセレント・カンパニー』（大前研一訳、英治出版）で取り上げられた企業の平均収益も、短期間のうちに大幅減を記録している。[*16]またフォーチュン誌の「最も賞賛される企業」にランクされた企業を二五年にわたって追跡調査したところ、最下位あたりにランクされていた企業の株式リターンが最も賞賛された企業を上回っていたという報告もある。[*17]

あなたはたぶん、これらの結果に原因を見つけようとしたことだろう。たとえば、成功した企業は自己満足に陥ったからだとか、冴えなかった企業は汚名返上にがんばったのだとか。だがそれはまちがっている。当初の差はかなりの部分が運によるのであって、運は輝かしい成功にもそれ以外の平凡な業績にも作用していたのだから、この格差は必ず縮小することになる。この統計的事実には、すでに私たちは遭遇している――そう、平均への回帰である。[*18]

企業の成功あるいは失敗の物語が読者の心を捉えて離さないのは、脳が欲しているものを与えてくれるからだ。それは、勝利にも敗北にも明らかな原因がありますよ、運だの必然的な平均回帰だのは無視してかまいませんよ、というメッセージである。こうした物語は「わかったような気になる」錯覚を誘発し、あっという間に価値のなくなる教訓を読者に垂れる。

そして読者の方は、みなそれを信じたがっているのである。

後知恵を話題にするときは

「いまとなっては誤りは明らかだが、これは後知恵にすぎない。君だって、前もって知ることはできなかったはずだ」

「彼はこのサクセスストーリーを参考にしているようだが、この話はうまくできすぎている。彼は講釈の誤りに陥っているんだね」

「彼女は何の証拠もないのに、あの会社は経営の仕方が悪いと言う。彼女が知っているのは、株が下がったという事実だけだ。これは結果バイアスであって、その一部は後知恵、一部はハロー効果による」

「結果バイアスに気をつけなければいけない。なるほど、うまくはいったが、あの決定はまちがいなくばかげていた」

第20章　妥当性の錯覚

——自信は当てにならない

システム1は、ごくわずかな情報から結論に飛躍し、しかも飛躍の幅がどの程度かがわからないようにできている。「見たものがすべて」なので、手元にある情報しか問題にしない。それに基づく結論のつじつまが合っていさえすれば、自信が生まれる。私たちが自分の意見に対して抱く主観的な自信は、システム1とシステム2がこしらえ上げたストーリーの一貫性に裏付けられているのである。情報は少ないほうがつじつま合わせをしやすいので、情報の量と質はほとんど顧慮されない。私たちは、人生で信じていることのうち最も重要ないくつかについては、何の証拠も持ち合わせていない。ただ愛する人や信頼する人がそう信じている、ということだけが拠りどころになっている。自信を持つことはたしかに大切ではあるが、私たちが知っていることがいかに少ないかを考えたら、自分の意見に自信を持つなど言語道断と言わねばならない。

妥当性の錯覚

数十年前のことだが、私は強い日差しを浴びながら、暇つぶしとしか見えないような仕事をしていた。若い兵士の集団が大汗をかきながら課題に取り組むのを、ただじっと見ていたのである。当時私はイスラエル国防軍で兵役に就いていた。すでに心理学の学位を取得していた私は、歩兵部隊の将校を数年務めた後、心理部隊なるものに配属された。そこでの任務の一つは、幹部養成学校に送り込む候補者の選抜を手伝うことである。選抜には、第二次世界大戦中にイギリス軍が開発した方式が採用されていた。

たとえば「リーダーのいない集団の課題」というテストは、お互いに初対面の候補者が八名一組になって、障害物のある演習場で行う。候補者は階級章などは一切つけず、識別用の番号を書いたゼッケンだけをつけている。課題は、長い丸太を持ち上げて高さ約一・八メートルの壁の上に引き上げ、八名全員が壁のこちら側から向こう側へ移動することである。ただしこのとき、丸太は地面に付けてはいけないし、壁に触ってもいけない。また、人間が壁に触れてもいけない。このルールに違反したら、ただちにその旨を申告し、テストは最初からやり直しになる。

問題解決の方法は何通りもあるが、一般的なのは、こちら側で何人かが丸太を支えて巨大な釣り竿よろしく反対側に突き出し、数人を向こう側へ送り込むやり方である。あるいは、数人が仲間の肩に乗って、先に向こう側へジャンプするというやり方もある。いずれにしても最後にこちら側に残った兵士は、残り全員が向こう側から突き出した丸太に飛びつき、空中で支えられた丸太の上を向こう側まで這って行き、飛び降りるという段取りになる。この時点で失敗することがよくあり、そうなるとすっかり始めからやらなければならない。

同僚と私は候補者の奮戦ぶりを観察し、自然にリーダー役を務めるのは誰か、リーダーシップをとろうとして拒絶されるのは誰か、お互いにどのように協力するか、などを評価し、自己主張が激しい、従順、傲慢、忍耐強い、逆上しやすい、根気がある、臆病といった傾向をチェックする。中には、自分のアイデアを他のメンバーに却下されて、その後はふてくされる連中もいた。また、危機への対応も興味深かった。仲間の失敗のせいで始めからやり直さなければならなくなったときに罵声を浴びせる人間もいれば、やり直しになったときに疲れ切ったメンバーを鼓舞する人間もいる。ストレスのかかる状況下では、各人の人間性が自ずと現れるものだ、と私たちは感じた。候補者一人ひとりの性格について私たちが受けた印象は、この空の色と同じく確かで疑問の余地はない、と思ったものである。

いくつかのテストを観察した後、私たちは各人のリーダーシップ能力について評価をまとめ、数値化して、誰を合格にするか決定しなければならない。私たちは一人ひとりについて意見交換し、話し合ったうえで選抜したが、この仕事は難しいものではなかった。というのも、私たちは各人のリーダーシップ・スキルをすでに目の当たりにしていたからである。何人かは優秀なリーダーに見えた。何人かは弱虫で、何人かは無能なくせに傲慢のように見えた。どうしようもないほどお粗末で、幹部候補から外さざるを得ない者も少なからずいたが、それ以外の大半は、平凡だが見込みがないわけではない。検討の末に意見がまとまる頃には、私たちは自分たちの評価にすっかり自信を持っていたものだ。そして、各人の将来を描き出せるとさえ感じた。トラブルが発生したときに指揮をとり、全員の壁越えを見事に成功させた兵士は、まちがいなくリーダーだった。だから、幹部養成訓練でも、実戦でも、テストのときと同じように能力を発揮すると考えるのが当然だろう。それ以外の予測は、私たちが自分の目で確かめた証拠と一致しない——ように思われた。

各自のテストでの出来不出来に関する私たちの印象は明確でほぼ一致していたため、私たちのつけた評価点がそのまま最終決定になった。点数をつけるときはすぐに数字が思い浮かび、めったに迷わなかったし、同僚との意見の不一致もほとんどなかった。なにしろ「こいつは全然見込みがない」とか「可もなく不可もなしというところだが、まあ何とかやっていくだろう」とか「こいつは将来のスターだ」などと断言できる気でいたのである。自分たちの予測を疑ってみる必要などつゆほども感じなかったし、もう少し穏当な表現にしたり、他の可能性の余地を残したりする気など、さらさらなかった。もしけちをつけられたら、「そりゃもちろん、どんなことだって起こりうるわけですから」と言えばいい。いや、そう言わざるを得なかった。というのも、候補者から受けた決定的な印象にもかかわらず、この評価がほとんど役に立たないことを、私たちはちゃんと知っていたからである。

じつは、私たちの予測がまったく不正確であるという揺るぎない証拠があった。数カ月ごとに幹部養成学校の教官とミーティングをしてフィードバックを受けるので、私たちの評価と教官の意見とを比較することができる。結果はいつも同じだった。私たちの予測能力は皆無に等しい、ということである。当てずっぽうより少しはましかもしれないが、その程度だった。

このがっかりさせられるフィードバックを受け取ってからしばらく、私たちは落ち込む。だがそこは軍隊である。役に立とうが立つまいが、やれと言われたことはやらなければならない。命令は絶対だ。次の日にまた一群の候補生が到着すると、私たちは彼らを演習場へ連れて行き、壁に取り組ませる。彼らは丸太を持ち上げる。そして数分と経たないうちに私たちは、またしても各自の人間性が現れたと感じるのだ。自分たちの予測の質に関する嘆かわしい真実は、選抜方法に何ら影響を与えないし、自分たちの判断や予測に対する根拠のない絶大な自信にも、ほとんど影響をおよぼさない。

これはまったく驚くべきことである。前回の失敗の証拠をあれだけはっきりと示されたからには、多少は自信が揺らいでもよさそうなものだが、全然そうはならなかった。また、いくらか評価を控えめにしようと考えても当然だと思えるが、それもしなかった。私たちは一般的な事実として、自分たちの予測が当てずっぽうより少しましという程度であることを知っていた。それでもなお、自分たちの評価は妥当だと感じていたし、そのようにふるまっていた。私はミュラー・リヤー錯視を思い出す。二本の線の長さが同じであることを確認した後でさえ、やっぱり長さはちがって見えた。候補生の評価もまったく同じである。どちらも錯覚であることから、私はこれを「妥当性の錯覚（illusion of validity）」と名付けることにした。

かくして私は、最初の認知的錯覚を発見したのである。

数十年が過ぎてから、私はこの古い経験の中に研究テーマの多くを見つけることができた。それらはまた、本書のテーマにもなっている。兵士の将来の出来不出来に関する私たちの予測は明らかに置き換えの例であるし、代表性ヒューリスティックの例でもある。人工的に設定された状況で一時間ばかり兵士の行動を観察しただけで、幹部養成訓練や実戦の場で困難に直面したときどんなふるまいをするか、すっかりわかった気になっていたのだ。私たちの予測は平均回帰をまったく見込んでいなかったし、わずかな情報に基づいて将来のよしあしを予測するにもかかわらず、少しも留保条件をつけていなかった。これは明らかに、「自分の見たものがすべて」効果である。私たちは、観察した行動から受けた印象に過剰な自信を抱いた。そして、幹部将校としての適性の決定因をじつは知らないことを、きちんと伝えようともしなかった。

振り返ってみて何より衝撃的なのは、自分たちに予測能力などないことを一般的な事実として知っていたにもかかわらず、個別のケースになると自信が一向に揺るがなかったことである。いまになってみれば、私たちの反応は、ニスベットとボージダの「人助け実験」の結果を教わった学生と、少しも変わらないことがわかる。学生たちは、発作で苦しむ他人を助けようとしない被験者が多いことを教わり、統計的な数字としてはそれを信じたにもかかわらず、ビデオで感じのよい被験者を見せられると、「こんないい人がそんな不親切なことをするはずがない」と考え、頑としてその意見を変えようとしなかった。ニスベットとボージダが示したとおり、人間は全体から個を推論したがらないものである。何らかの判断に対して主観的な自信を抱いているだけでは、その判断が正しい可能性を論理的に示したとはいえない。自信は感覚であり、自信があるのは、情報に整合性があって情報処理が認知的に容易であるからにすぎない。必要なのは、不確実性の存在を認め、重大に受け止めることである。自信を高らかに表明するのは、頭の中でつじつまの合うストーリーを作りました、と宣言するのと同じことであって、そのストーリーが真実だということにはならない。

スキルの錯覚

一九八四年にエイモスと私は友人のリチャード・セイラーと一緒に、ウォール街のとある証券会社を訪れた。シニア・インベストメント・マネジャーから、投資において判断バイアスが果たす役割を教えてほしい、と招かれたためである。私は金融についてあまりに無知なので、彼に何を質問したらよいかさえわかっていなかった。だが、一つのやりとりだけはよく覚えている。「あなたが株を売ると誰が買うのか」と私が質問したのに対し、マネジャーは漠然と窓のほうを指し示した。つまりウォール街にはいくらでも証券会社があって、自分と同じような職業の誰かが買ってくれる、ということらしい。これは奇妙に感じた。なぜ一人は売り、一人は買うのか。売り手は買い手の知らない情報を握っているのだろうか。

株式市場に対する私の疑問はその後も膨らむ一方で、ついには、金融業界というところは「スキルの錯覚（illusion of skill）」の上に成り立っているのではないか、と考えるにいたった。毎日何十億もの株が取引され、多くの人が売った株を別の多くの人が買っている。一日のうちに同じ銘柄が一〇〇〇万株以上売り買いされることもめずらしくない。売り手と買い手の大半は同じ情報を持っているはずであり、それでもなお取引が成立するのは、彼らがちがう意見を持っているからである。買い手は、いまは安すぎるからこれから上がると考える。売り手は、高すぎるから下がると考える。ふしぎなのは、買い手と売り手がそろいもそろって、現在の価格は正しくないと考えていることだ。なぜ彼らは、市場より自分のほうが適正な株価水準をよく知っていると信じているのだろう。多くの場合、この確信が錯覚を生む。

株式市場が動く仕組みの大まかなところは、市場参加者全員が認めている。いやしくも投資をビジネスにする人なら、バートン・マルキールの古典的名著『ウォール街のランダム・ウォーカー――株式投資の不滅の真理』（井手正介訳、日本経済新聞出版社）を読んでいることだろう。株価には、その会社の価値に関して入手可能なあらゆる知識と最善の予想株価が織り込まれている、すなわち市場は完全に効率的である、というのがマルキールの重要な主張である。

もし誰かが、ある株は明日値上がりすると考えたら、その人は今日その株を買い増すはずだ。すると、この行為によってその株の価格は押し上げられる。市場に出ている資産がすべて正しく値付けされているとしたら、売っても買っても誰も得も損もしない。完璧な値付けがされている場合、知恵を働かせる余地はないが、ばかげた失敗をして破滅することもない。だがいまでは私たちは、この効率的市場仮説が完全に正しいとは言えないことを知っている。大勢の個人投資家が株取引で損をし続けているのだ。サルにやらせてもこうはならない。この衝撃的な結論を初めて提出したのは、教え子の一人であるカリフォルニア大学バークレー校金融工学教授のテリー・オディーンだった。*1

オディーンは、ある証券会社の個人客一万人について、七年分の取引記録を調べ上げた。個人客がその会社を通じて行った取引は、およそ一六万三〇〇〇件に達する。豊富な情報量のおかげで、オディーンは個人投資家がある銘柄を売った直後に別の銘柄を買ったケースを抽出して分析することができた。こういう行動をとるのは、彼（投資家の大半が男である）が二つの銘柄の動向について確固たる考えを持っているからにほかならない。すなわち、自分が買う銘柄は、売る銘柄より値上がりするはずだ、という考えである。

投資家の確信が正しかったかどうかを確かめるために、オディーンは売った株と、その代わりに買った株のリターンを売買時点から一年にわたって追跡調査した。結果は、明らかに悪かった。平均すると、売った銘柄は買った銘柄より値上がりしていたのである。上昇率は年平均で三・二ポイント上回っていた。しかも売らずに持っていれば、売買に伴うかなりの額の手数料などはかからない。

もっともこれは平均だから、もっとうまくやった投資家もいれば、もっとまずいことになった投資家もいただろう。だが大半の個人投資家にとっては、シャワーでも浴びてのんびりしているほうが、へたな思いつきを実行するよりもよい投資方針と言える。オディーンと同僚のブラッド・バーバーがその後に行った調査でも、この結論が裏付けられている。彼らは調査結果を「投資は富を脅かす」というタイトルの論文にまとめ、平均的には最も活発な投資家が最も損をすること、取引回数の少ない投資家ほど儲けが大きいことを示した。また「男は度し難い」と題する論文では、男は無益な考えに取り憑かれる回数が女よりはるかに多く、その結果、女の投資実績は男を上回ることを示した。*2

言うまでもなく、どんな取引にも誰かしら相手方が存在する。多くの場合、それは金融機関やプロの投資家で、彼らは個人投資家の判断ミスにつけ込もうと待ち構えている。バーバーとオディーンは、個人投資家のこうした失敗も取り上げた。それは、買ってから値上がりし続けてきた「勝ち組」の株を売って利益を確定し、「負け組」の株を持ち続けるという判断ミスである。*3 彼らにとって残念なことに、短期的には直近の勝ち組のパフォーマンスは直近の負け組を上回るので、売る銘柄をまちがえたと言える。そのうえ買う銘柄の選択もまちがっている。ご想像のとおり、個人投資家はニュースに出てきた企業に注意を引かれ、そこに群がりやすい。*4 これに対してプロの投資家は、ニュースを取捨選択する必要性を少しはわきまえている。こうした点を考えると、プロの投資家が「スマートマネー」を自称することも、根拠なしとはしない。

もっともプロは、アマチュア投資家から富を巻き上げる能力には長けているものの、毎年コンスタントに好成績を挙げるスキルが備わっているかと言えば、そうとは言えない。*5 的確な銘柄選択で市場を打ち負かす能力を持ち合わせたファンドマネジャーは、ほとんどいない。ファンドマネジャーを含むプロの投資家は、成績の安定的な持続という基本的な能力テストに軒並み不合格である。投資スキルの存在を確認するためには、個人間の成績格差が一貫しているかどうかを調べればよい。理屈は単純である。ある年における成績格差がすべて運によるものだとしたら、ファンドマネジャーやファンドの成績ランキングは非常に不安定になり、前年の成績との相関性はゼロになるはずである。逆にスキルによって成績格差が出るのだとしたら、ランキングはもっと安定するはずだ。成績格差が継続的に存在すれば、何らかのスキルが存在すると言える。ゴルファー、車のセールスマン、歯科矯正医、高速道路料金所の料金徴収係のランキングなどは、スキルの存在を証明している。

投資信託ファンドは、経験豊富なうえに猛烈に働くプロフェッショナルが運用しており、彼らは巧みな売り買いを通じて、顧客のために望みうる最高の結果を達成できると考えられている。にもかかわらず、五〇年間にわたる調査の結果には議論の余地がない――彼らの運用成績は、ポーカーよりもサイコロ投げに近いのである。少なくとも投信ファンド三件に二件は、どの年をとっても、市場全体のパフォーマンスを下回っていた。[*6]

さらに重要なのは、ファンドの運用成績は、どの年をとっても前年実績との相関性がきわめて小さく、ゼロをほんのわずか上回る程度だということである。つまり、ある年にうまくいったファンドは、ほとんど幸運のおかげなのだ。サイコロの目がよかったということである。ファンドマネジャーのほぼ全員が、知ってのうえでかどうかはともかく運次第のゲームをやっているという点で、研究者の意見は一致している。トレーダーの主観的な経験は、きわめて不確実性の高い状況で、高度な知識に基づく賢明な推測を行っている、というものだろう。だがきわめて効率的な市場においては、高度な知識に基づく推測はあてずっぽうより正確とは言えない。

数年前、私は金融業界におけるスキルの錯覚をこの手で調べるという、めったにないチャンスに恵まれた。富裕な顧客向けに資産運用上の助言その他のサービスを提供する会社に呼ばれ、投資アドバイザー向けに講演をしてほしいと依頼されたことがきっかけである。準備のために資料がほしいと頼んだところ、思いがけない幸運に行き当たった。提供された資料の中にアドバイザー二五名の投資成績八年分をまとめたスプレッドシートが入っていたのである。成績は数値化され、主にそれに基づいて年度末のボーナスが決まる。毎年の成績に従ってアドバイザーをランク付けすれば、アドバイザーに持続的な能力格差があるかどうかがわかるし、同じアドバイザーが一貫して好成績を収めているかどうかもチェックできる、と私は考えた。[*7]

そこでこの点を調べるために、二年分の成績を一組にしてランキングの相関係数を計算することにした。一年目と二年目、一年目と三年目……七年目と八年目まで、二八組のペアをつくり、それぞれについて相関係数を求めた。統計的に考えればスキルの存在を示す相関係数は低いだろうと予想してはいた。それでも結果が出たときには驚愕したものである。二八個の相関係数の平均は〇・〇一だった。つまりゼロである。アドバイザーの間にスキルの差があることを示す相関性は、どこにも見当たらなかった。私の計算結果は、アドバイザーの仕事が高度なスキルを要するゲームよりも、サイコロ投げに似ていることを示していた。

その会社では、投資アドバイザーがやっているゲームの性質に誰も気づいていないようだった。アドバイザー自身、自分たちは難しい仕事をこなす有能なプロフェッショナルだと自負しており、上司もそれに同意していた。講演の前夜、リチャード・セイラーと私は同社の経営幹部数人と食事をした。ボーナスの決定をする人たちである。私たちは、投資アドバイザーの年ごとの成績相関性はどの程度だと思うか、と質問してみた。彼らはこちらが何を言うつもりか想像がついたらしく、にやにやして「そんなに高くはないだろうね」「年ごとの変動が大きいと思う」と答えたものである。だが誰一人として、よもや相関係数がゼロであるとは予想していなかった。

少なくとも運用成績に関する限り、幸運もスキルの一つであるかのようにあなた方は報奨を出しているのだ、と私たちは暗に指摘した。これはショッキングなニュースのはずだが、どうもそうではなかったらしい。経営幹部は、さすがに私たちの言葉を信じない素振りは見せなかった。考えてみれば当然である。こちらが分析したのは彼ら自身の資料なのだから。それに彼らは、こちらが遠慮して言わなかったことを察するだけの知性は十分に備えていた。食事はなごやかに終わった。そして私は、この発見はあっという間に「なかったこと」にされ、この会社は何事もなくやっていくだろうと確信した。スキルの錯覚は単に個人の問題ではなく、業界の文化に深く根を下ろしている。業界の大前提に疑義を呈し、ひいてはそこで働く人たちの生計の手段や自尊心を脅かすような事実は、けっして受け付けられない。脳が消化できないのである。とりわけ能力や実績の統計結果はそうだ。統計から導かれる基準率情報は、個人の経験に基づく印象に反する場合、あっさり無視される運命にある。

翌日の午前中、私たちの発見をアドバイザーの前で報告したが、彼らもほとんど無反応だった。複雑な問題に注意深い判断を下しているという彼らの経験のほうが、意味のよくわからない統計的事実よりずっと説得力があるのだ。講演後に、前夜食事を共にした幹部の一人が空港まで送ってくれ、いくらか身構えてこう言った。「私は会社のために尽くし、評価されてきた。その事実は誰にも変えられない」。私はにっこりしただけで何も言わなかったが、心の中ではこう考えていた。「だが今日私がそれをした。成功の大半が偶然によるものだとわかったら、それほど高く評価されたかあやしいものだ」

なぜスキルの錯覚と妥当性の錯覚が成り立つのか

認知的錯覚は、ときに視覚の錯覚（錯視）よりも手に負えない。ミュラー・リヤー錯視を知ったあとも線の見え方は変わらないが、あなたの行動は変わったはずだ。あなたはいまや、羽根のついた線が出てきたら自分の目が信用できないことを知っているし、ミュラー・リヤー錯視の標準的なタイプもわかっている。だから線の長さを訊かれたら、相変わらずちがう長さに見えてはいても、知識として知っているとおり「同じ」と答えるだろう。これに対して、同僚と私は自分たちのリーダーシップ評価がてんで当てにならないことを知り、その事実を頭では受け入れたにもかかわらず、その後の感覚も行動も影響を受けなかった。投資顧問会社で私たちが遭遇した反応は、もっと極端だった。セイラーと私が経営幹部と投資アドバイザーに発信したメッセージは、すぐさま記憶の片隅に押しやられ、彼らに何のダメージも与えなかった。

なぜ投資家は、アマチュアかプロかを問わず、自分たちのほうが市場よりうまくやれると頑固に信じ込んでいるのだろうか。そのような信念は、彼ら自身の大半が認めている経済理論に反しているうえ、自身の芳しくない投資成績から得られる教訓にも反しているというのに。金融の世界に蔓延するスキルの錯覚を説明するには、これまでの章で扱ってきたテーマの多くが役に立つ。

錯覚の原因として心理学的に最も有力なのは、おそらく、銘柄選定をする人たちが実際に高度なスキルを駆使していることだろう。彼らは経済データや予測を参照し、損益計算書やバランスシートを分析し、経営トップの資質を評価し、競争状況を調査する。どれもこれも幅広い訓練を要する重要な仕事であり、これらの仕事に従事する人たちはみんな、こうしたスキルを活用する現実の（しかも有効な）経験をしてきている。だが残念ながら、ある会社の将来性を評価するスキルだけでは、株取引で成功するには十分ではない。なぜなら株取引における重要な問題は、その会社に関する情報がすでに株価に織り込まれているかどうかを見きわめることだからである。この決定的な問題に答える能力はトレーダーには欠けているように思われるが、彼らは自分たちの無知に気づいていないようだった。演習場での体験から私が認めざるを得なかったとおり、主観的な自信は感覚であって判断ではない。トレーダーについても同じことが言える。認知容易性と連想一貫性に基づく理解が、主観的な自信をシステム1に植え付けている。

妥当性の錯覚とスキルの錯覚は、プロフェッショナル集団の根強い文化にも支えられている。同じ考えを持った人間の共同体に支持されているときは、どれほどばかげた考えであっても、揺るぎなく信じ続けることができるものだ。金融業界のそうした文化を考えれば、あの世界の大勢のプロフェッショナルが、自分たちは他人にはできないことができる少数の選ばれし人間だと信じていても、驚くには当たらない。

評論家連中の錯覚

過去は容易に説明できると感じられるため、大方の人は未来が予測不能だとは考えようとしない。ナシーム・タレブが『ブラック・スワン』の中で指摘したように、私たちは過去についてつじつまの合った後講釈をし、それを信じ込む傾向がある。そのせいで、自分たちの予測能力には限界があるとはなかなか認めたがらない。あらゆることが、後知恵で見れば意味を持つ。だから金融評論家は毎晩、その日の出来事について説得力のある説明を披露できる。そして私たちは、今日後知恵で説明がつくなら昨日予測できたはずだ、という直感をどうしても拭い去ることができない。過去をわかっているという錯覚が、未来を予測できるという過剰な自信を生む。

「歴史の行進」ということがよく言われる。この言葉は、秩序や方向性をイメージさせる。というのも行進は、ぶらぶら歩きとはちがって、ランダムな動きではないからだ。私たちは、大きな社会的事件や文化・技術の発展に注目したり、一握りの偉大な人物の意図や能力を分析したりすれば、過去を説明できると考えている。だが重大な歴史的事件を決するのは、運にほかならない。この見方はひどく衝撃的かもしれないが、しかし冷厳な真実である。なるほど、社会が劇的な変化を遂げた二〇世紀の歴史は、ヒトラーやスターリンや毛沢東の果した役割を抜きにしては語れまい。だが考えてみてほしい。卵子が受精する直前のほんの一瞬には、後にヒトラーとなる胚が女の子になった可能性が半分はあったのである。この三人の分を合計すると、二〇世紀に彼ら三人がそろって存在しなかった可能性は八分の一あったことになる。彼らがいなくても二〇世紀の歴史はほとんど変わらなかった、と主張することはまず不可能だろう。たった三つの卵子の受精が重大な結果をもたらしたのだから、長期的な歴史の流れを予見できると言い張るのは、物笑いの種でしかない。

それでも、予測は可能だとする錯覚はいっこうに消え去る気配がない。そこにつけ込んでいるのが、予測を仕事にしている人たちである。投資アドバイザーだけでなく、政治や経済の評論家もそうだ。テレビ局やラジオ局、そして新聞社にはそれぞれ御用達の専門家がいて、最近の事件の分析や将来の予測といった仕事をしている。そこで視聴者や読者は、この人たちはきっと一般には入手できない情報を知っているのだろう、少なくともすばらしい洞察力を備えているのだろう、と考える。そして当の評論家や報道側が、本気でそういう情報を提供しているつもりになっていることに、疑いの余地はない。ペンシルバニア大学の心理学教授フィリップ・テトロックは、いわゆる専門家の予測について二〇年にわたる画期的な研究を行い、二〇〇五年に『専門家による政治予測はどれだけ的中するか（*Expert Political Judgment: How Good Is It? How Can We Know?*）』という本にまとめた。テトロックは同書によって、この問題に関する今後の議論の出発点を定めたと言える。

テトロックは「政治・経済動向に関する評論と助言の提供」で生計を立てている評論家二八四人にインタビューし、専門とする分野とさほど知識を持っていない分野の両方について、いくつかの出来事がそう遠くない将来に起きる可能性を予測してもらった。たとえば、ゴルバチョフはクーデターで失脚するか、アメリカはペルシャ湾岸で戦争に突入するか、次の新興市場国としてのし上がるのはどの国か、等々である。回答者はどの質問についても、現状維持、プラス方向の変化（政治的自由の拡大、経済成長など）、マイナス方向の変化の三通りについて確率で答える。この調査では最終的に八万例の予測を集めることができた。さらにテトロックは、どうやってその結論に到達したのか、予測がまちがっていたとわかったときにどう反応したか、自分の予測に反する情報はどう評価したか、という質問もしている。

調査の結果は惨憺たるものだった。評論家の予測に比べれば、現状維持・プラスの変化・

マイナスの変化に単純に同じ確率を割り当てるほうがまだましだったのである。言い換えれば、特定の分野を日頃から多大な時間を使って研究し、それで食べている評論家たちは、ダーツを投げるサルよりもお粗末だった。得意分野とするものについてさえ、専門外の人を大幅に上回る成績は上げられなかった。

ある分野について知識の多い人のほうが、知識の少ない人より、わずかながら成績がよかったことはまちがいない。だがその分野に最もくわしいとされる人の予測は、多くの場合精度が低かった。理由は、自分はその分野に精通していると考えると、スキルの錯覚が助長され、非現実的な自信過剰に陥るからだと考えられる。「知識の限界収益が減少に転じる点は、驚くほど早くやってくる」とテトロックは書いている。「学問が高度に細分化されている現代では、一流新聞への寄稿者、たとえば高名な学者、現地事情に通じた評論家、エコノミストといった人たちが、これまでにない状況を解読するスキルに関して、ニューヨーク・タイムズ紙の記者や読者を上回ると考えるべき理由は何もない」*8

テトロックはまた、評論家たちは自分の誤りを認めようとしないこと、認めざるを得なくなったときでもどっさり言い訳を用意することを発見した。曰く、時期をまちがえただけだ、予想外の出来事が途中で起きた、たしかに予測は外れたが、それにはもっともな理由がある、云々。専門家も所詮は人間であるから、自分は優秀だと思い込み、誤りを犯したと認めることをひどく嫌う。

テトロックに言わせれば、専門家は知識に導かれて予測を誤るのではない、そもそもの考え方がまちがっているのだという。彼は専門家をハリネズミと狐になぞらえるが、これは、アイザイア・バーリンがトルストイの歴史観について書いた随筆『ハリネズミと狐――『戦争と平和』の歴史哲学』（河合秀和訳、岩波文庫）に拠っている。同書では、「狐はたくさんのことを知っているが、ハリネズミはでかいことを一つだけ知っている」という古い詩句が紹介されている。ハリネズミは一つの世界観を持っていて、どんな出来事も一貫したフレームワークで説明する。そして、自分の見方に従わない人には我慢がならず、自分の予測には自信満々だ。そして、自分が誤りを犯したことは断固認めようとしない。外れた予測もつねに「時期を読み違えただけ」か「ほぼ的中に近かった」ということになる。自説はけっして曲げず、いつも明確な意見を持っているというのは、まさにテレビのプロデューサーが望んでいるものだ。ある問題について賛成のハリネズミと反対のハリネズミが互いに相手の意見を攻撃すれば、おもしろい番組になることは請け合いである。

これに対して、キツネは複雑な思考をする。キツネは、一つの事柄や一つの思想が歴史の行進を率いるとは考えない。たとえば、レーガンがソ連に対して強硬姿勢で臨んだから冷戦が終わったという見方には与しない。現実の世界はさまざまな複雑な要因や力関係の相互作用によって規定されるのであって、そこでは偶然が大きな役割を果たし、予想不能な結果をもたらすと認めている。テトロックの調査でいちばんましな成績を収めたのは、こうしたキツネ型の評論家だった。それでも好成績とは言い難く、しかも彼らは、ハリネズミ型ほどテレビ局からお呼びがかからない。

世界は予測不能である

本章のポイントは、将来の予測は得てして当たらないということではない。そんなことは改めて言うまでもないだろう。本章の第一の収穫は、世界は予測不能なのだから予測エラーは避けられない、ということである。第二は、強い主観的な自信がいくらあっても、それは予測精度を保証するものではない、ということだ（自信がないほうが、まだ当てになる）。

短期的な動向を予測することは可能だろうし、過去の行動や成績がわかっているなら、同じ条件下での行動や成績はかなりの精度で予測できるだろう。だが、演習場での行動から幹部養成訓練や実戦での行動を予測できると期待すべきではない。試験にせよ現実の世界にせよ、人間の行動はその状況に固有の多くの要因に左右される。たとえば、八名のグループ試験をするとき、自己主張の強い受験者を一人外すだけで、残りの人の態度は変化するはずだ。また、幹部養成訓練でも、弾丸が数センチ近いか遠いかするだけで、幹部候補生の行動は劇的に変化するだろう。私は、あらゆる試験の有効性を否定するつもりはない。二〇%から三〇%の確率で重要な結果を予測できる試験なら、やるべきだと思う。だがそれ以上を期待してはいけない。ファンドマネジャーの株価予想が市場より正確だと期待すべきではないし、評論家の長期予想が当たると期待すべきでもない。とはいえ近い将来に関する限り、評論家の知見には価値がある。だが、予測可能と考えられる未来と、予測不能な遠い未来とがどこで分かれるのか、その境界はまだわかっていない。

スキルの錯覚を話題にするときは

「過去の症例から、この病気の進行がほとんど予測できないことを彼は知っているはずだ。それなのに今回あれほど自信たっぷりなのはどうしてだろう。あれは妥当性の錯覚としか思えないね」

「彼女は、自分が知っていることを全部説明できるようなストーリーを作り上げたんだよ。で、万事つじつまが合っているものだから、自信たっぷりなんだ」

「どうして彼は市場より自分のほうが賢いと思っているのだろう。あれは、スキルの錯覚ではないだろうか」

「彼女は、『ハリネズミと狐』に出てくるハリネズミだ。自分の理論ですべてが説明でき、将来も予測できると錯覚している」

「たしかに専門家は高度な教育や訓練を受けているだろう。だがそんなことは問題じゃない。問題は、そもそも彼らの扱う世界は予測可能なのか、ということだ」

第21章　直感対アルゴリズム
——専門家の判断は統計より劣る

ポール・ミールは二〇世紀を代表する心理学者の一人で、一風変わっているが偉大な人物である。多分野にわたって活躍し、ミネソタ大学では心理学のほか、法律、精神医学、神経学、哲学の教授資格を持っていたうえ、宗教、政治学、ラットについての本を書いている。さらに、統計学にすぐれ、臨床心理学の空疎な主張に対する痛烈な批判者としても知られ、精神分析医として開業もしていた。ミールは心理学研究の土台となる基礎的な哲学について示唆に富む小論を書いており、私は大学院生の頃にそれをほとんど暗記してしまったものである。一度も会ったことはなかったが、『臨床的予測対統計的予測——証拠の理論分析と評価（*Clinical vs. Statistical Prediction: A Theoretical Analysis and a Review of the Evidence*）』を読んで以来、私にとってミールはヒーローだった。

これはごく薄い本で、ミール自身が後に「嫌われ者の小さな本」と呼んでいる。同書では二〇種類の調査結果に基づいて、訓練を積んだ専門家の主観的な印象に基づく臨床的予測と、ルールに基づく数項目の評価・数値化による統計的予測とを比較し、どちらがすぐれているか分析している。その一つは、専門のカウンセラーが新入生と面談したうえで、一年次終了時の成績を予測する、というものだ。カウンセラーは一人ひとりと四五分間も面談し、そのうえに高校時代の成績、いくつかの適性テストの結果、四ページにわたる自己申告書もチェックする。これに対して統計的アルゴリズムに使用するのは、高校時代の成績と適性テスト一種類の結果だけである。にもかかわらず、カウンセラー一四名のうち一一名の予測は、統計的アルゴリズムを下回った。仮釈放規定の違反、パイロット訓練の成績、再犯などを予測する他の調査でも、おおむね同様の結果が出たとミールは報告している。

当然ながらミールの本は臨床心理学者にショックを与え、彼らは調査結果を信用せず、論争が巻き起こった。こうして始められた一連の研究は、同書が出版されてから五〇年以上が過ぎた現在もなお続けられている。臨床的予測と統計的予測を比較した調査の数はすでに二〇〇件以上に上るが、アルゴリズム対人間の成績は変わっておらず、六〇％でアルゴリズムが人間を大幅に上回る精度を示している。残り四〇％では引き分けという結果になっているが、引き分けはアルゴリズムの勝ちに等しい。というのも、統計のほうが専門家を雇うより、通常ははるかに安上がりだからである。ともかくも、人間が勝ったという説得力のある結果は、ただの一つもなかった。

これらの調査で行われた予測はきわめて広範囲にわたる。医学分野ではガン患者の生存年数、入院期間、心臓疾患の診断、赤ちゃんの突然死の可能性など、経済分野では新規事業の成否、銀行の信用リスク評価、労働者の将来の職業満足度など、行政分野では里親の適性評価、若年犯罪者の再犯率、その他暴力行為の再発可能性などのほか、学術発表の評価、サッカーの勝者、ワインの将来価格といった雑学分野もある。いずれの分野も不確実性が高く予測がほぼ不可能であることが特徴で、「予測妥当性が低い環境」と言うことができる。これらのどのケースでも、専門家の予測精度は簡単なアルゴリズムを下回り、よくて同等だった。ミールは同書の出版から三〇年後に、当然の誇りを込めて次のように語っている。「社会科学の分野において、これほど大量の質的に異なる研究から同じ方向性を示す結果がこれだけそろって出た以上、もはや論争の余地はない」*1

プリンストン大学の経済学者でワイン愛好家でもあるオーリー・アッシェンフェルターは、世界の著名なワイン専門家を相手にして、単純な統計の威力を存分に見せつけた。アッシェンフェルターは、入手しやすい生産年の情報から高級ボルドー・ワインの品質を予測しようと考えた。これはなかなか重要な問題である。というのも高級ワインの品質がピークに達するまでには何年かかかるからだ。同じブドウ園から産出する熟成ワインでも、品質によって価格は大幅に変わってくる。ボトリングが年一回なのも相俟って、価格に一〇倍以上の差が出ることもあった。*2 将来の価格を予測できれば、きわめて有用であることはまちがいない。なにしろ世界には、美術品を買うのと同じように、値上がりを見込んでワインを買う投資家が大勢いるからだ。

一般に、生産年によって品質が異なるのは、ブドウの生育期における気象条件が原因と考えられている。ワインの出来がよいのは、夏が暑くて乾燥している年だ。このためボルドーのワイン産業は地球温暖化の恩恵を被ると言われている。また、春に雨が多いと、質を落とすことなく収穫量が増える。アッシェンフェルターはこうした昔から知られている知識を活かして統計的な計算式を作成し、ある年にあるブドウ園が産出するワインの価格予想を試みた。アッシェンフェルターの式に投入するのは、たった三つの気象情報――夏の生長期の平均気温、収穫期の降雨量、そして前年の冬の降雨量だけである。それでもこの式は、数年先、それどころか数十年先の価格を正確に予測することができた。彼の式から求められた将来価格は、熟成前の若いワインの現行価格からの推定よりはるかに正確だったのである。それまで出荷当初の価格形成にはワイン専門家が影響力をおよぼしてきたのだが、この新たな「ミール・パターン」は、彼ら専門家の能力に対する重大な挑戦だった。また、価格には入手可能なあらゆる情報が反映されるべきだとする経済理論に対する挑戦でもあった。わずか三つの変数しか組み込まないアッシェンフェルターの計算式はきわめて精度が高く、予想価格と実際の価格との相関係数は、〇・九〇を上回っていたのだから。

なぜ専門家が単純なアルゴリズムに負かされてしまうのだろうか。ミールが推測した一つの理由は、専門家は賢く見せようとしてひどく独創的なことを思いつき、いろいろな要因を複雑に組み合わせて予測を立てようとするからだ、というものである。めったにない特殊なケースではそうした複雑な予測がうまくいくこともあるかもしれないが、たいていは的中率を下げるだけである。主な要因の単純な組み合わせのほうが、うまくいくことが多い。

いくつかの調査では、意思決定者に計算結果を教えた場合でさえ、式より成績が悪かった。どうやら、自分はこのケースについて特別の情報を持っているのだから計算など不要だ、と考えてしまうらしい。だがだいたいは失敗に終わる。ミールによれば、計算式より自分の判断に従ったほうがよいケースは、ほとんど存在しないという。ある有名な思考実験で、ミールはある人物が今晩映画に行くかどうかを予測する式を記述し、式を無視するほうがよいのは、この人物が当日に足を折ったという情報を知ったときだと指摘した。この式には、「骨折の法則」という印象的な名前がついている。この式のポイントはこうだ――骨折がいかに決定的な要素だとしても、めったにないということである。

専門家の判断が劣るもう一つの理由は、複雑な情報をとりまとめて判断しようとすると、人間は救いようもなく一貫性を欠くことである。実際、同じ情報を二度評価すると、ちがう判断を下すことがひんぱんに起きる。こうした判断の矛盾は、現実に重大な問題である。たとえば熟練した放射線技師は、同じX線写真を別の機会に見せられたとき、二〇％について「正常」と「異常」の判断が前回とちがった。[*3] 一〇一人の独立監査人を対象に、内部監査の信頼性を評価してもらう調査でも、似たような結果が出た。[*4] また、監査人、病理学者、心理学者などの専門職を対象にした四一種類の別々の調査でも、やはり同じように一貫性を欠く判断が認められた。[*5] 中には、数分以内に再評価してもらった場合でも、前回とはちがう評価を下す例があった。これでは、有効な将来予測など期待すべくもない。

このように広い範囲で一貫性の欠如が見受けられるのは、システム1が周囲の状況に非常に影響されやすいためだと考えられる。プライミング効果の研究から、私たちは無意識のうちに周囲の状況から刺激を受け、それによって思考や行動が規定されることがわかっている。

暑い日にふと冷風が吹き込んで気持ちよくなるだけで、あなたはそのとき評価していたものに対して好意的になり、楽観的になる。囚人に仮釈放許可が下りる確率は、判定人の食事休憩直後に跳ね上がることを思い出してほしい。[6] 頭の中で何が起きているのか自分では直接にはほとんどわからないのだから、周囲の環境がほんのわずか異なるだけで自分の判断や決定がどれほどちがったものになったのかは、永久に知ることはできない。一方、数式はそんなことに影響されない。同じインプットに対してはつねに同じ計算結果を出す。予測可能性が低いケース（ミールやその後の研究者が取り上げたケースの大半がそうである）で首尾一貫しない判断をしていたら、妥当な予測はとうていできない。

以上の研究から、驚くべき結論が導かれる。すなわち、予測精度を最大限に高めるには、最終決定を計算式にまかせるほうがよい、ということだ。とりわけ、予測可能性が低い環境についてそう言える。たとえばメディカルスクールの入学試験では、教授陣が受験生と面接した後に合議により最終合格者を決める方式が多い。まだ断片的なデータしか集まっていないが、次のことは確実に言える。面接を実施して面接官が最終決定を下すやり方は、選抜の精度を下げる可能性が高いということである。というのも面接官は自分の直感に過剰な自信を持ち、印象を過大に重視してその他の情報を不当に軽視し、その結果として予測の妥当性を押し下げるからだ。[7] 同じように、まだ熟成がすんでいないワインから将来の品質を予測する専門家は、確実に予測精度を下げる情報源に頼っている。それは、ワインの試飲である。もちろん専門家なのだから天候がワインの品質におよぼす影響はよくわかっているだろうけれども、試飲してしまったあとでは、計算式のように首尾一貫して天候を考慮することはできない。

ミールの独創的な研究の後にこの分野で見られた最も重要な発展は、意思決定における不適切な線形モデルを論じたロビン・ドーズの著名な論文である。*8 社会科学分野で主流の統計手法では、「重回帰」と呼ばれるアルゴリズムに従って多数の予測因子に重みづけする。この重回帰分析はいまでは一般的なソフトウェアに組み込まれており、適切な予測因子を選んで重みをつければ、最適の予測式を導き出すことができる。だがドーズは、複雑な統計的アルゴリズムにさほど付加価値がないことに気づいた。役立ちそうな予測因子をいくつか選び、比較評価ができるように数値を調整（標準得点または順位付け）するだけで、同程度の予測ができる。予測因子に均等の重みをつけた簡単な計算式でも、もとの標本で最適予測ができた重回帰式と同程度の精度が得られた。最近の研究はさらに衝撃的で、すべての予測因子に均等の重みをつけた計算式のほうが、標本抽出の偶然性に左右されないので、重回帰式を上回ることが多いという。*9

均等重みづけ方式のほうがよいとなれば、現実的なメリットは大きい。事前に統計調査を行わなくても、有効なアルゴリズムを作成できるからだ。たしかに、既存の統計データや、さらには常識に基づいて均等に重みづけした簡単な計算式でもって、重要な結果を適切に予測ができることはめずらしくない。ドーズが提示した印象的な例をここで紹介しよう。これは、結婚が続くかどうかを予測する式である。

セックスの回数－喧嘩の回数

あなたの計算結果がマイナスにならないことを祈っている。封筒の裏に走り書きするようなアルゴリズムで十分だということである。この研究から得られる重要な結論は、こうだ。封筒の裏に走り書きするようなアルゴリズムで十分だということである。この簡単な計算式で、最適な重みづけをした計算式に十分対抗できることが多いし、専門家の判断を上回る可能性も高い。このことは、ファンドマネジャーによる銘柄選定から医師または患者による治療法の選択に至るまで、幅広い分野に当てはまる。

このアプローチの古典的な例として、大勢の新生児の命を救った簡単なアルゴリズムを紹介しよう。生まれて数分以内に赤ちゃんが正常に呼吸しない場合、脳障害や死亡のリスクが高いことは、産科医なら誰でも知っている。だが麻酔専門医のバージニア・アプガーが一九五三年に採点法を確立するまでは、医師も助産婦も自分なりの判断で赤ちゃんが危険な状態かどうかを決めていた。したがって担当する人によって注意する項目は異なり、呼吸に注意する人もいれば、泣くかどうかに注意する人もいる。標準的な手順が決まっていないため、危険な徴候が見落とされることもよくあり、新生児の死亡はきわめて多かった。

ある日病院の朝食時に、新生児の系統的な評価はどうやったらいいだろうか、と研修医がアプガーに質問した。アプガーは「あら、簡単よ。こんなふうにすればいいじゃない」と答え、五項目（心拍数、呼吸、刺激に対する反応、筋緊張、皮膚色）を三段階（状態に応じて〇、一、二点）で評価するやり方を書き出した。[*10] 書きながらアプガーは、これは画期的な方法だ、分娩室では必ずこの評価を実施すればいい、と気づく。そしてアプガーは、生後一分と五分に評価を行うことにした。全身がピンクで、手足を活発に動かし、強く泣き、刺激を与えると顔をしかめ、心拍数一〇〇以上の赤ちゃんは、アプガー・スコア（現在ではこう呼ばれている）がだいたい八点を上回り、正常である。一方、青白くて手足がだらりとし、泣き方が弱々しく、刺激に反応せず、心拍が弱い赤ちゃんは、スコアが四以下となり、ただちに処置が必要である。アプガー・スコアの導入により、分娩室のスタッフはどの赤ちゃんが危ないかを決定する一貫した基準を持つことができた。アプガー・スコアは新生児死亡率の減少に多大な貢献をしたと認められており、現在も世界中の分娩室で実行されている。アトゥール・ガワンデの『アナタはなぜチェックリストを使わないのか？——重大な局面で〝正しい決断〟をする方法』（吉田竜訳、晋遊舎）には、役立つチェックリストや単純なルールの例がたくさん紹介されている。[*11]

アルゴリズムに対する敵意

そもそもの発端から、ミールの見解に対する臨床心理学者の反応は敵意と不信に満ちていた。彼らは、自分たちには長期的な予測ができるという幻想を抱いていたからである。振り返ってみれば、こうした幻想がなぜ生まれたのかは容易に理解できるし、ミールの研究を臨床医が拒絶したのにも同情の余地はある。

自分たちの診断の適切さを日々実感している臨床医にしてみれば、臨床診断が数式に劣るという統計的な証拠は、まったくもって実感に反する。患者をつねに見守っている臨床医は、診療中にあれこれ勘を働かせ、患者がどの治療にどう反応するかを予測し、次に何が起きるかを推測する。こうした勘の多くは正しいことが実証されており、臨床技術の優秀さを物語っている。

問題は、治療時間中に正しい判断ができるのは、ごく短期的な予測に限られることである。こと短期予測に関する限り、臨床医は長年の実践で培ったスキルを備えている。一方、彼らが失敗するのは、患者の将来に関する長期的な予測である。こちらははるかに難しいし、最適な数式であっても、人間をいくらか上回る程度にすぎない。しかし、そもそも臨床医にしても、長期予測を適切に学習する機会はなかったはずだ。その場で反応が得られる診療中とは異なり、フィードバックが得られるのは何年も先になるからである。ところが、臨床医がうまくできることとできないことの間に、はっきり境界線が引かれているわけではない。境界は曖昧で、おそらく彼ら自身にとってもはっきりしない。専門家は自分たちが高いスキルを備えていることは知っているけれども、そのスキルの限界を必ずしも理解していない。したがって、変数をいくつか機械的に組み合わせただけの計算式が、複雑で精妙な人間の判断を上回ったと聞かされて、経験豊富な臨床医がそんなことはあり得ないと反撃したのも驚くには当たるまい。

臨床的予測と統計的予測の的中度を巡る論争には、つねに感情が絡んでいた。ミールによれば、統計的手法は経験豊富な臨床医から「機械的、原子論的、加法的、月並み、人工的、非現実的、恣意的、不完全、無思慮、杓子定規、断片的、瑣末、こじつけ、固定的、表面的、硬直的、非創造的、学者気取り、似非科学的、事実無視」だと非難されたという。一方、臨床的手法は擁護派から「臨機応変、総合的、有意義、包括的、繊細、共感的、構造的、パターン化、組織的、ゆたか、深い、純粋、敏感、洗練、現実的、臨場感、具体的、自然、生活に根ざす、理解しやすい」と賞賛されている。

こうした姿勢はよく理解できる。人間と機械が勝負するときには、蒸気ハンマーと対戦した伝説の鉄道工夫ジョン・ヘンリーからコンピュータ「ディープ・ブルー」に挑んだチェスの天才ガルリ・カスパロフにいたるまで、私たちはいつだって心情的に人間の味方なのだ。人間に関わる決定を下すアルゴリズムに嫌悪感を抱くのは、多くの人が人工物や合成物よりも自然のものを好むからでもある。有機栽培のリンゴと商業栽培のリンゴのどちらを食べたいかと訊かれたら、たいていの人が有機栽培を選ぶ。味も栄養価も同じで、どちらも同じように健康によいと言われても、なお大半の人が有機栽培を選ぶのである。[*12] ビールでさえ、「天然」とか「無添加」とラベルに表示すると売上げが伸びるらしい。

専門的スキルの神秘性を取り除くことに対する根強い抵抗は、ワイン業界にも見られる。

ボルドー・ワインの価格を予想するアッシェンフェルターの計算式に対して、ヨーロッパのワイン業界が示した反応がそうだ。アッシェンフェルターの式は長年の願望に応えるものであり、将来的に高品質になるワインを見分けられるようになったことに対して、世界中のワイン愛好家は感謝してもよいはずである——だが、そうはならなかった。フランスのワイン業界の反応は、ニューヨーク・タイムズ紙によれば「激怒とヒステリーの中間」だった。アッシェンフェルター自身、あるワイン愛好家から「ばかばかしくふざけた」発見だと言われたと書いている。「映画を観ないで批評するようなもの」と冷笑した人もいた。

　アルゴリズムに対する偏見は、決定が重大な結果を招くときには一段と増幅する。ミールが言うように、「もし『機械的で杓子定規』な計算式が分類を誤ったせいで、治療可能な患者が治療を拒否されるといったケースが発生したら、いきり立った臨床医の矛先をどうかわせばいいのか」は悩ましい問題だ。それでもミールを始めとするアルゴリズム擁護派は、人間よりミスの少ないアルゴリズムが利用可能であるなら、重要な決定に際して直感的な判断に頼るのは倫理に悖（もと）る、と主張する。彼らの合理的な論拠は説得力があるが、現実の強固な思い込みに対しては分が悪い。多くの人にとって、ミスの原因は重大な意味を持つ。アルゴリズムのミスが原因で子供が死んだら、ヒューマンエラーのせいで死ぬよりも一層耐え難い。この感情的な痛手のちがいが、人間による判断を好むことにつながっている。

　だがアルゴリズムに対する敵意は、日常生活での活用が拡がるにつれて、和らいでいくと期待できる。自分が好きそうな本や音楽を探すとき、私たちはソフトウェアによる「おすすめ」を参考にする。また、人間の判断が直接介在せずに信用限度額が決定されることも、当たり前のように受け入れている。さらに、コレステロールの望ましいレベルといった、単純なアルゴリズムに基づくガイドラインを示される機会も増えている。そしてスポーツの世界では、ある種の重要な決定は人間より数式のほうがうまくこなせることに、大勢の人が気づき始めた。たとえば新人選手に対する報酬の算定、アメリカンフットボールでフォースダウンになったときのパントの上げ方等々である。アルゴリズムに委ねられるタスクが増えるにつれ、ミールの嫌われ者の小さな本に出てくるようなパターンに初めて接したときに人々が感じる不快感も、やがて薄らいでいくだろう。

ミールから学ぶ

一九五五年にイスラエル国防軍の中尉だった二一歳の私は、軍全体の面接システムを設計するよう命じられた。読者は、そのように責任重大な仕事をどうしてそんな若造に任せるのか、とふしぎに思われたかもしれない。だが、当時はイスラエルという国家自体が建国から七年しか経っていなかった。あらゆる制度や組織がまだ構築途上で、誰かがやらなければならない。今日では奇妙に聞こえるが、当時は心理学の学位を持っている私が、軍では最も高度な教育を受けた心理学者だったのだろう。実際、私の直属の上司はすばらしい研究者ではあったが、持っていたのは化学の学位だった。

私が任務を命じられた時点で、面接の手順はすでに実行されていた。召集された兵士は全員が一連の心理テストを受けた後、戦闘任務に適していると判断されると、一人ずつ人物評価のための面接を受ける。面接の目的は、新兵に戦闘適性のスコアを付け、最も適した部隊（歩兵隊、砲兵隊、装甲部隊など）に振り分けることだった。面接官自身も若い召集兵で、知性と対人能力の観点からこの任務に選抜されていた。ほとんどが女性である。面接官に選ばれると一時的に戦闘任務から外され、数週間ほど面接のやり方について訓練を受ける。面接そのものは一五〜二〇分程度で、新兵の軍隊での適性について総合的な印象を形成するために、できるだけいろいろなことを話題にするよう指示されていた。

面接のフォローアップも行われており、残念ながらこの面接方式が、新兵の将来を占ううえでほとんど役に立たないことが判明していた。私が指示されたのは、もっとましな面接方式を設計すること、ただしいま以上に時間がかかってはいけない、という条件付きだった。さらに、新方式を試してみて正確性の評価も行うように言われた。専門家的な視点から言えば、アマゾン川に橋を架けるのと同じぐらい、私には知識のない仕事である。

けれども幸運なことに、私は一年前に出版されたばかりだったポール・ミールの「小さな本」を読んでいた。単純で統計的なルールのほうが直感的な「臨床」判断よりも正しい、という同書の主張に私は大いに同感した。そして、現在の面接が失敗した原因の少なくとも一部は、面接官が自分に最も興味のある話題を取り上げて、相手の内面生活を知ろうとする点にある、と結論づけた。それよりも、限られた時間を有効に使って、できるだけ通常の環境における相手の生活について情報を集めるべきである。ミールから学んだもう一つの教訓は、面接官の総合評価をもって最終決定とすべきではない、ということである。ミールの本は、そのような評価は信頼に値せず、個別に評価された属性を統計的に統合するほうが信頼性が高い、と示唆していた。

そこで私は、面接官がいくつかの人格特性を評価し、それぞれに個別に点数をつける方式を採用した。面接官からのインプットはこの個別の点数だけで、戦闘任務の適性を示す最終スコアは、計算式に従ってコンピュータ処理する。私は戦闘部隊での行動に関係があると考えた六つの人格特性（責任感、社交性、誇りなど）のリストを作成し、それぞれについて一連の質問を準備した。召集前の生活における過去の事実を訊ねる質問で、たとえば就いた職業の数、職場および学校での遅刻や欠席・欠勤、友人と交際する頻度、スポーツに対する興味と参加の度合いなどである。その趣旨は、それぞれの分野で過去にどれだけうまくやってきたかをできるだけ客観的に評価することにあった。

標準化された事実確認質問を行うに当たって、私はハロー効果を排除したいと考えた。ハロー効果は、第一印象がその後の判断に影響を与える現象である。ハロー効果を防ぐために、私は面接官に対し、六つの人格特性について決められた順序で質問すること、次の質問に移る前に五段階で採点することを指示した。そして、それ以上のことをしてはいけない。新兵が軍隊でどれだけうまくやっていけるかなど、彼の将来のことを考える必要はない、と私は面接官たちに伝えた。面接官の仕事は新兵の過去について必要な事実を聞き出し、その情報を項目ごとに採点することであって、それ以上でも以下でもない。「あなた方の任務は信頼性の高い採点を行うことだ。将来予測のほうは私が行う」と私は言ったが、その「私」というのは、面接官の採点を統合する数式のことだった。

こう言うと、若くて頭のいい面接官たちは暴動寸前になった。自分とほとんど年のちがわない相手から命令されることが不快だったし、自分の直感を遮断して退屈な事実確認質問だけをするのも気に入らなかったからである。一人はこう不満をぶちまけた。「それでは私たちはロボットになってしまいます」。そこで私は妥協した。「面接は指示通りに確実に実行してください。そして最後に、あなた方の希望通りにしましょう。目を閉じて、兵士になった新兵を想像してください。そして五段階でスコアを付けてください」

新方式で数百回の面接が行われ、数カ月後に新兵が配属された各部隊の隊長から各人の実績評価を回収した。結果を見て私たちは大いに満足した。ミールの本が示したとおり、新しい面接方式が従来の方式よりはるかに正確に兵士の適性を予測していたからだ。もちろん完璧にはほど遠く、「まったく役立たず」から「いくらか役に立つ」へと進歩した、と言うのが適切であろう。

私にとって大きな驚きだったのは、「目を閉じて」面接官が最後に行う直感的判断も、非常によい成績だったことである。実際、六項目の採点の計算処理と同じぐらいの精度だった。この発見から学んだ教訓を私はけっして忘れたことはない。選抜面接において直感を軽蔑するのは正しい。しかし直感が価値をもたらすこともある。ただしそれは、客観的な情報を厳密な方法で収集し、ルールを守って個別に評価した後に限られる、ということである。私は「目を閉じる」評価にも六項目評価と同じ重みを持たせた計算式を作成した。この件から学んだもっと一般的な教訓は、こうだ。自分の直感であれ他人の直感であれ、直感的判断を無条件に信用してはいけない。だが無視してもいけない、ということである。

四五年後、ノーベル経済学賞を受賞した私は、一時的にイスラエルでちょっとした有名人になった。一度母国を訪れたとき、誰かが私を懐かしの基地に案内してくれたものである。そこにはまだ新兵の面接を行う部隊があり、私は心理部隊の隊長に紹介された。彼女は現在の面接方式を説明してくれたが、それは私が設計したシステムとほとんど変わっていなかった。あれから何度も調査が行われたが、この方式は有効だということが確かめられたという。説明の最後に隊長はこう言った。「そして私たちは面接官にこう言います。目を閉じてください、と」

実際に応用するときには

本章で述べたことは、新兵の選抜以外のたくさんのことに応用できる。ただしミールやドーズの考え方に従って面接手順を実行するのは、努力はあまりいらないけれども、相当の自己規律が必要である。

たとえば、あなたの会社でセールスマンを採用するとしよう。あなたが真剣に最高の人材を雇いたいと考えているなら、やるべきことはこうだ。まず、この仕事で必須の適性（技術的な理解力、社交性、信頼性など）をいくつか決める。欲張ってはいけない。六項目がちょうどよい。あなたが選ぶ特性は、できるだけ互いに独立したものであることが望ましい。また、いくつかの事実確認質問によって、その特性を洗い出せるようなものがよい。次に、各項目について質問リストを作成し、採点方式を考える。五段階でもよいし、「その傾向が強い、弱い」といった評価方式でもよい。

この準備にかかる時間はせいぜい三〇分かそこらだろう。このわずかな投資で、採用する人材のクオリティは大幅に向上するはずだ。ハロー効果を防ぐために、面接官には項目ごとに、つまり次の質問に進む前に評価させる。また、質問を飛ばしてはいけない。応募者の最終評価は、各項目の採点を合計して行う。あなたが最終決定者の場合、「目を閉じて」はいけない。合計点が最も高い応募者を採用すること。この点は、強く心に決めなければならない。ほかに気に入った応募者がいても、そちらを選んではいけない。順位を変えたくなる誘惑に、断固抵抗しなければいけないのである。

膨大な量の研究は、こうした状況で現在一般的に行われているやり方よりも、いま説明した手順に従うほうが、最高の人材を選べる可能性がはるかに高いことを約束している。つまり、さしたる準備もなく面接を行い、「私は彼の目を見つめ、そこに現れている強い意志に感動した」といった直感に従って採用を決めるよりも、ずっとましだということである。

直感と計算式を話題にするときは

「人間による判断を計算式で代用することが可能な場合には、少なくとも一度はそれを検討してみるべきだ」

「彼はこまかいところまでよく見て精緻な判断を下しているつもりらしい。だが、項目別のスコアを単純に足し合わせるほうが、たぶんいい結果が出るだろう」

「応募者の過去の実績について、どのデータに重みをつけるのかを面接前に決めておこう。さもないと、面接で受けた印象を過度に重視する結果になりかねない」

索　引

～は語句としては登場しないが該当項目の話題が続いていることを示す。
太字は頻出語句のため、話題の中心となっているページのみ示した。(編集部)

■か

■た

■な

■ま

原　注

序　論

1　ある本では、心理学者が使う標本数は少ないが、その理由が説明されていないと批判されている。以下を参照されたい。Jacob Cohen, *Statistical Power Analysis for the Behavioral Sciences* (Hillsdale, NJ: Erlbaum, 1969).

2　当初の質問と表現を若干変えてある。当初の質問では、Kが先頭にくる単語と3番目にくる単語ではどちらが多いかを訊ねた。

3　ドイツの高名な心理学者は、私たちを長年にわたり批判した。以下を参照されたい。Gerd Gigerenzer, "How to Make Cognitive Illusions Disappear," *European Review of Social Psychology* 2 (1991): 83–115. Gerd Gigerenzer, "Personal Reflections on Theory and Psychology," *Theory & Psychology* 20 (2010): 733–43. Daniel Kahneman and Amos Tversky, "On the Reality of Cognitive Illusions," *Psychological Review* 103 (1996): 582–91.

4　その一部を以下に掲げる。Valerie F. Reyna and Farrell J. Lloyd, "Physician Decision-Making and Cardiac Risk: Effects of Knowledge, Risk Perception, Risk Tolerance and Fuzzy-Processing," *Journal of Experimental Psychology: Applied* 12 (2006): 179–95. Nicholas Epley and Thomas Gilovich, "The Anchoring-and-Adjustment Heuristic," *Psychological Science* 17 (2006): 311–18. Norbert Schwarz et al., "Ease of Retrieval of Information: Another Look at the Availability Heuristic," *Journal of Personality and Social Psychology* 61 (1991): 195–202. Elke U. Weber et al., "Asymmetric Discounting in Intertemporal Choice," *Psychological Science* 18 (2007): 516–23. George F. Loewenstein et al., "Risk as Feelings," *Psychological Bulletin* 127 (2001): 267–86.

5　正式にはアルフレッド・ノーベル記念経済学スウェーデン国立銀行賞で、第1回は1969年だった。一部の物理学者が社会科学にノーベル賞を与えることに不快感を示したため、妥協案として、異なる名称になっている。

6　1980年代にハーバート・サイモンとメロン大学の学生が、専門家のスキルに関する先駆的な研究を行った。この方面に関するすばらしい入門書には、以下がある。Joshua Foer, *Moonwalking with Einstein: The Art and Science of Remembering Everything* (New York: Penguin Press, 2011).〔『ごく平凡な記憶力の私が1年で全米記憶力チャンピオンになれた理由』梶浦真

美訳、エクスナレッジ〕より専門的な詳細については、以下を参照されたい。K. Anders Ericsson et al., eds., *The Cambridge Handbook of Expertise and Expert Performance* (New York: Cambridge University Press, 2006).

7 Gary A. Klein, *Sources of Power* (Cambridge, MA: MIT Press, 1999).〔『決断の法則――人はどのようにして意思決定するのか？』佐藤洋一監訳、トッパン〕

8 ハーバート・サイモンは20世紀最大級の科学者の１人である。その発見・発明は、政治学（研究者として出発した分野である）、経済学（ノーベル賞を受賞した）、コンピュータ・サイエンス（この分野の先駆者である）から心理学と、広い範囲にわたる。

9 Herbert A. Simon, "What Is an Explanation of Behavior?" *Psychological Science* 3 (1992): 150–61.

10 感情ヒューリスティックというコンセプトを開発したのは、ポール・スロビックである。彼はミシガン大学でのエイモスの同級生で、生涯にわたる友人だった。

11 第９章参照。

第１章

1 この分野の研究については、以下を参照されたい。Jonathan St. B. T. Evans and Keith Frankish, eds., *In Two Minds: Dual Processes and Beyond* (New York: Oxford University Press, 2009); Jonathan St. B. T. Evans, "Dual-Processing Accounts of Reasoning, Judgment, and Social Cognition," *Annual Review of Psychology* 59 (2008): 255–78. 先駆的研究者には Seymour Epstein, Jonathan Evans, Steven Sloman, Keith Stanovich, Richard West などがいる。システム１、システム２という名称は、私の思考に多大な影響を与えたスタノビッチとウェストの次の論文から借用した。Keith E. Stanovich and Richard F. West, "Individual Differences in Reasoning: Implications for the Rationality Debate," *Behavioral and Brain Sciences* 23 (2000): 645–65.

2 自由意志で行われているという感覚がときに錯覚であることが、以下の著作に示されている。Daniel M. Wegner, *The Illusion of Conscious Will* (Cambridge, MA: Bradford Books, 2003).

3 Nilli Lavie, "Attention, Distraction and Cognitive Control Under Load," *Current Directions in Psychological Science* 19 (2010): 143–48.

4 古典的なストループ・タスクでは、色名がさまざまな色で印刷された色パッチまたは色名カードを示される。被験者は書かれた色名を無視して実

際の色を答えなければならない。色名とは異なる色で印刷されている場合には、これは非常に難しい（黄色インクで「緑」、続いて緑インクで「黄」と印刷されているなど）。

5　ヘア教授は、2011年3月16日付の手紙で「あなたの先生の言ったことは正しい」と書いてくれた。以下を参照されたい。Robert D. Hare, *Without Conscience: The Disturbing World of the Psychopaths Among Us* (New York: Guilford Press, 1999).〔『診断名サイコパス――身近にひそむ異常人格者たち』小林宏明訳、ハヤカワ文庫〕Paul Babiak and Robert D. Hare, *Snakes in Suits: When Psychopaths Go to Work* (New York: Harper, 2007).〔『社内の「知的確信犯」を探し出せ』真喜志順子訳、ファーストプレス〕

6　脳の中の小人は「ホムンクルス」と名づけられており、まことに当然ながら、専門家には嘲笑されている。

7　Alan D. Baddeley, "Working Memory: Looking Back and Looking Forward," *Nature Reviews: Neuroscience* 4 (2003): 829–38. Alan D. Baddeley, *Your Memory: A User's Guide* (New York: Firefly Books, 2004).〔『カラー図説　記憶力――そのしくみとはたらき』川幡政道訳、誠信書房　＊旧版の邦訳〕

第2章

1　本章の多くは、拙著『注意と努力』*Attention and Effort* (1973) に拠っている。同書は、私のウェブサイトからダウンロードできる (www.princeton.edu/~kahneman/docs/attention_and_effort/Attention_hi_quality.pdf)。同書のメインテーマは、注意を払い知的努力をする能力は限られている、ということである。注意と努力は、多くの知的作業に活用できる汎用的なリソースだと考えられてきた。この考え方には異論もあるが、多くの心理学者や神経科学者が、この見方を脳の研究に応用している。以下を参照されたい。Marcel A. Just and Patricia A. Carpenter, "A Capacity Theory of Comprehension: Individual Differences in Working Memory," *Psychological Review* 99 (1992): 122–49; Marcel A. Just et al., "Neuroindices of Cognitive Workload: Neuroimaging, Pupillometric and Event-Related Potential Studies of Brain Work," *Theoretical Issues in Ergonomics Science* 4 (2003): 56–88. 注意力が汎用的なリソースであることを裏付ける実験データも増えてきている。以下を参照されたい。Evie Vergauwe et al., "Do Mental Processes Share a Domain-General Resource?" *Psychological Science* 21 (2010): 384–90. 多くの努力を要するタスクを予想しただけで、脳の多くの領域が活性化されることを示す画像データも存在する。以下を参照されたい。Carsten N. Boehler et

al., "Task-Load-Dependent Activation of Dopaminergic Midbrain Areas in the Absence of Reward," *Journal of Neuroscience* 31 (2011): 4955–61.

2 Eckhard H. Hess, "Attitude and Pupil Size," *Scientific American* 212 (1965): 46–54.

3 「被験者（subject）」という言葉は人を物や奴隷のように扱うものだとして、アメリカ心理学会では、「参加者（participant）」という民主的な名称を使うよう研究者に要求している。だが残念ながら、この世間的に公正な言葉は言いにくく、記憶スペースをとるうえ、遅い思考に属する。できるだけ「参加者」と言うようにしたいが、必要な場合には「被験者」を使うつもりである。

4 Daniel Kahneman et al., "Pupillary, Heart Rate, and Skin Resistance Changes During a Mental Task," *Journal of Experimental Psychology* 79 (1969): 164–67.

5 Daniel Kahneman, Jackson Beatty, and Irwin Pollack, "Perceptual Deficit During a Mental Task," *Science* 15 (1967): 218–19. 私たちは途中に鏡を置いて、被験者がカメラのほうを向いたまま文字を見られるようにした。被験者は狭い隙間から文字を見るので、瞳孔の大きさが変わっても視覚には影響を与えない。文字を感知する能力は、逆V字パターンを示した。これは、他の被験者でも観察された。

6 いくつものタスクを同時にこなそうとすると、何種類もの困難に直面することになる。たとえば、2つのことを同時に話すのは物理的に不可能である。聞く作業と見る作業を同時にこなすほうが、見る作業（または聞く作業）を2つ同時にこなすより易しい。よく知られた心理学理論では、タスク同士の相互干渉は、異なるメカニズムの競争であるとされる。以下を参照されたい。Alan D. Baddeley, *Working Memory* (New York: Oxford University Press, 1986).〔『ワーキングメモリ――思考と行為の心理学的基盤』井関龍太・齋藤智・川﨑惠里子訳、誠信書房〕人間は訓練によって、複数のタスクを同時にこなす能力を鍛えることができる。だが、相互干渉するタスクの種類は膨大である。このため、多くのタスクに必要な注意と努力という汎用リソースが備わっていると考えられる。

7 Michael E. Smith, Linda K. McEvoy, and Alan Gevins, "Neurophysiological Indices of Strategy Development and Skill Acquisition," *Cognitive Brain Research* 7 (1999): 389–404. Alan Gevins et al., "High-Resolution EEG Mapping of Cortical Activation Related to Working Memory: Effects of Task Difficulty, Type of Processing and Practice," *Cerebral Cortex* 7 (1997): 374–85.

8 たとえばSylvia K. AhernとJackson Beattyは、大学進学適性試験（SAT）

で高得点をとった人は、得点の低かった人に比べ、同一の問題に答える際の瞳孔拡大の度合いが小さいことを確かめた。以下を参照されたい。"Physiological Signs of Information Processing Vary with Intelligence," *Science* 205 (1979): 1289–92.

9 Wouter Kool et al., "Decision Making and the Avoidance of Cognitive Demand," *Journal of Experimental Psychology—General* 139 (2010): 665–82. Joseph T. McGuire and Matthew M. Botvinick, "The Impact of Anticipated Demand on Attention and Behavioral Choice," in *Effortless Attention*, ed. Brian Bruya (Cambridge, MA: Bradford Books, 2010), 103–20.

10 神経科学者は、ある行動が完了したときにその総合的な価値を評価する脳の領域を突き止めた。この領域の神経計算では、投入された努力はコストとしてカウントされる。以下を参照されたい。Joseph T. McGuire and Matthew M. Botvinick, "Prefrontal Cortex, Cognitive Control, and the Registration of Decision Costs," *PNAS* 107 (2010): 7922–26.

11 Bruno Laeng et al., "Pupillary Stroop Effects," *Cognitive Processing* 12 (2011): 13–21.

12 Michael I. Posner and Mary K. Rothbart, "Research on Attention Networks as a Model for the Integration of Psychological Science," *Annual Review of Psychology* 58 (2007): 1–23. John Duncan et al., "A Neural Basis for General Intelligence," *Science* 289 (2000): 457–60.

13 Stephen Monsell, "Task Switching," *Trends in Cognitive Sciences* 7 (2003): 134–40.

14 Baddeley, *Working Memory*.

15 Andrew A. Conway, Michael J. Kane, and Randall W. Engle, "Working Memory Capacity and Its Relation to General Intelligence," *Trends in Cognitive Sciences* 7 (2003): 547–52.

16 Daniel Kahneman, Rachel Ben-Ishai, and Michael Lotan, "Relation of a Test of Attention to Road Accidents," *Journal of Applied Psychology* 58 (1973): 113–15. Daniel Gopher, "A Selective Attention Test as a Predictor of Success in Flight Training," *Human Factors* 24 (1982): 173–83.

第3章

1 Mihaly Csikszentmihalyi, *Flow: The Psychology of Optimal Experience* (New York: Harper, 1990).〔『フロー体験——喜びの現象学』今村浩明訳、世界思想社〕

2 Baba Shiv and Alexander Fedorikhin, "Heart and Mind in Conflict: The Interplay of Affect and Cognition in Consumer Decision Making," *Journal of Consumer Research* 26 (1999): 278–92. Malte Friese, Wilhelm Hofmann, and Michaela Wänke, "When Impulses Take Over: Moderated Predictive Validity of Implicit and Explicit Attitude Measures in Predicting Food Choice and Consumption Behaviour," *British Journal of Social Psychology* 47 (2008): 397–419.

3 Daniel T. Gilbert, "How Mental Systems Believe," *American Psychologist* 46 (1991): 107–19. C. Neil Macrae and Galen V. Bodenhausen, "Social Cognition: Thinking Categorically about Others," *Annual Review of Psychology* 51 (2000): 93–120.

4 Sian L. Beilock and Thomas H. Carr, "When High-Powered People Fail: Working Memory and Choking Under Pressure in Math," *Psychological Science* 16 (2005): 101–105.

5 Martin S. Hagger et al., "Ego Depletion and the Strength Model of Self-Control: A Meta-Analysis," *Psychological Bulletin* 136 (2010): 495–525.

6 Mark Muraven and Elisaveta Slessareva, "Mechanisms of Self-Control Failure: Motivation and Limited Resources," *Personality and Social Psychology Bulletin* 29 (2003): 894–906. Mark Muraven, Dianne M. Tice, and Roy F. Baumeister, "Self-Control as a Limited Resource: Regulatory Depletion Patterns," *Journal of Personality and Social Psychology* 74 (1998): 774–89.

7 Matthew T. Gailliot et al., "Self-Control Relies on Glucose as a Limited Energy Source: Willpower Is More Than a Metaphor," *Journal of Personality and Social Psychology* 92 (2007): 325–36. Matthew T. Gailliot and Roy F. Baumeister, "The Physiology of Willpower: Linking Blood Glucose to Self-Control," *Personality and Social Psychology Review* 11 (2007): 303–27.

8 Gailliot, "Self-Control Relies on Glucose as a Limited Energy Source."

9 Shai Danziger, Jonathan Levav, and Liora Avnaim-Pesso, "Extraneous Factors in Judicial Decisions," *PNAS* 108 (2011): 6889–92.

10 Shane Frederick, "Cognitive Reflection and Decision Making," *Journal of Economic Perspectives* 19 (2005): 25–42.

11 この系統的エラーは確証バイアスとして知られる。以下を参照されたい。Evans, "Dual-Processing Accounts of Reasoning, Judgment, and Social Cognition."

12 Keith E. Stanovich, *Rationality and the Reflective Mind* (New York: Oxford

University Press, 2011).
13 Walter Mischel and Ebbe B. Ebbesen, "Attention in Delay of Gratification," *Journal of Personality and Social Psychology* 16 (1970): 329–37.
14 Inge-Marie Eigsti et al., "Predicting Cognitive Control from Preschool to Late Adolescence and Young Adulthood," *Psychological Science* 17 (2006): 478–84.
15 Mischel and Ebbesen, "Attention in Delay of Gratification." Walter Mischel, "Processes in Delay of Gratification," in *Advances in Experimental Social Psychology*, Vol. 7, ed. Leonard Berkowitz (San Diego, CA: Academic Press, 1974), 249–92. Walter Mischel, Yuichi Shoda, and Monica L. Rodriguez, "Delay of Gratification in Children," *Science* 244 (1989): 933–38. Eigsti, "Predicting Cognitive Control from Preschool to Late Adolescence."
16 M. Rosario Rueda et al.,"Training, Maturation, and Genetic Influences on the Development of Executive Attention," *PNAS* 102 (2005): 14931–36.
17 Maggie E. Toplak, Richard F. West, and Keith E. Stanovich, "The Cognitive Reflection Test as a Predictor of Performance on Heuristics-and-Biases Tasks," *Memory & Cognition* (in press).

第4章

1 Carey K. Morewedge and Daniel Kahneman, "Associative Processes in Intuitive Judgment," *Trends in Cognitive Sciences* 14 (2010): 435–40.
2 混乱を避けるために、瞳孔の拡大には言及しなかった。瞳孔の拡大は、感情的な刺激を受けたときと、それが知的努力を伴うときに起きる。
3 Paula M. Niedenthal, "Embodying Emotion," *Science* 316 (2007): 1002–1005.
4 イメージは、ポンプである。最初何回かは、ポンプを動かしても水は出てこない。だがその後は、勢いよく水を汲み上げるようになる。
5 John A. Bargh, Mark Chen, and Lara Burrows, "Automaticity of Social Behavior: Direct Effects of Trait Construct and Stereotype Activation on Action," *Journal of Personality and Social Psychology* 71 (1996): 230–44.
6 Thomas Mussweiler, "Doing Is for Thinking! Stereotype Activation by Stereotypic Movements," *Psychological Science* 17 (2006): 17–21.
7 Fritz Strack, Leonard L. Martin, and Sabine Stepper, "Inhibiting and Facilitating Conditions of the Human Smile: A Nonobtrusive Test of the Facial Feedback Hypothesis," *Journal of Personality and Social Psychology* 54 (1988): 768–77.
8 Ulf Dimberg, Monika Thunberg, and Sara Grunedal, "Facial Reactions to

Emotional Stimuli: Automatically Controlled Emotional Responses," *Cognition and Emotion* 16 (2002): 449–71.

9 Gary L. Wells and Richard E. Petty, "The Effects of Overt Head Movements on Persuasion: Compatibility and Incompatibility of Responses," *Basic and Applied Social Psychology* 1 (1980): 219–30.

10 Jonah Berger, Marc Meredith, and S. Christian Wheeler, "Contextual Priming: Where People Vote Affects How They Vote," *PNAS* 105 (2008): 8846–49.

11 Kathleen D. Vohs, "The Psychological Consequences of Money," *Science* 314 (2006): 1154–56.

12 Jeff Greenberg et al., "Evidence for Terror Management Theory II: The Effect of Mortality Salience on Reactions to Those Who Threaten or Bolster the Cultural Worldview," *Journal of Personality and Social Psychology* 58 (1990): 308–18.

13 Chen-Bo Zhong and Katie Liljenquist, "Washing Away Your Sins: Threatened Morality and Physical Cleansing," *Science* 313 (2006): 1451–52.

14 Spike Lee and Norbert Schwarz, "Dirty Hands and Dirty Mouths: Embodiment of the Moral-Purity Metaphor Is Specific to the Motor Modality Involved in Moral Transgression," *Psychological Science* 21 (2010): 1423–25.

15 Melissa Bateson, Daniel Nettle, and Gilbert Roberts, "Cues of Being Watched Enhance Cooperation in a Real-World Setting," *Biology Letters* 2 (2006): 412–14.

16 Timothy Wilsons, *Strangers to Ourselves* (Cambridge, MA: Belknap Press, 2002)〔『自分を知り、自分を変える――適応的無意識の心理学』村田光二監訳、新曜社〕では「無意識適応」という概念が示されるが、これはシステム1によく似ている。

第5章

1 容易さ、たやすさの専門用語は「流暢性（fluency）」である。

2 Adam L. Alter and Daniel M. Oppenheimer, "Uniting the Tribes of Fluency to Form a Metacognitive Nation," *Personality and Social Psychology Review* 13 (2009): 219–35.

3 Larry L. Jacoby, Colleen Kelley, Judith Brown, and Jennifer Jasechko, "Becoming Famous Overnight: Limits on the Ability to Avoid Unconscious Influences of the Past," *Journal of Personality and Social Psychology* 56 (1989):

326–38.
4 Bruce W. A. Whittlesea, Larry L. Jacoby, and Krista Girard, "Illusions of Immediate Memory: Evidence of an Attributional Basis for Feelings of Familiarity and Perceptual Quality," *Journal of Memory and Language* 29 (1990): 716–32.
5 ふつうは、友人に出会ったらただちにどこの誰だかわかるものである。最後に会ったのはいつか、そのとき何を着ていたか、どんな話をしたかも思い出せるだろう。そうした具体的な記憶がないときにだけ、「なじみの感覚」が生まれる。これは、いわば代替システムなのだ。完璧な信頼性はないが、何もないよりははるかにましである。ほとんどなじみのない人から旧友のように挨拶されたとき、仰天したり当惑したりせずに対応できるのは、なじみの感覚のおかげである。
6 Ian Begg, Victoria Armour, and Thérèse Kerr, "On Believing What We Remember," *Canadian Journal of Behavioural Science* 17 (1985): 199–214.
7 Daniel M. Oppenheimer, "Consequences of Erudite Vernacular Utilized Irrespective of Necessity: Problems with Using Long Words Needlessly," *Applied Cognitive Psychology* 20 (2006): 139–56.
8 Matthew S. McGlone and Jessica Tofighbakhsh, "Birds of a Feather Flock Conjointly (?): Rhyme as Reason in Aphorisms," *Psychological Science* 11 (2000): 424–28.
9 Anuj K. Shah and Daniel M. Oppenheimer, "Easy Does It: The Role of Fluency in Cue Weighting," *Judgment and Decision Making Journal* 2 (2007): 371–79.
10 Adam L. Alter, Daniel M. Oppenheimer, Nicholas Epley, and Rebecca Eyre, "Overcoming Intuition: Metacognitive Difficulty Activates Analytic Reasoning," *Journal of Experimental Psychology—General* 136 (2007): 569–76.
11 Piotr Winkielman and John T. Cacioppo, "Mind at Ease Puts a Smile on the Face: Psychophysiological Evidence That Processing Facilitation Increases Positive Affect," *Journal of Personality and Social Psychology* 81 (2001): 989–1000.
12 Adam L. Alter and Daniel M. Oppenheimer, "Predicting Short-Term Stock Fluctuations by Using Processing Fluency," *PNAS* 103 (2006). Michael J. Cooper, Orlin Dimitrov, and P. Raghavendra Rau, "A Rose.com by Any Other Name," *Journal of Finance* 56 (2001): 2371–88.
13 Pascal Pensa, "Nomen Est Omen: How Company Names Influence Short-

and Long-Run Stock Market Performance," *Social Science Research Network Working Paper*, September 2006.

14 Robert B. Zajonc, "Attitudinal Effects of Mere Exposure," *Journal of Personality and Social Psychology* 9 (1968): 1–27.

15 Robert B. Zajonc and D. W. Rajecki, "Exposure and Affect: A Field Experiment," *Psychonomic Science* 17 (1969): 216–17.

16 Jennifer L. Monahan, Sheila T. Murphy, and Robert B. Zajonc, "Subliminal Mere Exposure: Specific, General, and Diffuse Effects," *Psychological Science* 11 (2000): 462–66.

17 D. W. Rajecki, "Effects of Prenatal Exposure to Auditory or Visual Stimulation on Postnatal Distress Vocalizations in Chicks," *Behavioral Biology* 11 (1974): 525–36.

18 Robert B. Zajonc, "Mere Exposure: A Gateway to the Subliminal," *Current Directions in Psychological Science* 10 (2001): 227.

19 Annette Bolte, Thomas Goschke, and Julius Kuhl, "Emotion and Intuition: Effects of Positive and Negative Mood on Implicit Judgments of Semantic Coherence," *Psychological Science* 14 (2003): 416–21.

20 この分析では、被験者が実際に正解を発見したケースはすべて除外されている。分析結果が示すのは、被験者が最終的に多くの人が納得する連想ができなくても、何かしら関連性がありそうだという感じを持つことである。

21 Sascha Topolinski and Fritz Strack, "The Architecture of Intuition: Fluency and Affect Determine Intuitive Judgments of Semantic and Visual Coherence and Judgments of Grammaticality in Artificial Grammar Learning," *Journal of Experimental Psychology—General* 138 (2009): 39–63.

22 Bolte, Goschke, and Kuhl, "Emotion and Intuition."

23 Barbara Fredrickson, *Positivity: Groundbreaking Research Reveals How to Embrace the Hidden Strength of Positive Emotions, Overcome Negativity, and Thrive* (New York: Random House, 2009). 〔『ポジティブな人だけがうまくいく３：１の法則』植木理恵監修、高橋由紀子訳、日本実業出版社〕 Joseph P. Forgas and Rebekah East, "On Being Happy and Gullible: Mood Effects on Skepticism and the Detection of Deception," *Journal of Experimental Social Psychology* 44 (2008): 1362–67.

24 Sascha Topolinski et al., "The Face of Fluency: Semantic Coherence Automatically Elicits a Specific Pattern of Facial Muscle Reactions," *Cognition*

and Emotion 23 (2009): 260–71.

25 Sascha Topolinski and Fritz Strack, "The Analysis of Intuition: Processing Fluency and Affect in Judgments of Semantic Coherence," *Cognition and Emotion* 23 (2009): 1465–1503.

第6章

1 Daniel Kahneman and Dale T. Miller, "Norm Theory: Comparing Reality to Its Alternatives," *Psychological Review* 93 (1986): 136–53.

2 Jos J. A. Van Berkum, "Understanding Sentences in Context: What Brain Waves Can Tell Us," *Current Directions in Psychological Science* 17 (2008): 376–80.

3 Ran R. Hassin, John A. Bargh, and James S. Uleman, "Spontaneous Causal Inferences," *Journal of Experimental Social Psychology* 38 (2002): 515–22.

4 Albert Michotte, *The Perception of Causality* (Andover, MA: Methuen, 1963). Alan M. Leslie and Stephanie Keeble, "Do Six-Month-Old Infants Perceive Causality?" *Cognition* 25 (1987): 265–88.

5 Fritz Heider and Mary-Ann Simmel, "An Experimental Study of Apparent Behavior," *American Journal of Psychology* 13 (1944): 243–59.

6 Leslie and Keeble, "Do Six-Month-Old Infants Perceive Causality?"

7 Paul Bloom, "Is God an Accident?" *Atlantic,* December 2005.

第7章

1 Daniel T. Gilbert, Douglas S. Krull, and Patrick S. Malone, "Unbelieving the Unbelievable: Some Problems in the Rejection of False Information," *Journal of Personality and Social Psychology* 59 (1990): 601–13.

2 Solomon E. Asch, "Forming Impressions of Personality," *Journal of Abnormal and Social Psychology* 41 (1946): 258–90.

3 同上。

4 James Surowiecki, *The Wisdom of Crowds* (NewYork: Anchor Books, 2005). 〔『「みんなの意見」は案外正しい』小高尚子訳、角川文庫〕

5 Lyle A. Brenner, Derek J. Koehler, and Amos Tversky, "On the Evaluation of One-Sided Evidence," *Journal of Behavioral Decision Making* 9 (1996): 59–70.

第8章

1 Alexander Todorov, Sean G. Baron, and Nikolaas N. Oosterhof, "Evaluating

Face Trustworthiness: A Model-Based Approach," *Social Cognitive and Affective Neuroscience* 3 (2008): 119–27.

2 Alexander Todorov, Chris P. Said, Andrew D. Engell, and Nikolaas N. Oosterhof, "Understanding Evaluation of Faces on Social Dimensions," *Trends in Cognitive Sciences* 12 (2008): 455–60.

3 Alexander Todorov, Manish Pakrashi, and Nikolaas N. Oosterhof, "Evaluating Faces on Trustworthiness After Minimal Time Exposure," *Social Cognition* 27 (2009): 813–33.

4 Alexander Todorov et al., "Inference of Competence from Faces Predict Election Outcomes," *Science* 308 (2005): 1623–26. Charles C. Ballew and Alexander Todorov, "Predicting Political Elections from Rapid and Unreflective Face Judgments," *PNAS* 104 (2007): 17948–53. Christopher Y. Olivola and Alexander Todorov, "Elected in 100 Milliseconds: Appearance-Based Trait Inferences and Voting," *Journal of Nonverbal Behavior* 34 (2010): 83–110.

5 Gabriel Lenz and Chappell Lawson, "Looking the Part: Television Leads Less Informed Citizens to Vote Based on Candidates' Appearance," *American Journal of Political Science* (forthcoming).

6 Amos Tversky and Daniel Kahneman, "Extensional Versus Intuitive Reasoning: The Conjunction Fallacy in Probability Judgment," *Psychological Review* 90 (1983): 293–315.

7 William H. Desvousges et al., "Measuring Natural Resource Damages with Contingent Valuation: Tests of Validity and Reliability," in *Contingent Valuation: A Critical Assessment*, ed. Jerry A. Hausman (Amsterdam: North-Holland, 1993), 91–159.

8 Stanley S. Stevens, *Psychophysics: Introduction to Its Perceptual, Neural, and Social Prospect* (New York: Wiley, 1975).

9 Mark S. Seidenberg and Michael K. Tanenhaus, "Orthographic Effects on Rhyme Monitoring," *Journal of Experimental Psychology—Human Learning and Memory* 5 (1979): 546–54.

10 Sam Glucksberg, Patricia Gildea, and Howard G. Bookin, "On Understanding Nonliteral Speech: Can People Ignore Metaphors?" *Journal of Verbal Learning and Verbal Behavior* 21 (1982): 85–98.

第9章

1 判断のヒューリスティクスには、別のアプローチもある。以下を参照さ

れたい。Gerd Gigerenzer, Peter M. Todd, and the ABC Research Group, *Simple Heuristics That Make Us Smart* (New York: Oxford University Press, 1999). ゲルト・ギーゲレンツァーらが取り上げているのは、「最もよい手がかりを採用する」といった迅速で簡素な手続きである。ギーゲレンツァーが強調するように、彼の扱うヒューリスティクスと、エイモスと私が研究してきたヒューリスティクスとは異なる。またギーゲレンツァーは、ヒューリスティクスが不可避的に伴うバイアスよりも、ヒューリスティクスの正確さに注目している。迅速・簡素ヒューリスティクスの正確性を裏付けるために行われた調査の多くは、統計的なシミュレーションを使ってそれらが現実の生活の場面で通用することを示しているが、そうしたヒューリスティクスの心理学的現実性を示すデータは乏しく、議論の余地がある。彼らのアプローチで最も注目すべき発見は、再認ヒューリスティックである。再認ヒューリスティックは、有名な実験で説明されている。被験者は２つの都市のうちどちらが大きいかを質問される。すると、片方の都市だけを知っていた被験者は、知っているのだからこちらのほうが大きいだろうと推論する。この再認ヒューリスティックは、被験者が自分の知っている都市は大きいとわかっている場合には、きわめてうまく働く。逆に、自分の知っている都市が小さいとわかっている場合には、当然ながら、知らないほうの都市を大きいと答えることになる。すなわち被験者は理論に反して、再認以外の手がかりも活用することになる。以下を参照されたい。Daniel M. Oppenheimer, "Not So Fast! (and Not So Frugal!): Rethinking the Recognition Heuristic," *Cognition* 90 (2003): B1–B9. 彼らの理論の弱点は、私たちが脳について知っていることから判断する限り、ヒューリスティクスが簡素である必要はまったくないことである。脳は大量の情報を並行処理できるので、情報を切り捨てなくとも正確で速い判断を下すことは可能である。さらに、チェスの名手に関する初期の研究から判明したように、スキルとは、少ない情報を活用する術を学習していることではない。むしろ逆である。スキルとは、大量の情報を素早く効率的に処理する能力であることが多い。

2　Fritz Strack, Leonard L. Martin, and Norbert Schwarz, "Priming and Communication: Social Determinants of Information Use in Judgments of Life Satisfaction," *European Journal of Social Psychology* 18 (1988): 429–42.

3　相関係数は 0.66 だった。

4　置き換えの対象となる事柄としては、このほかに、結婚の満足度、仕事の満足度、余暇の満足度がある。以下を参照されたい。Norbert Schwarz,

Fritz Strack, and Hans-Peter Mai, "Assimilation and Contrast Effects in Part-Whole Question Sequences: A Conversational Logic Analysis," *Public Opinion Quarterly* 55 (1991): 3–23.

5　ドイツで行われた電話調査では、全般的なしあわせに関する質問が含まれていた。しあわせの自己評価と調査実施時の天候との相関性を調べたところ、顕著な相関性が認められた。気分は天気に左右されることが知られており、それが自己評価に与える影響は、置き換えで説明することができる。ただし別の形式で行われた電話調査では、いくらか異なる結果が出た。この調査では、回答者はしあわせかどうかを質問される前に、現在の天気を訊ねられる。すると、天気は自己評価にまったく影響を与えなかった。天気を明示的にプライミングすることによって、回答者のそのときの気分に説明を与えたため、通常であれば気分と全般的なしあわせの感覚の間に見られる関係性が薄れたのだと考えられる。

6　Melissa L. Finucane et al., "The Affect Heuristic in Judgments of Risks and Benefits," *Journal of Behavioral Decision Making* 13 (2000): 1–17.

第10章

1　Howard Wainer and Harris L. Zwerling, "Evidence That Smaller Schools Do Not Improve Student Achievement," *Phi Delta Kappan* 88 (2006): 300–303. この例は、以下で論じられている。Andrew Gelman and Deborah Nolan, *Teaching Statistics: A Bag of Tricks* (New York: Oxford University Press, 2002).

2　Jacob Cohen, "The Statistical Power of Abnormal-Social Psychological Research: A Review," *Journal of Abnormal and Social Psychology* 65 (1962): 145–53.

3　Amos Tversky and Daniel Kahneman, "Belief in the Law of Small Numbers," *Psychological Bulletin* 76 (1971): 105–10.

4　標本サイズに関する直感と計算の対比は、システム１とシステム２の対比を予感させるように見えるかもしれない。だが当時の私たちは、本書で示す見方からはまだ遠く隔たっていた。当時は、計算以外のすべてが直感で行われ、直感は結論を導くインフォーマルな手段だと考えていた。

5　William Feller, *Introduction to Probability Theory and Its Applications* (New York: Wiley, 1950).〔『確率論とその応用１』河田龍夫監訳、紀伊國屋書店〕

6　Thomas Gilovich, Robert Vallone, and Amos Tversky, "The Hot Hand in Basketball: On the Misperception of Random Sequences," *Cognitive Psychology* 17 (1985): 295–314.

第11章

1 Robyn LeBoeuf and Eldar Shafir, "The Long and Short of It: Physical Anchoring Effects," *Journal of Behavioral Decision Making* 19 (2006): 393–406.

2 Nicholas Epley and Thomas Gilovich, "Putting Adjustment Back in the Anchoring and Adjustment Heuristic: Differential Processing of Self-Generated and Experimenter-Provided Anchors," *Psychological Science* 12 (2001): 391–96.

3 Epley and Gilovich, "The Anchoring-and-Adjustment Heuristic."

4 Thomas Mussweiler, "The Use of Category and Exemplar Knowledge in the Solution of Anchoring Tasks," *Journal of Personality and Social Psychology* 78 (2000): 1038–52.

5 Karen E. Jacowitz and Daniel Kahneman, "Measures of Anchoring in Estimation Tasks," *Personality and Social Psychology Bulletin* 21 (1995): 1161–66.

6 Gregory B. Northcraft and Margaret A. Neale, "Experts, Amateurs, and Real Estate: An Anchoring-and-Adjustment Perspective on Property Pricing Decisions," *Organizational Behavior and Human Decision Processes* 39 (1987): 84–97. 高いアンカーは正規の価格より12%高く、低いアンカーは12%低く設定された。

7 Birte Englich, Thomas Mussweiler, and Fritz Strack, "Playing Dice with Criminal Sentences: The Influence of Irrelevant Anchors on Experts' Judicial Decision Making," *Personality and Social Psychology Bulletin* 32 (2006): 188–200.

8 Brian Wansink, Robert J. Kent, and Stephen J. Hoch, "An Anchoring and Adjustment Model of Purchase Quantity Decisions," *Journal of Marketing Research* 35 (1998): 71–81.

9 Adam D. Galinsky and Thomas Mussweiler, "First Offers as Anchors: The Role of Perspective-Taking and Negotiator Focus," *Journal of Personality and Social Psychology* 81 (2001): 657–69.

10 Greg Pogarsky and Linda Babcock, "Damage Caps, Motivated Anchoring, and Bargaining Impasse," *Journal of Legal Studies* 30 (2001): 143–59.

11 これを扱った実験は、以下を参照されたい。Chris Guthrie, Jeffrey J. Rachlinski, and Andrew J. Wistrich, "Judging by Heuristic-Cognitive Illusions in Judicial Decision Making," *Judicature* 86 (2002): 44–50.

第12章

1 Amos Tversky and Daniel Kahneman, "Availability: A Heuristic for Judging Frequency and Probability," *Cognitive Psychology* 5 (1973): 207–32.

2 Michael Ross and Fiore Sicoly, "Egocentric Biases in Availability and Attribution," *Journal of Personality and Social Psychology* 37 (1979): 322–36.

3 Schwarz et al., "Ease of Retrieval as Information."

4 Sabine Stepper and Fritz Strack, "Proprioceptive Determinants of Emotional and Nonemotional Feelings," *Journal of Personality and Social Psychology* 64 (1993): 211–20.

5 この分野の研究のレビューに、以下がある。Rainer Greifeneder, Herbert Bless, and Michel T. Pham, "When Do People Rely on Affective and Cognitive Feelings in Judgment? A Review," *Personality and Social Psychology Review* 15 (2011): 107–41.

6 Alexander Rotliman and Norbert Schwarz, "Constructing Perceptions of Vulnerability: Personal Relevance and the Use of Experimental Information in Health Judgments," *Personality and Social Psychology Bulletin* 24 (1998): 1053–64.

7 Rainer Greifeneder and Herbert Bless, "Relying on Accessible Content Versus Accessibility Experiences: The Case of Processing Capacity," *Social Cognition* 25 (2007): 853–81.

8 Markus Ruder and Herbert Bless, "Mood and the Reliance on the Ease of Retrieval Heuristic," *Journal of Personality and Social Psychology* 85 (2003): 20–32.

9 Rainer Greifeneder and Herbert Bless, "Depression and Reliance on Ease-of-Retrieval Experiences," *European Journal of Social Psychology* 38 (2008): 213–30.

10 Chezy Ofir et al.,"Memory-Based Store Price Judgments: The Role of Knowledge and Shopping Experience," *Journal of Retailing* 84 (2008): 414–23.

11 Eugene M. Caruso, "Use of Experienced Retrieval Ease in Self and Social Judgments," *Journal of Experimental Social Psychology* 44 (2008): 148–55.

12 Johannes Keller and Herbert Bless, "Predicting Future Affective States: How Ease of Retrieval and Faith in Intuition Moderate the Impact of Activated Content," *European Journal of Social Psychology* 38 (2008): 1–10.

13 Mario Weick and Ana Guinote, "When Subjective Experiences Matter: Power Increases Reliance on the Ease of Retrieval," *Journal of Personality and*

Social Psychology 94 (2008): 956–70.

第13章

1　ダマシオの理論は「ソマティックマーカー仮説」として知られ、多くの支持を得ている。以下を参照されたい。Antonio R. Damasio, *Descartes' Error: Emotion, Reason, and the Human Brain* (New York: Putnam, 1994).〔『デカルトの誤り——情動、理性、人間の脳』田中三彦訳、ちくま学芸文庫〕Antonio R. Damasio, "The Somatic Marker Hypothesis and the Possible Functions of the Prefrontal Cortex," *Philosophical Transactions: Biological Sciences* 351 (1996): 141–20.

2　Finucane et al., "The Affect Heuristic in Judgments of Risks and Benefits." Paul Slovic, Melissa Finucane, Ellen Peters, and Donald G. MacGregor, "The Affect Heuristic," in Thomas Gilovich, Dale Griffin, and Daniel Kahneman, eds., *Heuristics and Biases* (New York: Cambridge University Press, 2002), 397–420. Paul Slovic, Melissa Finucane, Ellen Peters, and Donald G. MacGregor, "Risk as Analysis and Risk as Feelings: Some Thoughts About Affect, Reason, Risk, and Rationality," *Risk Analysis* 24 (2004): 1–12. Paul Slovic, "Trust, Emotion, Sex, Politics, and Science: Surveying the Risk- Assessment Battlefield," *Risk Analysis* 19 (1999): 689–701.

3　Slovic, "Trust, Emotion, Sex, Politics, and Science." この実験で使われたのは、ある一つの問題の解決策となりうるものではない。現実の問題では、複数の技術が解決策の候補として考慮されることになり、費用と便益は必ず負の関係になる。すなわち、最も便益の大きい解決策は、最も費用が嵩むことになりやすい。このようなケースでも、素人に限らず専門家まで正しい費用便益関係を見誤るのは、興味深い現象である。

4　Jonathan Haidt, "The Emotional Dog and Its Rational Tail: A Social Institutionist Approach to Moral Judgment," *Psychological Review* 108 (2001): 814–34.

5　Paul Slovic, *The Perception of Risk* (Sterling, VA: EarthScan, 2000).

6　Timur Kuran and Cass R. Sunstein, "Availability Cascades and Risk Regulation," *Stanford Law Review* 51 (1999): 683–768.

7　包括的環境対処・補償・責任法（通称スーパーファンド法）は、1980年に可決成立した。

8　エイラー事件でリンゴ農家のために証言したポール・スロビックは、この点についていくらかちがう考えを持っている。「パニックを引き起こし

たのは、CBSの報道だ。60分番組で、4,000人の子供がガンで死んだ（その可能性はゼロだ）というニュースを流し、髪の毛のなくなった子供たちの悲惨な映像や、その他諸々のでたらめを放送した。そのうえ、環境保護庁はエイラーの安全性を確認・評価する能力がなく、規制当局に対する信頼を台無しにした。こうした点から考えれば、市民の対応は合理的だったと思う」。（2011年5月11日付私信）

第14章

1 この例は以下から借用した。Max H. Bazerman and Don A. Moore, *Judgment in Managerial Decision Making* (New York: Wiley, 2008).〔『行動意思決定論――バイアスの罠』長瀬勝彦訳、白桃書房〕

2 Jonathan St. B. T. Evans, "Heuristic and Analytic Processes in Reasoning," *British Journal of Psychology* 75 (1984): 451–68.

3 Norbert Schwarz et al., "Base Rates, Representativeness, and the Logic of Conversation: The Contextual Relevance of 'Irrelevant' Information," *Social Cognition* 9 (1991): 67–84.

4 Alter, Oppenheimer, Epley, and Eyre, "Overcoming Intuition."

5 ベイズ・ルールは、最も単純には、事後確率＝事前確率 × 尤度（ゆうど）比という形で表される。尤度比は、2つの相反する仮説が現実であるオッズ（それぞれの確率の比）を意味する。診断の問題で考えてみよう。あなたの友人が、ある深刻な病気の検査で陽性反応が出た。この病気はきわめてめずらしく、精密検査送りになった人が実際にその病気だった例は、600件に1件にすぎない。検査自体の精度は高く、的中率は25：1である。すなわち、陽性反応が出た人がその病気にかかっている確率は、偽の陽性反応が出た確率の25倍である。陽性反応が出たのは悪い知らせだが、あなたの友人が病気であるオッズは1/600から25/600になったにすぎない。確率としては4％である。

トム・Wがコンピュータ科学者であるという仮説を考えてみよう。主観確率の3％に対する事前確率は、0.03/0.97＝0.031となる。尤度を4と仮定すれば（トム・Wがコンピュータ科学者である可能性は、そうでない可能性の4倍）事後確率は4 × 0.031＝12.4となる。以上から、トム・Wがコンピュータ科学者である事後確率を計算すると、11％となる（12.4/112.4＝0.11）。

第15章

1 Amos Tversky and Daniel Kahneman, "Extensional Versus Intuitive Reasoning: The Conjunction Fallacy in Probability Judgment," *Psychological Review* 90 (1983), 293–315.

2 Stephen Jay Gould, *Bully for Brontosaurus* (New York: Norton, 1991). 〔『がんばれカミナリ竜――進化生物学と去りゆく生きものたち』廣野喜幸・石橋百枝・松本文雄訳、早川書房〕

3 代表的なものとして、以下を参照されたい。Ralph Hertwig and Gerd Gigerenzer, "The 'Conjunction Fallacy' Revisited: How Intelligent Inferences Look Like Reasoning Errors," *Journal of Behavioral Decision Making* 12 (1999): 275–305; Ralph Hertwig, Bjoern Benz, and Stefan Krauss, "The Conjunction Fallacy and the Many Meanings of And," *Cognition* 108 (2008): 740–53.

4 Barbara Mellers, Ralph Hertwig, and Daniel Kahneman, "Do Frequency Representations Eliminate Conjunction Effects? An Exercise in Adversarial Collaboration," *Psychological Science* 12 (2001): 269–75.

第16章

1 確率の形でベイズ・ルールを適用すると、事前確率とは、基準率から導いた青タクシーが犯人である確率である。尤度比は、証人が青タクシーを見て青と言った確率と緑を見て青と言った確率の比になる。事後確率は、(0.15/0.85) × (0.80/0.20) =0 .706となる。事後確率は、犯人が青の確率と緑の確率の比である。犯人が青である確率を計算すると、0.706/1.706 = 0.41となる。よって、青タクシーが犯人である確率は、41%である。

2 Amos Tversky and Daniel Kahneman, "Causal Schemas in Judgments Under Uncertainty," in *Progress in Social Psychology*, ed. Morris Fishbein (Hillsdale, NJ: Erlbaum, 1980), 49–72.

3 Richard E. Nisbett and Eugene Borgida, "Attribution and the Psychology of Prediction," *Journal of Personality and Social Psychology* 32 (1975): 932–43.

4 John M. Darley and Bibb Latane, "Bystander Intervention in Emergencies: Diffusion of Responsibility," *Journal of Personality and Social Psychology* 8 (1968): 377–83.

第17章

1 Michael Bulmer, *Francis Galton: Pioneer of Heredity and Biometry* (Baltimore: Johns Hopkins University Press, 2003).

2 もとの計測値を偏差値に転換するときは、平均との差を求めてから標準

偏差で割る。平均値が0、標準偏差が1のとき（正規分布）の偏差値は、変数（とくに、もとの計測値の統計分布が似ている変数）のちがいを超えての比較が可能であり、数学的に都合のよい性質を備えている。ゴルトンは正規分布を使って相関と回帰の性質を理解しようとした。

3　子供が栄養失調になるような環境では、これは成り立たない。栄養状態のちがいが重要な要素となり、共通因子の重みは減る。それに伴って、両親と子供の身長の相関も低くなる（栄養失調の子供の両親が、やはり子供時代に飢餓で発育不良になった場合は除く）。

4　相関係数は、アメリカの人口からきわめて大量の標本を抽出して計算されたものである（ギャラップ＝ヘルスウェイズ幸福指数）。

5　この相関は印象的かもしれない。だが私は、だいぶ前に、社会学者のクリストファー・ジェンクスから、全員が同じ教育を受けても、所得の不平等（標準偏差で測定）は約9％しか減らないと教わって驚愕した。このことを示す式は、$\sqrt{(1-r^2)}$。式中のrは相関係数である。

6　このことは、2つの変数が偏差値であるとき、すなわち、各計測値から平均を差し引いて標準偏差で割り、偏差値に変換した場合に成り立つ。

7　Howard Wainer, "The Most Dangerous Equation," *American Scientist* 95 (2007): 249–56.

第18章

1　予測問題の最適解として標準的な回帰を求めるには、正しい値からの偏差を二乗して誤差に重みづけする。この方法を最小二乗法と言い、広く受け入れられている。損失関数を使うと、異なる解法が得られる。

第19章

1　Nassim Nicholas Taleb, *The Black Swan: The Impact of the Highly Improbable* (New York: Random House, 2007).〔『ブラック・スワン――不確実性とリスクの本質』望月衛訳、ダイヤモンド社〕

2　第7章を参照されたい。

3　Michael Lewis, *Moneyball: The Art of Winning an Unfair Game* (New York: Norton, 2003).〔『マネー・ボール』中山宥訳、ハヤカワ文庫〕

4　Seth Weintraub, "Excite Passed Up Buying Google for $750,000 in 1999," *Fortune*, September 29, 2011.

5　Richard E. Nisbett and Timothy D. Wilson, "Telling More Than We Can Know: Verbal Reports on Mental Processes," *Psychological Review* 84 (1977):

231–59.

6 Baruch Fischhoff and Ruth Beyth, "I Knew It Would Happen: Remembered Probabilities of Once Future Things," *Organizational Behavior and Human Performance* 13 (1975): 1–16.

7 Jonathan Baron and John C. Hershey, "Outcome Bias in Decision Evaluation," *Journal of Personality and Social Psychology* 54 (1988): 569–79.

8 Kim A. Kamin and Jeffrey Rachlinski, "Ex Post ≠ Ex Ante: Determining Liability in Hindsight," *Law and Human Behavior* 19 (1995): 89–104. Jeffrey J. Rachlinski, "A Positive Psychological Theory of Judging in Hindsight," *University of Chicago Law Review* 65 (1998): 571–625.

9 Jeffrey Goldberg, "Letter from Washington: Woodward vs. Tenet," *New Yorker*, May 21, 2007, 35–38. 次も参照されたい。Tim Weiner, *Legacy of Ashes: The History of the CIA* (New York: Doubleday, 2007)〔『CIA 秘録――その誕生から今日まで』藤田博司・山田侑平・佐藤信行訳、文春文庫〕; "Espionage: Inventing the Dots," *Economist*, November 3, 2007, 100.

10 Philip E. Tetlock, "Accountability: The Neglected Social Context of Judgment and Choice," *Research in Organizational Behavior* 7 (1985): 297–332.

11 Marianne Bertrand and Antoinette Schoar, "Managing with Style: The Effect of Managers on Firm Policies," *Quarterly Journal of Economics* 118 (2003): 1169–1208. Nick Bloom and John Van Reenen, "Measuring and Explaining Management Practices Across Firms and Countries," *Quarterly Journal of Economics* 122 (2007): 1351–1408.

12 私はこの例を、バンダービルト大学のジェームズ・H・スタイガー教授から拝借した。教授は妥当な根拠に基づいて、この質問に答えるアルゴリズムを開発している。彼の分析では、相関係数が 0.20 のときと 0.40 のときの結果を求めている。答はそれぞれ 43% と 37% になる。

13 同書は、フィナンシャル・タイムズ紙とウォールストリート・ジャーナルの両方で、その年のベスト・ビジネス書に選ばれている。Phil Rosenzweig, *The Halo Effect: . . . and the Eight Other Business Delusions That Deceive Managers* (New York: Simon & Schuster, 2007).〔『なぜビジネス書は間違うのか――ハロー効果という妄想』桃井緑美子訳、日経ＢＰ社〕以下も参照されたい。Paul Olk and Phil Rosenzweig, "The Halo Effect and the Challenge of Management Inquiry: A Dialog Between Phil Rosenzweig and Paul Olk," *Journal of Management Inquiry* 19 (2010): 48–54.

14 James C. Collins and Jerry I. Porras, *Built to Last: Successful Habits of*

Visionary Companies (New York: Harper, 2002).〔『ビジョナリー・カンパニー――時代を超える生存の原則』山岡洋一訳、日経ＢＰ社〕

15 実際、その会社のCEO本人だとしても、自社の業績を高い信頼度で予測できるわけではない。インサイダー取引について調べた広範な研究によると、たしかにエグゼクティブたちは自社株取引で市場を出し抜いてはいる。だがその度合いはごくわずかで、取引コストをようやくカバーできる程度だった。以下を参照されたい。H. Nejat Seyhun, "The Information Content of Aggregate Insider Trading," *Journal of Business* 61 (1988): 1–24; Josef Lakonishok and Inmoo Lee, "Are Insider Trades Informative?" *Review of Financial Studies* 14 (2001): 79–111; Zahid Iqbal and Shekar Shetty, "An Investigation of Causality Between Insider Transactions and Stock Returns," *Quarterly Review of Economics and Finance* 42 (2002): 41–57.

16 Rosenzweig, *The Halo Effect.*〔前掲『なぜビジネス書は間違うのか』〕

17 Deniz Anginer, Kenneth L. Fisher, and Meir Statman, "Stocks of Admired Companies and Despised Ones," working paper, 2007.

18 ジェイソン・ツヴァイクは、回帰の無視はCEOの登用に好ましくない影響を与える、と述べている。不振に陥った企業は、最近好調な企業からCEOを引き抜く傾向がある。こうして引き抜かれたCEOは、すくなくとも一時的には、不振企業の業績を向上させたとの評価を得る（一方、彼の元いた会社で後任になった人は、取締役会に「ついに正しい人間をCEOにしたのだ」と信じさせるのに苦労する）。CEOが競合会社に転職するたびに、会社は彼の持ち分（株またはストックオプション）を買い取らねばならず、これがCEOの報酬の基準値となるが、これは転職先の業績とは何の関係もない。かくして、平均回帰とハロー効果によって成し遂げられた「個人的」業績に対して数十億ドル規模の報酬が払われることになる。（2009年12月29日付私信）。

第20章

1 Brad M. Barber and Terrance Odean, "Trading Is Hazardous to Your Wealth: The Common Stock Investment Performance of Individual Investors," *Journal of Finance* 55 (2002): 773–806.

2 Brad M. Barber and Terrance Odean, "Boys Will Be Boys: Gender, Overconfidence, and Common Stock Investment," *Quarterly Journal of Economics* 116 (2006): 261–92.

3 この「気質効果」については、32章でくわしく取り上げる。

4 Brad M. Barber and Terrance Odean, "All That Glitters: The Effect of Attention and News on the Buying Behavior of Individual and Institutional Investors," *Review of Financial Studies* 21 (2008): 785–818.

5 台湾における株取引を調べた研究によると、個人投資家から金融機関に移転した富の総額は、GDPの2.2%に達するという。以下を参照されたい。Brad M. Barber, Yi-Tsung Lee, Yu-Jane Liu, and Terrance Odean, "Just How Much Do Individual Investors Lose by Trading?" *Review of Financial Studies* 22 (2009): 609–32.

6 John C. Bogle, *Common Sense on Mutual Funds: New Imperatives for the Intelligent Investor* (New York: Wiley, 2000), 213.〔『インデックス・ファンドの時代――アメリカにおける資産運用の新潮流』井手正介監訳、みずほ年金研究所訳、東洋経済新報社〕

7 Mark Grinblatt and Sheridan Titman, "The Persistence of Mutual Fund Performance," *Journal of Finance* 42 (1992): 1977–84. Edwin J. Elton et al., "The Persistence of Risk-Adjusted Mutual Fund Performance," *Journal of Business* 52 (1997): 1–33. Edwin Elton et al., "Efficiency With Costly Information: A Re-interpretation of Evidence from Managed Portfolios," *Review of Financial Studies* 6 (1993): 1–21.

8 Philip E. Tetlock, *Expert Political Judgment: How Good is It? How Can We Know?* (Princeton: Princeton University Press, 2005), 233.

第21章

1 Paul Meehl, "Causes and Effects of My Disturbing Little Book," *Journal of Personality Assessment* 50 (1986): 370–75.

2 たとえば1990–1991年のオークションでは、1960年物シャトー・ラトゥールにロンドン市場でつけられた値段は平均464ドルだった。翌1961年物（過去最高の品質と言われる）は、平均5,432ドルである。

3 Paul J. Hoffman, Paul Slovic, and Leonard G. Rorer, "An Analysis-of-Variance Model for the Assessment of Configural Cue Utilization in Clinical Judgment," *Psychological Bulletin* 69 (1968): 338–39.

4 Paul R. Brown, "Independent Auditor Judgment in the Evaluation of Internal Audit Functions," *Journal of Accounting Research* 21 (1983): 444–55.

5 James Shanteau, "Psychological Characteristics and Strategies of Expert Decision Makers," *Acta Psychologica* 68 (1988): 203–15.

6 Danziger, Levav, and Avnaim-Pesso, "Extraneous Factors in Judicial

Decisions."
7 Richard A. DeVaul et al., "Medical-School Performance of Initially Rejected Students," *JAMA* 257 (1987): 47–51. Jason Dana and Robyn M. Dawes, "Belief in the Unstructured Interview: The Persistence of an Illusion," working paper, Department of Psychology, University of Pennsylvania, 2011. William M. Grove et al., "Clinical Versus Mechanical Prediction: A Meta-Analysis," *Psychological Assessment* 12 (2000): 19–30.
8 Robyn M. Dawes, "The Robust Beauty of Improper Linear Models in Decision Making," *American Psychologist* 34 (1979): 571–82.
9 Jason Dana and Robyn M. Dawes, "The Superiority of Simple Alternatives to Regression for Social Science Predictions," *Journal of Educational and Behavioral Statistics* 29 (2004): 317–31.
10 Virginia Apgar, "A Proposal for a New Method of Evaluation of the Newborn Infant," *Current Researches in Anesthesia and Analgesia* 32 (1953): 260–67. Mieczyslaw Finster and Margaret Wood, "The Apgar Score Has Survived the Test of Time," *Anesthesiology* 102 (2005): 855–57.
11 Atul Gawande, *The Checklist Manifesto: How to Get Things Right* (New York: Metropolitan Books, 2009).〔『アナタはなぜチェックリストを使わないのか？——重大な局面で〝正しい決断〟をする方法』吉田竜訳、晋遊舎〕
12 Paul Rozin, "The Meaning of 'Natural': Process More Important than Content," *Psychological Science* 16 (2005): 652–58.

本書は二〇一二年十一月に早川書房より単行本
として刊行された作品を文庫化したものです。

訳者略歴　上智大学文学部卒，翻訳家　訳書『道徳感情論』スミス（共訳），『LEAN IN』サンドバーグ，『良い戦略、悪い戦略』ルメルト，『ミル自伝』ミル，『国家は破綻する』ラインハート＆ロゴフ他多数

HM=Hayakawa Mystery
SF=Science Fiction
JA=Japanese Author
NV=Novel
NF=Nonfiction
FT=Fantasy

ファスト＆スロー
あなたの意思はどのように決まるか？
〔上〕

〈NF410〉

二〇一四年六月二十五日　発行
二〇二五年五月二十五日　二十三刷
（定価はカバーに表示してあります）

著者　ダニエル・カーネマン
訳者　村井章子
発行者　早川浩
発行所　株式会社早川書房
郵便番号　一〇一‐〇〇四六
東京都千代田区神田多町二ノ二
電話　〇三‐三二五二‐三一一一
振替　〇〇一六〇‐三‐四七七九九
https://www.hayakawa-online.co.jp

乱丁・落丁本は小社制作部宛お送り下さい。
送料小社負担にてお取りかえいたします。

印刷・中央精版印刷株式会社　製本・株式会社明光社
Printed and bound in Japan
ISBN978-4-15-050410-6 C0111

本書は活字が大きく読みやすい〈トールサイズ〉です。